Gwrando ar fy nghân

CW01096178

I Mam, ac er cof am fy nhad, ac
i'm teulu a'm ffrindiau da –
am eu cefnogaeth ar hyd y blynyddoedd,
ac am ganiatáu i mi fod yn fi

Cyhoeddwyd gan Wasg y Dref Wen,
28 Ffordd yr Eglwys,
Yr Eglwys Newydd, Caerdydd CF14 2EA
Ffôn 029 20617860

Argraffwyd ym Mhrydain.

Mae'r cyhoeddwr yn cydnabod cefnogaeth ariannol Cyngor Llyfrau Cymru.

GWRANDO AR FY NGHÂN

Heather Jones

Testun gan Caron Wyn Edwards

DREF WEN

Mynd 'nôl

Ychydig fisoedd yn ôl, gofynnodd Lyn, un o'm ffrindiau agos, am ffafr fawr gen i. Mae hi'n hyfforddi i fod yn therapydd, ac roedd hi'n chwilio am rywun i arbrofi arnyn nhw. Nid cynnig triniaeth harddwch am ddim, na thyliniad ymlaciol oedd hi, o na, ond rhywbeth mwy mentrus na hynny o lawer – roedd Lyn am drio fy nghael i 'regresio'.

"Paid â bod yn dwp," atebais innau gan chwerthin. "Ti'n gwybod yn iawn nad ydw i'n un dda am ymlacio! Does 'na ddim gobaith i mi ymlacio ddigon i'r peth weithio."

Ond fe bwysodd arna i, ac felly dyma gytuno yn y diwedd, er nad o'n i'n credu y byddai dim yn digwydd mewn gwirionedd.

Cyrhaeddais y tŷ, a derbyn cynnig Lyn o goffi. Yna, dyma orwedd ar y soffa, a hithau'n dweud wrtha i am gau fy llygaid ac ymlacio, ond yn sydyn ro'n i ar fy eistedd eto.

"Wnaiff hyn ddim gweithio, Lyn ..."

"Gorwedd lawr a bydd dawel! Jyst tria fe!" atebodd hithau'n gadarn. Felly dyma orwedd eto, a cheisio rhoi cyfle i Lyn ddechrau ar ei therapi.

"Rwyt ti am fynd ar siwrne. Ar siwrne 'nôl mewn amser. Cymer anadl ddofn ac ymlacia. Reit, awn ni'n 'nôl ... 'nôl â ni ... 'nôl i'r diwrnod pan oeddet ti'n dathlu dy ben-blwydd yn ddeugain. Wyt ti'n cofio rhywbeth am y diwrnod hwnnw?"

"Ydw, fe fues i mewn bwyty bach yn y Bont-faen. Dwi'n cofio'r weinyddes yn dod ata i gofyn be hoffwn i gael, a finnau'n dweud wrthi, 'Dwi'n dy nabod di'n dydw? Melanie yw dy enw di', ac fe ddywedodd hi, 'Sut gwyddech chi hynny?' 'Sa i'n gwybod,' atebais innau. 'Ti jyst yn edrych fel Melanie.' Doeddwn i 'rioed wedi cwrdd â'r ferch 'ma o'r blaen, a dwi'n cofio meddwl fod hynny'n od ...'

Torrodd Lyn ar draws fy mharablu, gan ofyn i mi fynd yn ôl ymhellach, yn ôl i fy mhen-blwydd yn ddeg ar hugain, yna yn un ar hugain, yn bymtheg, yn ddeg, yn wyth, a hithau'n holi bob tro beth oeddwn i'n ei gofio.

Gofynnodd Lyn i mi am yr adeg pan o'n i'n bump oed. "Wyt ti'n cofio unrhyw beth am y diwrnod hwnnw?" holodd.

"Ydw," atebais. "Dyna pryd daliodd Dad fi a'm ffrind Susie yn sgwennu ar ei gar e. Dwi'n cofio 'i fod e'n grac iawn. Ges i glatsied ar fy mhen-ôl o flaen fy mrodyr. Wna i fyth anghofio hynny. Sa i 'rioed wedi teimlo gymaint o gywilydd, ges i gymaint o siom …"

Daeth llais Lyn i dorri ar fy nhraws unwaith yn rhagor, gan ddweud ei bod hi am fynd â fi ymhellach fyth i'r gorffennol, yn ôl i ddim ac yna ymhellach eto.

"O'r gore," medde hi, "mae hyn cyn dy eni di fel Heather. Dychmyga dy fod ti mewn coridor hir, cul, ac mae 'na ddeg drws o dy flaen. Weli di nhw? Rwy'n moyn i ti ddewis un o'r drysau hynny a chamu trwyddo …"

Fe ddewisais i'r drws cyntaf, a dyna pryd ddechreuodd pethau fynd yn od.

"Alli di ddisgrifio ble wyt ti i mi, Heather?"

"Rwy mewn tŷ yn y wlad. Mae ganddo fe ddrws coch a ffenestri mawr, mawr, ac mae'r wraig sy'n berchen ar y tŷ yn dweud wrtha i am fynd i nôl y te. Sa i'n hapus … rwy'n teimlo'n anesmwyth. A dweud y gwir, mae ofn arna i. Sa i'n deall yr iaith …"

"Beth yw dy oed di?" clywais lais Lyn yn holi.

"Pymtheg? Un ar bymtheg? Falle dim ond tair ar ddeg …"

"A beth wyt ti'n wneud?"

"Dyletswyddau. Dwi'n dechrau yn y stafell yma; mae hi'n stafell hen ffasiwn …"

Gofynnodd Lyn i mi godi llawes fy nghrys. "Beth yw lliw dy groen di?"

Fe wnes i fel y gofynnodd ac edrych i lawr. "Dwi'n ddu!" Ar hynny, dechreuais lefain. "Dwi 'di cael fy nghipio oddi wrth fy nheulu … sa i'n moyn bod yn y tŷ yma … fi'n moyn bod 'da Mami a Dadi, fi'n moyn Mami a Dadi …"

Trwy'r panig oedd yn dechrau cydio ynddo i, gallwn glywed llais Lyn yn galw arna i, yn fy nhywys i mas o'r stafell honno, yn ôl i'r coridor, yn ôl i sefyll o flaen y drysau unwaith yn rhagor. Gofynnodd i mi ddewis drws arall.

"Rhif tri," atebais i'r tro hwn, ac i mewn â fi trwy'r trydydd drws. "Dwi'n gallu gweld cae hyfryd. Dwi'n ddyn mawr, tal … dwi'n gweithio ar fferm." Gofynnodd Lyn os oedd gwraig gen i. "Oes," meddwn innau, "Mae 'da fi wraig o'r enw Emilia, ond does ganddon ni ddim plant. Dyw Emilia ddim yn gallu beichiogi … Dwi'n gweithio'n galed drwy'r dydd bob dydd … dwi wedi blino …"

Roedd manylder fy nisgrifiadau'n anhygoel, ond ai drysau dychymyg oedd y rhain yr o'n i'n eu hagor? Cyn hyn, byddai synnwyr cyffredin wedi mynnu mai'r meddwl oedd yn chwarae triciau arna i, ond tra o'n i'n sôn am y bywydau blaenorol hyn, gallwn ddisgrifio popeth yn fanwl, fanwl. Gallwn hyd yn oed enwi'r pentref yr o'n i'n byw ynddo. Wrth gwrs, mae'n gwbl bosib y gallwn fod wedi dyfeisio'r enw, ond rai dyddiau'n ddiweddarach fe gafodd chwilfrydedd y gorau arna i. Edrychais ar fapiau manwl o'r Unol Daleithiau a'u harchwilio, gan ddod o hyd i'r union le yr o'n i wedi ei enwi yn ystod fy sesiwn gyda Lyn.

Bûm yn crwydro nifer o ystafelloedd eraill yng nghwmni Lyn y prynhawn hwnnw, ond yna'n sydyn, wedi i mi gamu allan o un ystafell ac yn ôl i'r coridor, bu'n rhaid gofyn am gymorth. "Sori, Lyn, ond dwi bron â marw moyn mynd i'r tŷ bach a fedra i ddim mynd mas o'r coridor yma …' Fedren ni ddim rhuthro. Bu'n rhaid i Lyn fy nhywys yn araf yn ôl trwy'r cyfnodau pan oeddwn yn bump, yn wyth, yn ddeg ar hugain, yn ddeugain – yn ôl i'r presennol. Gallwn ei chlywed hi'n cyfri'n ôl o bump i ddim, ac yna fe 'ddeffrais' a rhuthro i'r toiled.

Roedd e'n brofiad od eithriadol, er 'mod i wedi ymgolli'n llwyr yn y 'siwrne' ryfedd y bues i arni, ro'n i'n gwbl ymwybodol trwy'r cyfan.

Sylweddolais ei bod hi'n nesáu at dri o'r gloch a minnau angen casglu Megan o'r ysgol. Ffarweliais yn sydyn â Lyn a mynd tuag at y car, ond wrth gamu tu ôl i'r llyw fe gefais i'r panig mwya ofnadw. Dechreuais ystyried beth oedd newydd ddigwydd, y pethau ro'n i wedi eu dweud …

Wnes i fyth yr un peth eto. Fe hoffwn i, ond mae arna i ofn braidd. Ofn wynebu'r gorffennol falle, ac ofn peidio gallu ymdopi 'da'r dyfodol hefyd.

Ro'n i'n moyn adrodd yr hanes hwn am fy mod i'n credu mai rhywbeth tebyg i'r profiad yna yw sgrifennu hunangofiant. Cyfle annisgwyl i edrych yn ôl ar fywyd, i aildroedio coridorau ac ailagor drysau sy wedi'ch arwain chi i wahanol gyfeiriadau ar hyd eich hoes. Ar adegau, fe fu'n gryn her i mi wynebu'r gorffennol wrth fynd ati i lunio'r hunangofiant hwn. Fe fu'n broses o ailagor clwyfau weithiau, ac yn gyfle i ailystyried y ffordd rwy wedi meddwl am rai pobl a rhai digwyddiadau yn fy hanes. Erbyn heddiw, a minnau'n aeddfetach ac yn meddu ar fwy o brofiad bywyd, gallaf weld i mi agor ambell i ddrws yn rhy fuan falle, yn ogystal ag agor un neu ddau arall na ddylwn i fod wedi gwneud. Serch hynny, wrth edrych yn ôl dros hanner canrif a mwy o atgofion, prin iawn yw'r drysau hynny rwy'n difaru eu hagor a chamu trwyddyn nhw, ac mae'n debyg na all rhywun ofyn am fwy na hynny.

Magwraeth

Cefais fy ngeni a'm magu yng Nghaerdydd, a dyna lle'r ydw i fyth. Wnes i 'rioed fyw yn unman arall, a bu'r ddinas bron fel cymeriad arall yn fy hanes i, yn gefndir cyson i dapestri amryliw fy mywyd.

Yn ddaearyddol, mae'r stori'n dechrau draw ar St Brioc Road yn ardal yr Heath, yn y tŷ y mae Mam yn dal i fyw ynddo hyd heddiw. Dyna ble cefais i fy ngeni, yr ieuengaf o dri o blant ac unig ferch fy rhieni.

Roedd fy mam, fel cymaint o wragedd ei chyfnod, yn wraig tŷ, ac wrth ei bodd yn y rôl honno. Dyna oedd ei bywyd hi. Roedd hi'n canolbwyntio'n llwyr ar fod yn fam dda ac yn ymfalchïo yn hynny.

Yn wahanol iawn i'w phlant, chafodd hi 'rioed fagwraeth deuluol hapus. Bu farw ei mam a hithau prin yn bedair oed, a'i thad yn lled fuan wedi hynny. Cafodd ei magu gan lysfam, Mrs Cross, enw oedd yn gweddu iddi i'r dim gan ei bod yn flin yn dragywydd. Magwraeth lem, ddi-gariad oedd profiad fy mam, ac ofer fu ei hymdrechion i ennyn unrhyw gynhesrwydd gan yr unig 'riant' oedd ganddi. Rwy'n gwybod i hynny adael cryn argraff arni. Tyfodd gydag angen aruthrol i blesio pawb, i gael ei hoffi a'i derbyn, gan ddyheu'n barhaus fod rhywun yn dangos caredigrwydd a chariad tuag ati.

Yn ddiarwybod iddi, mae'n debyg iddi drosglwyddo'r angen hwnnw i'w phlant ei hunan pan ddaeth hithau'n fam. Rwy wedi treulio oes yn ceisio plesio eraill, ac yn digalonni os ydw i'n teimlo i mi fethu gwneud hynny. Dylanwad fy mam arna i sy'n golygu 'mod i'n dyheu am fod yn fam orau'r byd. Ei phwyslais hi ar ystyried anghenion eraill sydd wedi 'ngwneud i'n berson sy'n ildio'n hawdd, a'i hangen hi am gariad fagodd y tueddiad ynof fi i chwilio'n barhaus am gadarnhad fod eraill yn fy ngwerthfawrogi. Ond nid merch fy mam ydw i'n llwyr, chwaith. Mae yna ochr arall i mi, ochr lawer mwy hunanol sy'n dyheu am gael plesio'n hunan a neb arall, a rhaid ildio i hynny hefyd o dro i dro.

Roedd fy nhad yn ddyn caredig, parod ei gymwynas a chadarn ei farn. Fe gwrddodd ef â Mam ym Mharc y Rhath yng Nghaerdydd. Roedd Mam yno gyda chriw o ferched ac yntau'n mynd am dro trwy'r parc gyda'i ffrindiau. Rhaid ei fod e'n gadarn ei farn, hyd yn oed bryd hynny. Yn ôl yr hanes, cerddodd i ganol y merched, cydio yn llaw merch ifanc, swil, bryd golau a'i thywys am dro at y bont dros y llyn.

Gwerthwr symudol oedd e wrth ei waith, ac wrth ei fodd yn teithio o gwmpas de Cymru. Dwi'n amau mai ganddo fe y cefais i'n hoffter o deithio; fel yntau, dwi'n dwlu ar gamu i'r car a'r rhyddid y mae gwneud hynny'n ei gynnig.

Pan o'n i'n nesáu at fy arddegau, cafodd fy nhad ddyrchafiad, dyrchafiad a'i gwelodd yn cael ei benodi'n rheolwr ar dîm o bobl y bu tan hynny'n gweithio yn eu mysg. Oedd, roedd y dyrchafiad yn golygu 'chydig o arian ychwanegol, ond fe wn i na wnaeth e erioed fwynhau ei waith i'r un graddau wedi hynny. Roedd rheoli yn ei gadw e yn y swyddfa, ac yntau'n hiraethu am gael crwydro yn ei gar yn cwrdd â hwn a'r llall.

Prin iawn y gwelwn i fy nhad yn ystod yr wythnos, ar wahân i amser te. Roedd te yn ddefod yn ein tŷ ni – bob amser yn cael ei fwyta o amgylch y ford a phawb yn bresennol. Wedi sgwrsio am ei ddiwrnod a'n holi ni am ein diwrnod ninnau, byddai Dad yn cilio i'w swyddfa i ddelio gyda'i waith papur, ond fyddai e byth yn gweithio ar benwythnosau. Roedd y rheiny'n sanctaidd, yn ddyddiau i'r teulu. Wedi'r dyrchafiad, efallai eu bod nhw hefyd yn gyfle iddo leddfu ei hiraeth am y lôn. Byddem yn dringo i mewn i'r car coch ac yn mynd i grwydro, weithiau i Southerndown ger Pen-y-bont, weithiau i'r Barri neu i Benarth. Ambell waith byddai'n mynd â'r tri ohonom i faes awyr y Rhws i wylio'r awyrennau. Roedd yn hoff iawn o awyrennau, rhywbeth oedd wedi aros gydag e ers ei ddyddiau yn yr RAF mae'n debyg, a phob haf yn ddi-ffael byddai'n mynd â ni ar wyliau. Fuon ni 'rioed dramor, a dweud y gwir anfynych iawn y byddem ni'n mynd allan o Gymru. Dwi'n cofio mynd i lefydd fel Harlech, y Borth a'r Bermo, gan aros mewn meysydd carafannau yn y mannau hynny. Roedd fy nhad yn caru Cymru'n angerddol, a mynnai agor ein llygaid i brydferthwch ei wlad.

Roedd Dad yn ddyn tal, dyn a chanddo dipyn o bresenoldeb. Rwy'n siwr fod gan ambell un o'm ffrindiau ei ofn, a dweud y gwir, ond o'm rhan i, fe wyddwn i'n union ble'r o'n i'n sefyll 'dag e. Roedd e'n ddyn teg, er bod ei reolau'n sail gwrthryfel a rhwystredigaeth i mi ar adegau. Un esiampl o hynny oedd y rheol ganddo 'mod i adref erbyn 11 o'r gloch. Dyna beth oedd y drefn pan oeddwn i yn fy arddegau. Waeth ble'r o'n i na beth fyddwn i'n ei wneud, byddai disgwyl i mi fod adref erbyn 11 o'r gloch, doed a ddelo. Byddai'r golau'n cael ei ddiffodd bryd hynny, a phe bawn i'n hwyr, byddai'r drws ar glo.

Bu i Mam a Dad fy magu innau a'm brodyr, Malcolm a Gareth, ar aelwyd ddi-Gymraeg. Er hynny, ro'n i'n ymwybodol iawn o'r iaith, diolch i Tad-cu.

Brodor o Aberaeron oedd Tad-cu'n wreiddiol, a Chymraeg oedd iaith William Morris Jones, tad fy nhad. Gadawodd ei ardal enedigol i chwilio am borfeydd brasach, a chanfod ei hun yn Abertawe yn gyntaf, cyn symud i Gaerdydd gyda Maud, ei wraig ifanc uniaith Saesneg. Doedd gan Mam-gu, neu Nanna fel y cyfeiriwn i ati hi, fawr o ddiddordeb yn y Gymraeg. Fel llawer o'i chenhedlaeth, doedd hi ddim yn gweld defnydd na gwerth i'r iaith, ac roedd hi'n ddilornus ohoni. Er gwaetha ymdrechion Tad-cu, magwyd fy nhad yn gyfangwbl Saesneg ei iaith, ac erbyn iddo gamu allan i'r byd mawr roedd unrhyw ddylanwad ieithyddol fu gan ei dad arno wedi hen ddiflannu. Do, fe gollodd Dad y Gymraeg, ac ni ddaeth o hyd iddi fyth wedyn.

Doedd yr un peth ddim yn wir am Tad-cu. Er na châi siarad Cymraeg ar yr aelwyd rhagor, ef yn sicr fu'n gyfrifol am gynnau fy mrwdfrydedd i at yr iaith yn y dyddiau cynnar. Mae gen i atgofion o ymweld ag e yn ei gartref yn Sandringham Road yn ardal y Rhath pan o'n i'n cael rhywfaint o wersi Cymraeg yn yr ysgol gynradd. Wrth gwrs, byddem yn ymweld â Tad-cu a Nanna yn gyson, ond doedd yr ymweliadau hynny ddim yn fêl i gyd. Roedd gan Nanna agwedd hen ffasiwn at blant – y dylid 'eu gweld ac nid eu clywed', ac felly roedd yr ymweliadau'n oriau digon diflas i mi a'm brodyr. Ond ar ôl te, byddai Tad-cu'n codi o'r bwrdd, yn taflu winc ata i ac yn fy ngwahodd i allan i'r ardd. Wedi dianc tu hwnt i glyw Nanna, byddwn yn ymarfer fy ngeirfa gyfyng, ac yntau'n gwrando arna i'n parablu wrtho yn fy Nghymraeg trwsgl, yn union fel pe bai'n fy ngwylio'n cymryd fy nghamau cyntaf.

Dim ond wedyn y dechreuais i feddwl falle ei fod e'n difaru gadael i 'nhad golli ei iaith, a bod fy nghlywed i'n ceisio ei siarad yn lleddfu rhywfaint ar yr anesmwythyd hwnnw.

Er gwaetha anogaeth Tad-cu a'r sgyrsiau cyfrinachol yng ngwaelod yr ardd, mae'n beryg y byddai fy ngafael innau ar y Gymraeg wedi mynd i ddifancoll hefyd, oni bai i mi gael ambell sbardun pellach i'w meistroli.

Chwarae plant

Doeddwn i ddim yn blentyn oedd yn mwynhau chwaraeon, dim o bell ffordd. Yn wir, yn y blynyddoedd cynnar, prin fyddwn i'n mynd mas o'r tŷ. Dwi'n meddwl mai dyna un o'r prif resymau pam nad o'n i a'm brodyr yn agos iawn wrth dyfu lan.

Roedd Malcolm, neu Mac fel y mae pawb yn ei adnabod e, wyth mlynedd yn hŷn na fi, ac roedd deunaw mis rhwng Gareth a minnau. Roedd y ddau'n dueddol o edrych arna i'n reit ddirmygus, a dweud y gwir, yn fy nhrin i fel babi'r teulu, fel merch fach oedd yn cael ei difetha. Ac mae'n debyg mai dyna'n union o'n i.

Roedd Dad wedi bod yn dyheu am ferch, ac roedd e'n sicr yn fy sbwylio i. Ro'n i'n dioddef o asthma o oedran cynnar iawn, ac yn aml yn wirioneddol dost. Doedd y cyffuriau cyflym a soffistigedig sydd ar gael i drin y cyflwr heddiw ddim wedi eu datblygu bryd hynny – moddion hen ffasiwn, gweddi daer a gobeithio'r gorau oedd yr unig opsiynau, ac wrth gwrs, roedd Mam a Dad yn poeni amdana i drwy'r amser. Doedd dim rhyfedd fod fy mrodyr wedi teimlo 'mod i'n ferch fach fregus ac yn wahanol iddyn nhw.

Er bod Gareth yn nes ata i o ran oedran, roedd ganddo, fel Mac, fwy o ddiddordeb mewn pêl na dim byd arall. Chwaraeon oedd yn mynd â'u bryd nhw, a byddai'r ddau mas yn yr ardd gefn byth a hefyd, a thra oedden nhw allan yn yr awyr iach, yn y tŷ fyddwn i, yn cadw o fewn golwg Mam. Ro'n i'n ferch sidêt, a byddai Gareth a Mac wrth eu bodd yn gwneud hwyl am fy mhen, yn ceisio fy ngwneud i'n grac – onid dyna yw hoffter pob brawd mawr? Un o'u hamrywiol ffyrdd o wneud hynny oedd y cystadlaethau torri gwynt. Byddwn i'n sefyll yno, fy mysedd yn fy nghlustiau'n gweiddi, 'Stopiwch! Sa i'n gallu godde rhagor' – ro'n i'n amlwg yn *drama queen* hyd yn oed bryd hynny! Fe fyddwn i'n osgoi treulio gormod o amser yng nghwmni fy mrodyr pan oeddwn i'n blentyn ifanc, ond fel yr es i'n hŷn, dyma ddechrau cymysgu gyda phlant eraill yr ardal.

Fy ffrind pennaf oedd Susie – Susan Hill – oedd yn byw ar yr un stryd â mi. Daethom yn gyfeillion pennaf yn gynnar iawn yn fy hanes. Byddai mam Susie'n pasio'n tŷ ni ar ei ffordd i'r siopau lleol, ac yn aros i sgwrsio dros y glwyd 'da Mam tra byddai Susie a minnau, ein dwy prin yn cerdded, yn crwydro'r ardd ac yn dinistrio blodau'r cymdogion! Yn fuan iawn, roedd Susie a fi'n treulio pob munud yng nghwmni ein gilydd, yn chwarae gêmau gwahanol. Fyddai 'run diwrnod fyth yr un fath, ac roedd dychymyg byw y ddwy ohonom yn golygu nad oedden ni fyth yn brin o syniadau.

Dwi'n cofio chwarae 'Swyddfa Bost' yn y garej yng nghartref Susie. Roedden ni'n gwisgo hen ddillad ei mam – sgertiau hir a blowsys crand – ac yn paentio'n hewinedd yn goch, goch. Roedden ni'n fwy hoff o'n ewinedd coch nag o'r chwarae, ond roedd thema'r Swyddfa Bost o leia'n cynnig digon o gyfle i arddangos y dwylo, trwy ddosbarthu stampiau ffug, delio â llyfrau pensiwn, stampio llythyrau ac ati.

Gêm arall fydden ni'n ei chwarae yn y garej ar ddiwrnod gwlyb oedd 'Llyfrgell'. Dwi'n cofio bod 'na ysgol fechan yno, ac ro'n i wrth fy modd yn dringo'i grisiau simsan yn chwilio am y llyfr hwn neu'r llall, neu'n cadw ambell i gyfrol ddychmygol yn ei lle priodol.

Ar ddyddiau poeth o haf – ac wrth edrych yn ôl dyna'r oedd y rhan fwyaf ohonyn nhw – byddai Susie a finnau'n mynd ati i sefydlu ffair yn yr ardd gefn. Roedd gan ei theulu ardd enfawr, a byddem yn gwneud diod o sgwash ac yn gwahodd y plant lleol draw – y cyfan am bris teg, wrth gwrs! Roedd sawl reid yn y ffair – carwsél wedi ei wneud o fwced peiriant torri gwair, y byddai rhywun yn eistedd ynddo ac yn cael ei siglo o un ochr i'r llall; si-so wedi ei greu gyda thrawst pren dros gasgen; sleids hambyrddau a pheth wmbredd o bethau eraill.

Ar yr adegau prin hynny pan na fyddai Susie wrth fy ochr, ro'n i'n ddigon bodlon ar fy nghwmni fy hunan. Un gêm fyddai'n fy nghadw'n ddiwyd am oriau oedd y gêm gyflwyno. Yn y parlwr ffrynt roedd alcof o bobtu'r lle tân, a silff yn un ohonynt oedd yn gwneud desg wych i mi. Byddwn i'n rhoi cadair o dan y silff, yn gwisgo'n smart ac yn eistedd yn wynebu'r wal gyda thwmpath o bapur. Weithiau, ro'n i'n ohebydd newyddion difrifol, yn cyflwyno mewn llais crand ofnadwy, "Hello, good evening, this is the news …" Dro arall byddwn i'n dynwared y rhaglen *Watch with Mother*, gan fynd ati i egluro'n ddyfal wrth y wal sut oedd creu pob math o amrywiol eitemau.

Yn ddiweddarach, peth arall fyddai'n diddanu oedd ysgrifennu fy nghylchgronau fy hun. Ar y pryd, roedd comics o'r enw *Swift, Eagle* a *Girl* eisoes ar y silffoedd ac yn boblogaidd iawn. Felly, dyma greu'r *Skylark!* Ar y clawr ro'n i wedi tynnu lluniau pob math o wahanol adar.

Oddi mewn wedyn, roedd y 'photo-stories' a thudalen problemau. Roeddwn i'n cael modd i fyw yn llunio llythyrau ac yna'n treulio oriau yn dyfeisio ymatebion prodol i'r llythyrau hynny!

Fe gymerai'r comic rai dyddiau i mi ei roi at ei gilydd, ac wedi i mi ei orffen byddwn i'n mynd â fe i'r ysgol gan fwriadu ei werthu, ond roedd hynny'n broblem gan mai dim ond un copi oedd gen i. O edrych 'nôl, rwy'n eithaf ffyddiog na pharhaodd y diddordeb hwnnw'n hir iawn – roedd e'n waith rhy galed o lawer!

Cwmni Mam a chwmni Susie oedd fy niléit i yn ddiamheuaeth. Yn wahanol i mi, roedd Susie'n dal ac yn dlws, ac yn blentyn hyderus ac allblyg, ond roedd ambell beth yn gyffredin rhyngon ni hefyd. Fel fi, hi oedd yr ieuengaf o dri o blant, tair o ferched fel mae'n digwydd, a byddai hithau hefyd yn dioddef o asthma o dro i dro. Deuai ei mam o Bontarddulais, ac roedd ei thad, Harry, yn ŵr addfwyn a pharod i chwerthin bob amser er bod ei iechyd e'n fregus.

Roedd y blynyddoedd hynny'n gyfnod hapus iawn yn fy mywyd, yn llawn chwarae diniwed. Doedd profiadau plentyndod cynnar ddim yn ymestyn fawr pellach na gardd a garej Susie, tŷ Tad-cu a Nanna a mynychu'r eglwys ddwy waith ar y Sul, ond buan iawn, fel yn hanes pob un ohonom, y daeth trefn ysgol i amharu ar y rhyddid cynnar hwnnw.

Ysgol Ton-Yr-Ywen

Roedd ysgol Ton-Yr-Ywen ar Ffordd Maes y Coed yn ysgol newydd sbon, wedi ei hadeiladu yn hanner cyntaf y 1950au.

Dyma fy mhrofiad cyntaf o fod i ffwrdd oddi wrth fy mam. Doedd dim meithrinfeydd bryd hynny, a fues i 'rioed mewn nac ysgol na chylch meithrin. Wrth draed, neu efallai dan draed, Mam y bues i tan yr o'n i'n bump oed.

Mae'n debyg y bu yna gryn gynnwrf rhwng Susie a minnau wrth i ni'n dwy edrych mlaen at ddechrau'r ysgol gyda'n gilydd, ond chwalwyd popeth wrth i mi gyrraedd yr ysgol ar y diwrnod cyntaf a chanfod fy mod i'n cael fy ngwahanu oddi wrth Susie. Roedd hi wedi ei rhoi mewn dosbarth babanod gwahanol i mi, a doeddwn i ddim yn hapus am y peth, dim o gwbl.

Fe'm cefais fy hun yn eistedd ar bwys merch o'r enw Helen Rees, merch oedd yn byw yn yr un stryd â'r ysgol, a dyna ddechrau ar gyfeillgarwch glòs arall. Fel Susie, mae Helen yn parhau'n ffrind i mi hyd heddiw.

Roedd Ton-Yr-Ywen yn ysgol braf iawn, a'm cyfnod innau yno wedi i mi ddod dros y siom gychwynnol honno yn un digon hapus – ar wahân i ambell brofiad sy wedi aros 'da fi hyd heddiw.

Rwy'n cofio'n arbennig am fore yn ystod fy ail flwyddyn yn yr ysgol. Roedd fy athrawes, Miss Martin, Americanes oedd wedi cymryd ata i am fy mod i mor fechan o'm hoed, mae'n debyg, wedi gofyn i mi ei helpu i ddosbarthu'r llaeth i weddill y plant ganol bore. Ro'n i'n ysu am gael mynd i'r toiled, ond yn ysu mwy am gyfle i blesio'r athrawes, felly dyma benderfynu dal tan i mi orffen fy swyddogaeth hollbwysig.

Cripiodd y munudau heibio, a minnau'n rhy swil i esgusodi fy hunan i fynd i'r tŷ bach. Yn y diwedd fe wlychais fy hunan yn y fan a'r lle, er mawr gywilydd i mi. Ceisiais eistedd i lawr a thaenu fy sgert tros y llanast, ond yn ofer, a buan y sylweddolodd Miss Martin beth oedd wedi digwydd. Hebryngodd fi ar f'union i'r toiled, gan ofyn yn annwyl, 'Pam na fuaset ti wedi dweud rhywbeth?' a minnau'n ateb yn dila, 'Doeddwn i ddim yn hoffi gofyn …'

Roedd gen i gymaint o gywilydd wedi'r ddamwain fechan honno, es i ddim i'r ysgol am bythefnos gyfan. Doedd dim oll yn bod arna i, dim asthma'r tro hwn, dim llau pen na thonsilitis nac unrhyw un o'r amryw anhwylderau hynny sy'n taro plant ifanc. Ro'n i jyst wedi f'ypsetio gan y digwyddiad. Roeddwn i'n blentyn eithriadol o swil a sidêt ac, er mor ifanc o'n i, roedd gen i ormod o gywilydd i wynebu'r athrawon a'r plant eraill.

Fe adawodd y digwyddiad bach digon syml hwnnw effaith sylweddol arna i. Daeth ymweld â'r tŷ bach ac osgoi 'damwain' arall yn obsesiwn gen i. Tybiwn mai'r unig ffordd i sicrhau na fyddai'r un peth fyth yn cael ei ailadrodd oedd manteisio ar bob cyfle a gawn i, boed gen i unrhyw fath o awydd neu angen i fynd i'r tŷ bach ai peidio. Fyddai'n ddim gen i fynd i'r toiled hyd at wyth gwaith o fewn diwrnod ysgol.

Yn fuan wedi hynny, mae'n rhaid fod rhywun wedi sylwi 'mod i'n gadael y dosbarth yn aml. Rwy'n cofio i mi gael fy amau o ddwyn arian cinio'r plant eraill, ac ar un o'r adegau hyn, bu i un athrawes fy nilyn, yn sicr y byddai hi'n fy nal â'm llaw ym mhoced côt un o'r plant eraill yn chwilio am arian cinio. Wrth gwrs, roedd fy nghymhellion i'n gwbl ddiniwed, ac o fewn diwrnod neu ddau roedden nhw wedi dal y lleidr go iawn, ond mae'n dangos cymaint y gall un profiad digon di-nod adael ei ôl ar rywun.

Un o'r atgofion clir eraill sy gen i o'r cyfnod hwnnw yw cael rhan yn sioe'r ysgol. Testun y sioe oedd 'Y Tymhorau', a fi oedd y Gwanwyn. Fy mhrif ddyletswydd oedd crwydro'r llwyfan dan ddawnsio a gollwng darnau o bapur oedd wedi cael eu torri'n siapiau dail. Roedd fy mam wedi bod wrthi tan yn hwyr y nos yn torri'r dail hynny ac yn gwneud ffrog i mi allan o bapur crêp. A bendigedig oedd ei chreadigaeth hefyd, y ffrog hir 'ma wedi'i gorchuddio â rhosod pinc a blodau eraill melyn a glas a gwyn.

Roedd fy mrawd Gareth yn yr un ysgol â mi bryd hynny, ac rwy'n ei gofio'n sefyll wrth ochr y llwyfan yn barod i ddod ymlaen. Ond cyn iddo gael y cyfle, bu i'w chwaer fach ddifetha'r cwbl trwy gael ei llyncu gan y llwyfan! Roedd gan yr ysgol lwyfan wedi'i wneud o sawl rhan wahanol, a phob bloc yn cael ei wthio at ei gilydd ac yn cysylltu fel darnau Lego. Yn anffodus roedd un o'r darnau heb gael ei wthio'n ddigon agos at y nesaf, gan adael hollt yn y llwyfan. Felly fan'no'r oeddwn i, yn dawnsio yn fy ffrog crêp hardd un funud, ac yna'n diflannu'r funud nesaf. Wedi i mi ddod at fy hun, dyma godi'n araf o'r hollt, a'r cyfan a welwn i oedd torf o wynebau syn, a Gareth fy mrawd yn ei ddyblau'n chwerthin am fy mhen i, y Gwanwyn colledig!

Fel unrhyw ysgol ar y pryd, roedd yno gryn dipyn o ganu a cherddoriaeth, yn ogystal â chyngherddau i ddathlu pob achlysur. Rwy'n cofio sioe arall y bues i'n rhan ohoni pan o'n i tua chwech oed, i ddathlu Dydd Ewyllys Da. Dewiswyd saith o blant – yn ferched ac yn fechgyn – i sillafu 'Cardiff'. Roedd pob un ohonom yn gwisgo gwisg genedlaethol gwlad wahanol. Tseinïaidd oedd gwisg y ferch a gariai 'C', Awstriaidd oedd 'A', 'D' yn dal tiwlips ac yn gwisgo clocsiau, Eidalaidd oedd gwisg 'I' a dwy ferch fach mewn gwisg Ffrengig yn diweddu'r gair. 'R' oeddwn i, yn gwisgo gwisg Romania.

Yn academaidd, doeddwn i ddim mo'r disgybl gorau o bell ffordd, nac ychwaith yn un o'r rhai mwyaf cydwybodol, ond doeddwn i ddim gyda'r gwaethaf. Ro'n i'n un o'r disgyblion canol-y-ffordd hynny. Ond roedd yna un wers y byddwn i'n edrych ymlaen ati o un pen o'r wythnos i'r llall, a'r wers chwarae recorder oedd honno. Ro'n i wrth fy modd yn chwarae'r recorder, a gwersi'r offeryn hwnnw oedd y peth pwysica yn fy mywyd am gyfnod – y peth pwysica yn y byd, a dweud y gwir.

Tra o'n i yn yr ysgol gynradd, bues i'n ddigon ffodus i gael athrawes hyfryd o'r enw Miss Marion Rees, ac mae hi'n un arall o'r rheini sy'n gyfrifol am y ffaith 'mod i'n siarad Cymraeg heddiw. Hi oedd fy hoff athrawes yn ysgol Ton-Yr-Ywen. Roeddwn i'n ei haddoli hi, ac yn fodlon gwneud unrhyw beth i'w phlesio, a'r hyn oedd yn ei phlesio hi fwyaf oedd y Gymraeg.

Ymysg y gweithgareddau a wnâi hi gyda ni'r plant oedd ysgrifennu emynau Cymraeg ar y bwrdd du er mwyn i ninnau wedyn gael eu canu a'u hadrodd. Mynnai hefyd ein bod yn cynnal gwasanaethau bychain fel dosbarth, a byddai'n aml yn gofyn i mi ddarllen. Un o'r rhannau unigol cyntaf a ges i ganddi oedd adrodd rhan eirlysen fechan. Mae'n rhyfedd mai'r profiadau perfformio yw'r rhai sy wedi aros mor glir yn fy meddwl.

Doeddwn i ddim eisiau gadael ei dosbarth hi, a dweud y gwir, ac mae'n nyled i'n fawr iawn iddi. Roedd hi'n athrawes wrth ei greddf, yn fenyw oedd wrth ei bodd gyda phlant a chyda dysgu, ac rwy'n siwr y gallai hi enwi pob un o'i disgyblion hyd heddiw.

Buan y bu'n rhaid i mi adael Miss Rees ar ôl, ac mae'n rhaid i mi ddweud i mi gael athrawon gwych drwyddi draw. Ond, athrawon da ai peidio, bu i'm bywyd gael ei droi wyneb i waered yn ystod haf 1958. Yr haf hwnnw, digwyddodd rhywbeth i darfu ar ddiniweidrwydd plentyndod, rhywbeth wna i fyth mo'i anghofio.

Roedd Susie a minnau'n byw yn nhai ein gilydd bryd hynny, ond fydden ni byth yn gweld ein gilydd ar ddydd Sul fel rheol. Doeddwn i ddim yn cael mynd i alw ar ffrindiau ar y Saboth. Ond un dydd Sul, yn gynnar iawn y bore, daeth Susie draw i'm gweld i. Ro'n i'n dal yn fy ngwely, ond fe allwn ei chlywed hi'n siarad 'da Mam i lawr grisiau, ac yn meddwl pa mor rhyfedd oedd iddi alw draw ar ddydd Sul, heb sôn ei bod hi'n gwneud hynny mor fuan yn y bore.

Daeth Susie i fyny'r grisiau, camu i mewn i'm stafell wely a dweud yn syml "Daddy's dead", ac er ei bod hi'n ddydd Sul, cafodd aros yn tŷ ni drwy'r dydd y diwrnod hwnnw.

Roedd tad Susie'n wael iawn ers peth amser. Y cof sy gen i o'r cyfnod hwnnw yw ei weld e'n gorwedd mewn stafell wely roedden nhw wedi ei pharatoi iddo yn un o'r stafelloedd lawr llawr. Ond er bod rhywun yn deall a derbyn ei fod e'n ddyn sâl, dyw plant ddim yn rhag-weld marwolaeth. Roedd e'n dal yn ddyn cymharol ifanc, prin hanner cant yn marw, ond roedd cancr wedi cael y gorau arno.

Roedd gwaeth i ddod i Susie druan. Roedd ei thad yn aelod o'r Seiri Rhyddion, ac wedi iddo farw cafodd Susie ei hanfon i ysgol breswyl ar gyrion Llundain, a'i haddysg yn cael ei hariannu gan y gymdeithas honno. Fe dorrais i fy nghalon. Roedd hi'n tynnu at ddiwedd y flwyddyn ysgol yn Safon 3, a doedd dim yn y byd cyfan allai fy nghysuro. Allai fy rhieni na'r athrawon ddweud na gwneud dim i atal y dagrau cyson.

Gadawodd Susie yr haf hwnnw, ac fe deimlais ei cholled yn ddirfawr. Ro'n i'n dal yn ypsét wrth ddechrau Safon 4 – cymaint felly fel i'r athro fodloni fy symud o'm desg arferol a'm rhoi i eistedd ar bwys Helen Rees.

Ro'n i'n parhau'n ofalus iawn ynghylch mynd i'r tŷ bach, ond wrth gyrraedd at fy neg oed, ro'n i'n dechrau teimlo'n fwy aeddfed a hyderus y gallwn i gadw rheolaeth ar fy hunan. Yr unig broblem efo hynny oedd fod un athro'n benodol yn ddyn digon anghynnes, a phe bai disgybl yn gofyn caniatâd i fynd i'r toiled ar ganol gwers, doedd hi'n ddim ganddo wrthod, gan weiddi arnynt i fynd yn ôl i'w sedd tan ddiwedd y wers.

Doedd gen i ddim llai na'i ofn e, a dweud y gwir, cymaint felly fel y bu i mi, yr unig dro i mi ysu am gael mynd i'r toiled ar ganol gwers, benderfynu trio dal yn hytrach na mentro gofyn am ganiatâd i adael y dosbarth. A dyna gamgymeriad mawr. Am yr eildro ers dechrau yn yr ysgol, fe fethais i â dal a chael damwain anffodus arall. Gan fy mod yn eistedd wrth fy nesg ar y pryd, doeddwn i ddim yn tybio y byddai neb arall wedi sylwi, ac ro'n i'n gweddïo am weld diwedd y dydd, er mwyn i mi gael dianc. Yn anffodus, fodd bynnag, fe sylwodd un o'r merched tu ôl i mi a datgan i'r dosbarth cyfan fod yna bwll dan gadair Heather Jones! Yn naturiol, dechreuodd y plant eraill i gyd chwerthin, a dechreuais innau gochi. Ro'n i bron yn ddeg oed ac yn fy meddwl i roedd yr hyn a wnes i'n gwbl anfaddeuol.

Ar ôl hynny, gwaethygodd pethau. Daeth yn obsesiwn gen i – yr hyn fyddai rhywun yn ei alw'n OCD (Obsessive Compulsive Disorder) erbyn heddiw, mae'n debyg, ac mae olion o'r obsesiwn wedi aros gyda mi gydol fy oes. Byth ers hynny dwi'n mynnu mynd i'r toiled y funud olaf cyn perfformio, neu cyn mynd allan. Os ydw i'n gwybod y bydda i'n brysur am gyfnod, y peth ola rwy'n ei wneud cyn gadael y tŷ yw mynd i'r tŷ bach, a doedd e ddim yn syndod i mi mai'r ysfa honno darfodd ar fy sesiwn i gyda Lyn yn ddiweddar.

Roedd yna gyfnodau braf iawn yn ysgol Ton-Yr-Ywen wrth gwrs, hyd yn oed heb Susie wrth fy ochr. Doeddwn i ddim yn rhy ffôl yn Saesneg, ond roedd fy mathemateg i'n ofnadw; er hynny, braf yw adrodd i mi fod yn llwyddiannus iawn mewn un maes – gyda'r gorau yn yr ysgol, a dweud y gwir. Ro'n i'n ardderchog am sefyll a cherdded ar fy nwylo, a byddai sawl un o'r merched eraill yn gofyn am wersi gen i. Dechreuodd criw ohonom gystadleuaeth – pwy allai gerdded bellaf ar eu dwylo, ac rwy'n cofio'r fuddugoliaeth fawr fel ddoe. Roedd hi'n nesáu at ddiwedd y tymor, ac yn ddiwrnod heulog braf ym mis Gorffennaf pan lwyddais i dorri record flaenorol yr ysgol. Llwyddais i gerdded 17 cam ar fy nwylo, heb gwympo! O'r diwedd, roedd Heather Jones, y ferch fechan ansicr ac obsesiynol, yn llwyddiant ysgubol. A dyna i chi deimlad braf oedd hynny.

Dechrau canu

Sa i'n cofio llawer am fy asthma i'n ferch fach. Mae rhywun yn dod i arfer 'da'r peth am fod rhaid rywsut. Rwy'n cofio gorfod aros adref o'r ysgol yn aml iawn a byddai Dr Thomas, ein meddyg teulu, yn dod draw ac yn rhoi moddion i mi pan fyddwn eu hangen. Tabledi Ephedrine fyddwn i'n eu cael ganddo gan amlaf. Moddion ffiaidd oedd y rhain, ac roedd yn rhaid eu cnoi cyn eu llyncu.

Byddai unrhyw annwyd yn canfod ei ffordd i'r ysgyfaint, ac yn amlwg doedd hynny ddim yn brofiad pleserus o gwbl. Mae gen i gof am Mam i lawr yn y gegin am ddau neu dri o'r gloch y bore'n crensian tabledi rhwng dwy lwy de, cyn eu cymysgu â dogn o jam neu fêl fel 'mod i'n eu llyncu. O fewn awr, byddai'r tabledi'n dechrau cael effaith a byddai fy anadlu'n esmwytho ryw fymryn.

Yn rhyfedd ddigon, wedi i mi symud i'r ysgol uwchradd a dechrau ymddiddori mewn canu, fe wellodd yr asthma'n sylweddol. Mae canu, yn arbennig dal nodyn hir, yn debyg iawn i ymarferion asthma, ac yn sicr rydych chi'n hyfforddi'ch anadl yn ogystal â'ch llais wrth ganu. Felly, rwy'n credu hyd heddiw mai'r canu fu'n bennaf gyfrifol am y ffaith imi gael mwy o lonydd gan y cyflwr yn fy arddegau.

Dechreuais fynychu Ysgol Uwchradd Cathays yn 1960. Er gwaetha'r swildod, mae'n rhaid fy mod yn ddigon dewr mewn rhai ffyrdd. Dewisais fynd i'r ffrwd Gymraeg yno, a chael cefnogaeth fy rhieni i'm penderfyniad er nad oedd Gareth na Mac wedi dangos unrhyw ddiddordeb mewn gwneud hynny o'm blaen. Fi oedd yr unig un o ddisgyblion Ton-Yr-Ywen ddewisodd fynd i'r ffrwd Gymraeg y flwyddyn honno. Byddai bechgyn a merched Ysgol Cathays yn cael eu dysgu ar wahân, ac roeddwn i'n wynebu oddeutu deg ar hugain o wynebau newydd ar fy more cyntaf yn yr ysgol, ond buan iawn y deuthum yn ffrindiau gyda chriw hollol newydd o ferched.

A minnau yn fy mlwyddyn gyntaf yn Cathays, bu farw Tad-cu. Roedd e'n saith deg a phump. Cafodd drawiad ar y galon heb unrhyw rybudd cyn hynny fod rhywbeth o'i le. Wrth gwrs, roedd colli Tad-cu yn golled anferthol i mi, a ninnau'n gymaint o ffrindiau. Ei golli fe oedd fy mhrofiad cyntaf o farwolaeth rhywun yr o'n i'n agos ato, ac roedd hi'n anodd dod i delerau 'da hynny. Roedd ei golli e hefyd yn golygu nad oedd gen i neb i arfer fy Nghymraeg yn eu cwmni tu hwnt i ffiniau'r ysgol. Roeddwn i'n ddihyder iawn, a'm hiaith yn ddigon bratiog, ond bues i'n ffodus i gael cefnogaeth athrawon da fel Eleri Richards ac Eira Lloyd yn yr ysgol uwchradd.

Daeth cyfle arwyddocaol iawn yn fuan wedi i mi gyrraedd Ysgol Cathays. Pan o'n i'n un ar ddeg oed, fe gymerais ran yn sioe dalent yr ysgol, a dyna'r tro cyntaf i mi ganu o flaen cynulleidfa, mae'n debyg.

Ro'n i wastad wedi bod yn hoff o ganu, ac wedi cael fy annog bob cam o'r ffordd gan fy rhieni. Erbyn hynny, roedd Mam yn aelod o gôr – roedd hi'n canu alto gyda'r Llanisien Ladies Choir. A dweud y gwir, rwy'n credu y bu'n rhaid i Mam frwydro i gael ymuno â'r côr. Roedd Dad yn moyn iddi aros gartre, yn wir roedd e'n disgwyl iddi aros gartre ddydd a nos er mwyn cyflawni ei dyletswyddau fel gwraig tŷ, ond, yn groes i'w natur arferol, mynnodd Mam ei bod yn cael cyfle i ddianc un noson yr wythnos, ac fe ildiodd Dad yn y diwedd.

O ran y gystadleuaeth dalent, mae'n debyg nad oedd neb fyth yn cystadlu ar ganu. Bryd hynny, wyddwn i ddim a oeddwn i'n gallu canu ai peidio. A dweud y gwir, ro'n i'n amau mai'r olaf oedd y gwir. Chwarae'r piano oedd yn mynd â'm bryd i. Ro'n i wedi bod yn cael gwersi piano ers pan oeddwn yn saith oed, a'm huchelgais oedd bod yn bianydd cyngerdd. Fy mwriad, felly, oedd cystadlu ar yr unawd piano yn y gystadleuaeth dalent, ond fe fynnodd un o'r athrawon 'mod i'n canu. Rwy'n ei chofio hi'n dod ata i a dweud, 'Dwi'n gwybod bod dy fam yn canu mewn côr, felly gofyn iddi ddysgu cân i ti i'w pherfformio yn y gystadleuaeth. Fedrwn ni ddim cael neb yn canu ar y llwyfan.'

Disgyn ar glustiau byddar wnaeth unrhyw brotestiadau ar fy rhan i. Rwy'n amau hefyd i'r athrawes fynnu gair hefo mi gan wybod 'mod i'n un o'r merched hynny oedd yn hawdd dylanwadu arni, yn un a fyddai'n barod i ildio.

Ac felly, dyna a fu. Dysgodd Mam gân i mi, cân hyfryd iawn o'r enw 'Sing Joyous Bird', ond, yn dawel fach, ro'n i'n dal â'm bryd ar chwarae'r piano ar y noson yn hytrach na chanu.

Seliwyd fy ffawd pan gyrhaeddodd f'athrawes biano i wrando arna i'n perfformio. Ei gweld hi yno yn y gynulleidfa wnaeth i mi rewi yn y fan a'r lle, a hynny ar ganol fy unawd piano. Edrychais ar y gynulleidfa mewn panic cyn rhuthro oddi ar y llwyfan yn llefain.

Wedi hynny, gwyddwn nad oedd gen i obaith o ennill gyda'r

perfformiad hwnnw, a gwyddwn hefyd nad oedd gen i fawr i'w golli o ganu hefyd. Felly, dyma gamu ar y llwyfan am yr eildro y diwrnod hwnnw, a'r tro hwn llwyddo i roi perfformiad llawn. Ar ddiwedd y gân, roedd y gymeradwyaeth yn fyddarol a phawb wedi rhyfeddu at y fechan gyda'r llais swynol.

Am ddyddie wedyn fe fydde pobl yn dod ata i a dweud, 'Wydden ni ddim dy fod ti'n gallu canu cystal. Rwyt ti mor fechan ond ma' 'da ti lais mor fawr!'

Buan y canfyddais fod canu'n sicrhau sylw a chlod i mi, rhywbeth nad oeddwn wedi ei dderbyn o gwbl cyn hynny. Ro'n i wedi bod yn blentyn tila a gwantan ac yn gwbl ddihyder. Roedd y sylw newydd yma'n fy synnu i, ond ro'n i'n hoff iawn ohono.

A dyna i chi ddrws newydd ac annisgwyl yn agor i mi. Cyn hir, ro'n i'n ymddangos ar lwyfannau amrywiol eisteddfodau. Roeddwn i wrth fy modd yn cystadlu ac mor falch fod y ffaith i mi ddyfalbarhau gyda'r Gymraeg yn caniatáu i mi wneud hynny.

Glan-llyn

Os cystadleuaeth dalent Ysgol Cathays oedd y man lle dechreuais i ganu, Glan-llyn oedd yn gyfrifol am fy ysbrydoli i ddechrau chwarae'r gitâr. Ar f'ymweliad cyntaf â'r gwersyll ym 1963 roedd bron pawb arall oedd yno'n berchen ar gitâr, felly wrth gwrs fues i ddim yn hir cyn penderfynu 'mod innau'n moyn un hefyd.

Ar fy mhen-blwydd yn bedair ar ddeg y cefais i fy gitâr gyntaf, a thrwy ryw ryfedd wyrth, doeddwn i ddim yn rhy ffôl yn ei chwarae. Dros yr wythnosau a'r misoedd canlynol treuliais oriau lawer yn ceisio meistroli'r offeryn. Ro'n i'n ymwybodol o unigolion a grwpiau a ddefnyddiai'r gitâr yn eu caneuon, a doedd hi'n fawr o dro cyn i mi syrthio mewn cariad â chanu gwerin. Pobl fel Bob Dylan a Joan Baez a'u tebyg oedd fy arwyr i yn y cyfnod hwnnw.

Nid gitâr oedd yr unig beth wnaeth argraff arna i yng Nglan-llyn. Roedd 'na gyfuniad o bethau'n fy hudo i am y lle. Yn un peth, doeddwn i 'rioed wedi bod ffwrdd o gartre cyn hynny, felly roedd 'na elfen o ryddid yn perthyn i'r lle yn sicr. Roedd e hefyd yn gyfangwbl Gymraeg a Chymreig, oedd yn brofiad newydd i mi, ac yn rhywbeth yr oeddwn i'n dwlu arno. Doedd dim chwiorydd gen i chwaith, felly roedd yn braf cael rhannu ystafell gyda merched eraill a chlebran tan oriau mân y bore. A dweud y gwir, yn y cyfnod hwnnw roedd cwmni'n bwysig iawn i mi. Erbyn hynny, roedd fy mrodyr fwy neu lai wedi gadael cartref a minnau'n teimlo fel unig blentyn yn y tŷ gyda Mam a 'Nhad. Roedd bod yng Nglan-llyn yn gyfle gwych i gael cwmni pobl o'r un oedran â mi. Dyna lle y cyfarfyddais i â phobl fel Huw Ceredig, Dafydd Iwan a Dewi Pws am y tro cyntaf.

Ar fy ymweliad cyntaf â'r gwersyll, roeddwn i yno am bythefnos, a dwi'n cofio meddwl wedi i mi adael ei bod hi'n bryd i mi dyfu i fyny.

Roeddwn i'n manteisio ar bob cyfle i fynd yno, ac yn treulio cyfnodau yn y gwersyll sawl gwaith y flwyddyn, rhwng tripiau'r Urdd yno ac ymweliadau wedi eu trefnu gan yr ysgol. Rwy'n cofio unwaith i mi drefnu mynd yno ar fy mhen fy hun – fel unigolyn yn hytrach na fel rhan o grŵp.

Mae'n rhaid fod gen i obsesiwn aruthrol am y lle. Ym 1966, chwe diwrnod wedi i mi ddychwelyd i Gaerdydd ar ôl ymweliad arall, fe benderfynodd Eirlys Davies (ffrind i mi ac un o'm cyd-aelodau yn yr Eirlysiau yn ddiweddarach) a finnau redeg i ffwrdd, yn ôl i Lan-llyn – gan fodio'r holl ffordd o Gaerdydd i'r Bala! Cael lifft yn gyntaf i Groes Cwrlwys, yna i Borthcawl, Pontarddulais, Cross Hands, Llandysul; cael lifft wedyn mewn Rolls Royce i Lanarth, a Jeep i Aberaeron. Bu'n rhaid talu am fws o Aberaeron i Aberystwyth, cyn bodio unwaith yn rhagor draw i Gorris. Wedi cyrraedd Corris, rhoddodd tri bachgen mewn mini lifft i ni'r holl ffordd i'r gwersyll.

Ar ôl cyrraedd pen y daith, buom yn sgwrsio gyda Hywel Gwynfryn, Dewi Pws, Huw Jones, Dafydd Iwan, a John Eric, pennaeth y gwersyll. Fe wnaethon nhw le i ni yn y 'kennels' lle'r oedd y bechgyn yn aros, yna'r bore wedyn fe roeson nhw rywfaint o bres i ni, i ni gael teithio 'nôl adref! Cyn mynd, fe aethon ni i gyd am baned i'r Milk Bar yn y Bala cyn cael lifft gan Huw Jones i Lanfyllin. O'r fan honno, lifft mewn fan wedyn i'r Trallwng, yna lifft i'r Drenewydd gan ryw ddyn digon od yr olwg. Lifft wedyn gan ffarmwr i Bort Talbot, ac yna lifft adre i Gaerdydd, a ffrae gan ein rhieni oedd yn grac iawn 'da ni'n dwy, wrth reswm! Roedd y rhan fwyaf o'u llid wedi'i gyfeirio ata i. Roedd Eirlys flwyddyn yn ifancach na mi, ac felly roedd gen i gyfrifoldeb drosti i ryw raddau, yn eu tyb nhw. I ni, wrth gwrs, fe fu'r holl beth yn un antur fawr, ac yn sicr wnaeth y ffrae a gawson ni ar ôl cyrraedd adre ddifetha dim ar ein hangerdd ni'n dwy am y gwersyll ger y llyn.

Canu

Roedd perthyn yn bwysig iawn i mi, a pherthyn i griw Cymraeg yn bwysicach fyth. Ro'n i'n aelod o'r eglwys, o'r Urdd, o'r Aelwyd ac o Blaid Cymru, ac roedd canu yn un ffordd arall o ddiwallu'r angen am fod yn perthyn i rywbeth – ro'n i'n canu'n gyson gyda chôr y Madrigal a chôr yr ysgol, ac fe fyddwn i hefyd yn canu fel rhan o amryw o grwpiau bob cyfle a gawn i. Roedd canu'n sicrhau fod gen i fywyd cymdeithasol bywiog a phrysur.

Symudais oddi wrth gystadlu mewn eisteddfodau i ganu mewn cyngherddau a pherfformio'n gyhoeddus pan oeddwn i'n bedair ar ddeg oed. Yn y dyddiau cynnar, ro'n i'n rhan o grŵp o'r enw Y Cyfeillion ac yna'n ddiweddarach, tua 1967, fe wnes i a chriw o ffrindiau o'r ysgol – Mari Herbert, Eirlys Davies, Siân Phillips a Ceri Morgan – ffurfio grŵp o'r enw Yr Eirlysiau. Roedd pump ohonon ni'n canu a thair yn chwarae gitâr, ac fe fydden ni'n teithio Cymru i wneud gigs i Blaid Cymru ac eraill. Dyna ddechrau'r teithiau perfformio mewn gwirionedd, ac rwy wedi cario mlaen byth ers hynny. Ro'n i wedi ymddangos ar *Hob y Deri Dando* fel cantores unigol ym 1966, ond gyda'r Eirlysiau y cefais fy mhrofiad cyntaf o ganu ar y teledu fel rhan o grŵp wrth i ni gyfrannu i'r rhaglen *Disg a Dawn*.

Yn yr un cyfnod, roeddwn i hefyd yn canu gyda grŵp arall o'r enw Y Meillion. Roedd y Meillion yn cael eu rheoli gan Beti Wyn Jones, arweinydd y côr, a byddai aelodau'r grŵp yno trwy ei gwahoddiad hi. Yn ystod fy nghyfnod i gyda'r Meillion, yr aelodau oedd Tanwen Jarman (chwaer Geraint), Pys (Eluned Rees) a Beryl Lloyd Jones – oedd yn wreiddiol o'r gogledd ond a oedd i lawr yng Nghaerdydd yn y brifysgol. Roedd dau fachgen gyda ni'n chwarae offerynnau: Steven, mab Beti Wyn Jones, yn chwarae'r gitâr (mae e bellach yn byw yng Nghanada), a bachgen arall o'r enw Paul. Ro'n i'n arfer ffansïo Paul – er, wedi dweud hynny, dyw hynny'n fawr o syndod gan fy mod i'n ffansïo bron bob bachgen y deuwn i ar ei draws bryd hynny! Byddem yn cyfieithu caneuon o'r Saesneg, caneuon fel 'Donna, Donna' a chaneuon Dusty Springfield, ond alawon gwerin oedden ni'n eu canu gan amlaf, ac addasiadau o'r Saesneg oedd y rhan fwyaf ohonyn nhw, caneuon fel un Bob Dylan:

Mae'r ateb, fy ffrind, yn siglo'n y gwynt,
Mae'r ateb yn siglo yn y gwynt …

24

Arferem deithio ar draws Cymru a thu hwnt i ddiddanu cynulleidfaoedd Cymraeg, a dwi'n cofio i ni fynd i berfformio mewn capeli ym Mryste, Birmingham a Chaerfaddon ar sawl achlysur. Rwy'n cofio hefyd i'r Meillion recordio albwm, a dyna oedd fy mhrofiad cyntaf o recordio. Yn y cyfnod hwnnw, mater o sefyll o flaen meicroffôn mewn neuadd a bwrw iddi oedd y busnes recordio albwm, a dyna a wnaethpwyd, yn neuadd Reardon Smith os wy'n cofio'n iawn. Un peth rwy'n ei gofio am y profiad hwnnw oedd i rywun benderfynu fod fy llais i'n rhy gryf ar gyfer y meic, a bu'n rhaid fy symud yn bellach na phawb arall oddi wrth y meicroffôn. O ganlyniad, dyna i chi siom a gefais pan ddaeth albwm y Meillion allan – prin allai neb fy nghlywed i arno!

Er gwaetha'r teithio cyson, byddai dydd Sul yn cael ei neilltuo bron yn gyfangwbl ar gyfer naill ai gweithgareddau crefyddol neu rai Cymraeg. Byddwn yn mynd i ganu gyda chôr Beti Wyn yn y prynhawn cyn mynd i'r eglwys. Gyda'r nos wedyn, roedd gen i ymarfer côr yr Aelwyd, ac ar ôl yr ymarfer hwnnw byddai'n arferiad gan bawb i fynd am goffi i'r New Continental ar Stryd y Frenhines, drws nesaf i ble mae canolfan siopa'r Capitol heddiw.

Roedd y New Continental yn anferth o le. Ar y llawr gwaelod, dan lefel y stryd, roedd yr 'Homestead', ystafell oedd i fod i edrych yn Americanaidd, lle'r oeddech chi'n gallu cael cyw iâr a sglodion neu stecen. Ar y llawr cyntaf wedyn roedd modd cael byrbrydau, tôst a choffi ac ati, ac ar y llawr uchaf roedd y 'Victoriana'. Yn y fan honno'r oedden nhw'n cynnal dawnsfeydd ac yn y blaen. Roedd yr Aelwyd ar West Grove, jyst i lawr y ffordd o'r New Continental, felly roedd yn gyrchfan hwylus i ni'r bobl ifanc.

Yn ogystal â gweithgaredd ar ddyddiau Sul, roedd rhyw ddigwyddiad Cymraeg gen i bob dydd yn y cyfnod hwn, naill ai ymarfer côr, ymarfer ar gyfer yr eisteddfod neu sesiwn gyda'r Meillion, ond i mi, nos Wener oedd noson fawr yr wythnos.

Byddai'r noson yn dechrau gyda dosbarth siarad Cymraeg. Gwilym Roberts oedd yn arwain y dosbarthiadau, ac roedd e'n athro ffantastig. Yn sicr, fe gyfrannodd e'n helaeth at fy natblygiad gyda'r Gymraeg.

Ar ôl y dosbarth Cymraeg, byddai sesiwn ymarfer côr ac yna byddai pawb yn mynd draw i'r ddawns.

Yn ystod y nosweithiau Gwener hynny y bu i mi gwrdd â Clive – neu 'Clive the lovely' fel yr oeddwn i a'm ffrindiau yn ei alw fe! Bûm yn canlyn gyda

Clive pan o'n i tua un ar bymtheg oed, ac ro'n i ar y pryd yn argyhoeddedig 'mod i dros fy mhen a'm clustiau mewn cariad gydag e. Roedd Clive yn sicr yn rhan annatod o ddiléit y nosweithiau Gwener cynnar hynny, ac roedd pob nos Wener, o bump o'r gloch ymlaen, yn noson gwbl Gymraeg.

Ar 17 Ebrill, 1966 y gwnes i berfformio ar y teledu am y tro cyntaf. Daeth y cyfle i ymddangos ar *Hob y Deri Dando* o ganlyniad i gyngerdd gyda chôr Beti Wyn yn Neuadd Reardon Smith. Roedd Meredydd Evans o'r BBC yn digwydd bod yn y gynulleidfa'r noson honno ac mae'n amlwg iddo weld rhywbeth ynof i gan iddo estyn gwahoddiad i mi fynychu clyweliad gyda'r sianel. Un ar bymtheg oeddwn i ar y pryd, ac rwy'n cofio bod yn nerfus iawn, ond mynd wnes i er gwaetha'r nerfau, a'r peth nesaf a wyddwn oedd i mi fod yn llwyddiannus a chael gwahoddiad i ymddangos ar y teledu.

Rwy'n cofio'r dydd hyd heddiw. Deffro'n gynnar i olchi fy ngwallt, yna mynd gyda Dad draw i'r BBC erbyn 10.30 o'r gloch. Rwy'n cofio'r cyffro o ganfod fod gen i ystafell wisgo gyfan i mi fy hun! Roedd yna rai ffrindiau wedi dod yno i fod yn rhan o'r gynulleidfa ac i gefnogi, gan gynnwys Babs (fy ffrind gorau yn y chweched dosbarth), Pys, Tanwen, Geraint ac Iggy, cariad Geraint. Hilary oedd ei henw iawn hi, ond Ig y câi ei galw gan bawb. Roedd y ffaith fod Geraint yno yn fy nghynhyrfu i braidd, rhaid cyfaddef. Fe wyddwn i'n iawn ei fod e yno gyda'i gariad, ac mai dim ond dod i gefnogi ffrind oedd e, ond roedd e'n ychwanegu at y wefr rywsut.

Yr hyn rwy'n ei gofio fwyaf am y diwrnod yw fod pawb mor garedig, ac i mi deimlo'n rhywun sbesial iawn wrth i'r merched colur a gwallt a wardrob edrych ar f'ôl i. Ond y tro cyntaf i mi drio canu – 'Plaisir d'Amour' oedd y gân – fe wnes i gawl o bethau. Cymysgu'r geiriau wnes i, os wy'n cofio'n iawn, ac fe ruthrodd Ryan Davies ata i ac aros wrth f'ochr yn sgwrsio'n annwyl â mi mewn ymdrech i wneud i mi ymlacio.

Does gen i ddim cof o gael fy nhalu am unrhyw un o'r gigs teithiol cynnar, ond pan ymddangosais ar y teledu fe gefais i ddeg gini i mi fy hun. Rwy'n cofio mynd i'r dref gyda'm ffrind Susie i wario fy 'nghyflog' cyntaf, a'r cynnwrf o gael dewis rhywbeth i mi fy hun, heb ofidio am y pris neu a fyddai Mam yn hoffi'r dilledyn ddigon i'w brynu i mi. Dyna i chi deimlad o bŵer roddodd y trip siopa hwnnw i mi, y wefr o gael plesio fy hunan yn llwyr, ac o gael prynu rhywbeth oedd yn gwneud i mi deimlo ac edrych yn dda. Gwariwyd y cyflog ar ffrog las tywyll. Roedd Susie, fel minnau, wedi dotio at y ffrog gyntaf honno, ond roedd Mam a Dad yn ei chasáu hi!

Geraint

Os yw rhywun yn cyd-fynd â'r syniad hwnnw o fywyd fel cyfres o ddrysau gwahanol i gyfnodau gwahanol, mae fy mherthynas i a Geraint Jarman wedi bod fel twll cwningen, yn gasgliad cymhleth o ystafelloedd, a drysau'n arwain i sawl gwahanol gyfeiriad. Gwir fyddai dweud i'r berthynas fod yn un hanfodol bwysig wrth ffurfio'r person ydw i heddiw. Mae'n rhyfedd meddwl sut gall bywyd newid yn gyfangwbl 'da un cyfarfyddiad. Rwy'n cofio'r tro cyntaf i mi weld Geraint yn neuadd Ysgol Cathays. Doedd dim ysgolion Cymraeg bryd 'ny ac felly roedd pawb yn mynd i'r un lle, ac er bod yna wahanu'r merched a'r bechgyn yn y cyfnod hwnnw, byddai'r ysgol gyfan yn dod at ei gilydd i ganu yn y côr ac i gynnal gwasanaeth.

Ro'n i wedi sylwi arno'n eistedd ym mhen arall y neuadd; roedd e'n eistedd 'da bechgyn y flwyddyn gyntaf ac yn rhan o'r côr. Un o'r diwrnodau cyntaf yn ôl yn yr ysgol wedi'r haf oedd 'ny, adeg y gwasanaeth boreol, a minnau newydd ddechrau yn ail flwyddyn yr ysgol uwchradd. Roedd e flwyddyn yn iau na fi. Dim ond deuddeg oedd e bryd 'ny felly, ond edrychai tua phymtheg. Roedd e'n dal, ac yn sefyll mas yng nghanol y disgyblion eraill, a fe oedd yr unig un oedd yn gwisgo trowsus llaes!

Saesneg oedd fy iaith gyntaf i er 'mod i'n canu yn Gymraeg, ac wedi syllu ar y crwt 'ma am sbel, dyma fi'n troi at fy ffrind, Eluned Rees, neu Pys fel y câi ei galw, gan ddweud, 'God, look at him! He's gorgeous. Isn't he lovely?' cyn ychwanegu, 'he looks like a wonderful, dreamy kind of boy.' A dyma Pys yn troi ata i a dweud yn ddifater, 'Oh, he's my friend Tanwen's brother. He's called Geraint. Geraint Jarman.'

Fel y digwyddodd, roedd Pys yn ffrindiau gyda'i chwaer ac rwy'n siwr iddi fynd ar ei hunion i roi gwybod i Tanwen fod gan Geraint edmygydd! Un ai hynny neu nad oeddwn i'n un dda am gwato fy nheimladau. Beth bynnag, mewn dim o dro roedd y si ar led 'mod i'n ei ffansïo fe, a chafodd y Geraint Jarman 'ma ddeall fod gan Heather Jones 2W grysh anferthol arno.

Byddwn yn arfer ei weld e yn y 'choir social' pan fyddai pawb yn ymgasglu i fwyta brechdanau, yfed pop a gwrando ar gerddoriaeth. Yna,

un diwrnod ro'n i'n eistedd yn siarad 'da rhywun neu'i gilydd a dyma
Geraint yn ymddangos a gosod potel o Coca-Cola a gwelltyn ynddo o
mlaen i. Ar ddiwedd y noson honno, dyma fe'n gofyn caniatâd i'm
hebrwng i at y bws, a dyna sut y dechreuodd pethau rhyngom.

Buan y sylweddolwyd bod modd i'r ddau ohonon ni ddal yr un bws
adre; byddai naill ai'r 40a neu'r 40b yn pasio'n cartrefi, gan deithio trwy
Birchgrove, yr Heath ac i lawr am y Rhath. Byddai'r 40a yn fy ngweld
i'n cyrraedd adref gyntaf, tra byddai'r 40b i'r gwrthwyneb.

Roedd y rheiny'n ddyddie braf, yn ddyddie diniwed o fynd i'r sinema
yn y pnawn, a Geraint yn dod adre i de i'n tŷ ni. Ac o'dd e'n olygus adeg
'ny, o'dd pawb o'r un farn. Roedd llygaid treiddgar 'dag e; o'dd e'n
fachgen tawel ac yn bert iawn. Efallai i mi weld yr un swildod ynddo fe
ag yr o'n i wedi bod yn dioddef yn enbyd ohono. Pwy a ŵyr. Plant
oedden ni wedi'r cwbwl, ond fe wn i fod rhywbeth wedi'n denu ni at ein
gilydd o oedran cynnar iawn.

Pharhaodd y berthynas gyntaf honno ddim yn hir. Wn i ddim beth yn
union oedd y rheswm dros ddod â phethau i ben. O'm rhan i, yn dair ar
ddeg oed, roedd cymaint o fechgyn eraill i'w darganfod, mae'n debyg,
cymaint o brofiadau eraill oedd yn bwysicach. Fe barhaom ni'n
ffrindiau, fodd bynnag. Erbyn hyn, ro'n i'n ffrindiau 'da'i chwaer e,
Tanwen, ac fe fyddai'n llwybrau cymdeithasol yn croesi'n aml o'r
herwydd. Allwn i ddim fod wedi rhag-weld hynny ar y pryd, ond doedd
yna ddim cau a chloi i fod ar y drws arbennig hwnnw, dim am
flynyddoedd lawer.

Fel gyda sawl digwyddiad allweddol arall yn fy ieuenctid, Glan-llyn
oedd y fan lle ailgyneuwyd y berthynas, a hynny ym mis Awst 1966.
Ro'n i'n canlyn Clive, ond wedi i mi gyrraedd gwersyll yr Urdd, fe
bwysodd Geraint arna i i gael gwared â'r bachgen arall 'ma, gan fynnu
ei fod e'n fy hoffi fi'n fwy.

Doedd angen fawr o berswâd arna i mewn gwirionedd; ro'n i'n dal yn
hoff iawn ohono, ac yn ymwybodol fod pob merch yn meddwl fod
Geraint Jarman yn gorjys! Ar y pryd roedd y tri ohonon ni yng Nglan-
llyn – Geraint, Clive a minnau – ac roedd Clive yno gyda chriw o'i
ffrindiau oedd yn fois caled o Ely, tra oedd Geraint yno gydag un ffrind,
Hywel. Fe ildiais i berswâd Geraint a gorffen gyda Clive, gan fod yn
ddigon diniwed i egluro'n onest wrth Clive 'mod i eisiau mynd mas 'da
Geraint. Canlyniad hynny oedd fod bachgen o'r enw Rhys Siôn yn

crwydro'r gwersyll gan honni fod 'bois Ely yn mynd i hanner lladd Geraint ...' Diolch byth, sa i'n cofio i ddim byd ddatblygu o hynny, ond rwy yn cofio cael cyfle o'r diwedd i ailafael yn *Geraint the gorjys* yn y caban sychu yng Nglan-llyn!

Dyw llwybr cariad byth yn rhwydd, medden nhw, a'r diwrnod canlynol, a ninnau wedi gadael Glan-llyn a dychwelyd i Gaerdydd, fe anwybyddodd Geraint fi'n llwyr. Rwy'n cofio teimlo'n grac ac yn ddryslyd am gyfnod. Roedd e'n gwrthod siarad â fi, ac rwy'n cofio teimlo mai mater o brofi y gallai e fy nghael i'n ôl oedd yr hyn a ddigwyddodd yng Nglan-llyn, ac unwaith oedd e wedi profi hynny doedd e ddim yn moyn bod 'da fi mwyach! Rwy'n cofio oriau o feddylu, o geisio dyfalu neu egluro pam nad oedd e'n siarad 'da fi, cyn penderfynu yn y diwedd nad o'n i am wastraffu fy amser 'dag e os mai fel'na oedd e am ymddwyn. Ond pharhaodd hynny ddim yn hir. Hedfanodd pob un penderfyniad synhwyrol allan trwy'r ffenest wrth i Geraint gyrraedd i'r drws un diwrnod.

Erbyn 'Dolig roedd e'n dod draw i'r tŷ yn gyson, a byddem ni'n dau yn diflannu i'r parlwr i wrando ar Bob Dylan. Roedd 'na groeso iddo bob amser. Roedd gan fy rhieni feddwl y byd ohono, yn enwedig Mam – fe fydden nhw'n siarad am oriau. Roedd e'n hoff o farddoniaeth, a dyna oedd ei diléit hithau.

Roedden ni'n rhan annatod o fywydau'n gilydd, ac yn rhannu profiadau newydd yn ddyddiol bron. Rwy'n cofio Dad yn mynd â ni'n dau i lawr i Dalacharn i weld bedd Dylan Thomas ac fe brynais innau lyfr o'i weithiau iddo ar ei ben-blwydd. Hyd yn oed pe digwyddai alw pan nad oeddwn i adref, byddai Geraint yn dod i mewn 'run fath ac yn sgwrsio 'da Mam. Flynyddoedd yn ddiweddarach, wedi i ni wahanu'n derfynol, rwy'n meddwl fod Mam yn gweld ei golli e'n aruthrol.

Yn raddol, roedden ni'n gweld mwy a mwy ar ein gilydd. Yn ystod gwyliau'r Pasg 1967 byddem yn cyfarfod yn y dref ac yn mynd i'r sinema ar Stryd y Frenhines yng Nghaerdydd i weld ffilmiau Peter Sellers ac eraill. Wedi i'r ffilm orffen, trip bach wedyn i'r Wimpy cyfagos am ysgytlaeth.

Ro'n i'n gweithio'n galed iawn yn ystod y flwyddyn honno am ei bod hi'n flwyddyn Lefel 'A' arna i, ond er y gwaith ysgol a'r ymrwymiad i'r berthynas â Geraint, ro'n i'n llwyddo i ganfod amser i ganu hefyd. Bues i'n perfformio cryn dipyn yn ardal Caerdydd yn ystod y flwyddyn, ar fy mhen fy hun ac weithiau gyda'r Meillion.

Un uchelgais bendant oedd gen i bryd hynny, sef cael mynd i Goleg Caerdydd i wneud ymarfer dysgu, ond yn anffodus wnes i ddim llwyddo i wireddu'r freuddwyd honno. Mae'n amlwg nad oeddwn i wedi gweithio'n ddigon caled ac wedi treulio gormod o amser un ai'n canu neu'n mitshio 'da Geraint; byddem yn mynd i fynwent Cathays, i'r llyfrgell yn y dre, i unrhyw le, dim ond ein bod ni gyda'n gilydd.

Prifysgol Bangor oedd fy newis gwreiddiol, 'nôl yn 1966, am mai dyna lle'r oedd fy ffrindiau gorau Babs a Pys yn bwriadu mynd, ond wedi i mi ddechrau mynd mas 'da Geraint fe newidiodd fy mlaenoriaethau. Erbyn yr hydref ro'n i'n ystyried mynd i Gaerfyrddin yn lle Bangor, a buan y newidiodd hynny eto wedyn i Abertawe. Ro'n i'n dod yn nes ac yn nes at adre gyda phob newid meddwl, ac erbyn dechrau mis Tachwedd roeddwn wedi rhoi fy mryd ar Goleg Caerdydd.

Doedd Geraint ddim yn academaidd iawn tra oedd e yn yr ysgol, ond roedd e'n hoffi barddoni. Dyna oedd ei brif ddiddordeb. Ychydig iawn o bobl sy'n gwybod, ond doedd e ddim yn arbennig o gerddorol bryd 'ny chwaith. Rwy'n cofio dysgu iddo fe sut i chwarae'r piano a'r gitâr. Barddoni ac actio oedd yn bwysig iddo. Roedd e â'i fryd ar fod yn actor, tra o'n i'n gwybod ers talwm mai canu o'n i isie'i wneud.

Beth bynnag, methais gael y graddau angenrheidiol i fynd i Brifysgol Caerdydd ac felly roedd yn rhaid i mi fynd i'r 'Clearing House', a bu'n rhaid disgwyl i weld pa opsiynau fyddai'n agored i mi. Yn y diwedd, Coleg Caerllion a Bangor oedd yr unig ddewisiadau a gynigiwyd i mi ac wrth gwrs, gan fy mod yn benderfynol o aros o fewn cyrraedd i Geraint, Caerllion aeth â hi.

Caerllion

W rth edrych 'nôl, doedd pethau ddim yn argoeli'n dda yng Nghaerllion o'r dechrau. Rwy'n cofio mai'r peth cyntaf wnes i ar ôl derbyn fy nyddiadur coleg oedd cyfri'r dyddiau a'r wythnosau ymhob tymor. Ro'n i ar dân moyn gweld faint fyddai'n rhaid i mi aros cyn gallu treulio'r gwyliau ar eu hyd gyda Geraint.

Tymor yr hydref oedd yr hiraf, a byddai'n para 13 wythnos, o 18 Medi hyd 16 Rhagfyr, gydag wythnos hanner tymor yn y canol. Doedd tymor y gwanwyn fawr byrrach chwaith; hwnnw'n dri mis cyfan, ond eto gyda hanner tymor yn y canol, ddiwedd Chwefror. A phe bawn yn llwyddo i gyrraedd tymor yr haf, hwnnw fyddai'r byrraf o ddigon, yn ddeng wythnos, gydag wythnos y Sulgwyn, neu wythnos Eisteddfod yr Urdd fel y meddyliwn i amdani, dair wythnos cyn ei derfyn.

Un fantais o fod mewn coleg yn weddol lleol i Gaerdydd oedd fod modd i mi barhau gyda'r perfformio. O fis Ionawr ymlaen, bûm yn perfformio sawl gwaith fel unawdydd, o nosweithiau llawen yn y Barri, Aberdâr, Cathays a Chwmbrân, i gyngherddau Beti Wyn a chlybiau gwerin ym Mryste a Chasnewydd. Ar ben hynny, ro'n i hefyd yn dal i berfformio gyda'r Meillion mewn cyngherddau amrywiol.

Wrth gwrs, roeddwn wrth fy modd yn cael y cyfle i ganu, ond roedd e hefyd yn gyfle i ennill rhywfaint o arian poced erbyn hyn. Byddai ambell gyngerdd, fel yr un yn Aberystwyth, yn talu £2 i mi am berfformio. Dro arall, cawn ddeg swllt am ganu yng nghapel Caerllion. Doedd e ddim yn arian mawr o bell ffordd, ond roedd e'n sicr yn arian defnyddiol i fyfyrwraig.

Dros y misoedd dilynol, bûm yn perfformio ar hyd a lled Cymru, ac ymysg y lleoliadau y teithiwn iddynt yr oedd Aberystwyth, Pontypridd, Pont-hir, Penarth a Malpas, yn ogystal ag ambell gyngerdd dros Glawdd Offa, fel yr un yn y London School of Economics.

Roedd gen i restr o hoff ganeuon, oedd yn cynnwys 'Everybody Go Home', 'Departure', 'Fe Ddaw', 'Rhoi i'r Plant', 'Lullaby', 'Beth sydd i mi?', 'Creu Atgofion' ac 'Yr Wylan'. Caneuon eraill fyddai'n cael eu cynnwys yn fy *repertoire* oedd 'Summertime', 'Plaisir d'Amour', 'Old Man's Lament', 'He Lived Alone in Town', 'Cân Cathays', 'April', 'Patterns', 'Take the Sun', 'Green-backed Dollar', 'Blue, Blue', 'Donna,

Donna', All My Trials', 'Show Me The Prison', 'In The Morning', 'Last Thing On My Mind' a 'Hava Nagila'.

Yn Risga rwy'n cofio i mi ganu ambell i gân wahanol, am fy mod i'n cynnal cyngerdd i blant – rhywbeth sydd wedi bod wrth fy modd ers hynny. Roedd y rhain yn cynnwys 'The Gypsy Rover', 'Old MacDonald', 'Scarlet Ribbons', 'Little Boy Fishing', 'Michael', 'Gee Geffyl Bach' a hyd yn oed 'Bing Bong Be!'

Rhwng Geraint a pherfformio roedd hi'n anodd iawn wrth gwrs i Gaerllion gymharu'n ffafriol – yn amhosib, a dweud y gwir. Does ryfedd nad oeddwn i'n hapus yn y coleg. Yn wahanol iawn i'r troeon eraill yr oeddwn i wedi bod i ffwrdd o gartref yn aros yng Nglan-llyn, ro'n i'n hiraethu'n ofnadwy a byddwn yn fy nagrau bron bob nos.

Penderfynais gymryd Cymraeg a Cherddoriaeth fel fy mhrif byncian. Ro'n i'n awyddus iawn i wella 'Nghymraeg ac wedi bod wrthi'n ddiwyd yn ystod gwyliau'r haf yn fy nhrwytho fy hun yn llenyddiaeth Cymru.

Tri darlithydd oedd yn rhannu cyfrifoldebau a dyletswyddau'r adran Gymraeg. Wrth gwrs, addysg oedd prif bwnc y coleg, er y cynigiai ystod eang o ddewisiadau eraill, gan gynnwys Daearyddiaeth, Hanes, Mathemateg, Saesneg, a'r Gwyddorau. Y bwriad oedd hyfforddi pobl ifanc, yn ferched a bechgyn, i fynd yn athrawon, ac yn y blynyddoedd yr oeddwn i'n ei fynychu, gallai'r sefydliad frolio bron 700 o fyfyrwyr, ond roedd y ddwy adran yr o'n i'n perthyn iddyn nhw gyda'r ddwy leiaf yn y coleg.

Ym mis Mawrth yn ystod y flwyddyn gyntaf yn y coleg, cefais brofiad da o ddysgu am fis yn Ysgol yr Eglwys yng Nghymru, Malpas. Roedd bachgen arall o'r coleg o'r enw David Willliams yno'r un pryd â mi ac roeddwn i mewn dosbarth yng ngofal Mrs Osmond. Fe wnes i fwynhau bod yn fishi; codi'n gynnar a chychwyn ar y bws am yr ysgol a chael bod yng nghwmni athrawes dda a phlant bach saith oed trwy'r dydd.

Un diwrnod, daeth un o athrawon yr ysgol ata i a dweud ei fod e wedi fy ngweld i ar y teledu yr wythnos honno. Daeth cais ar unwaith gan y prifathro i mi ddod â'm gitâr i'r ysgol a threuliais gyfran helaeth o'r wythnosau oedd yn weddill yn cynnal cyngherddau a sesiynau canu gan fynd o un dosbarth i'r llall. Rwy'n cofio un merch fach yn arbennig – ysgwn i ble mae hi nawr? Merch fach o'r enw Lesley Benjamin oedd hi, merch fach eithriadol o alluog oedd yn fy eilunaddoli i. Ar ôl i mi adael yr ysgol fe fyddai hi'n ysgrifennu ata i yn rheolaidd trwy swyddfa'r coleg. Ar fy niwrnod olaf yn ysgol Malpas, daeth y prifathro ata i a dweud y byddai'n falch iawn o gynnig swydd i mi pe bawn i'n dymuno hynny ar ddiwedd fy nghwrs coleg. Roedd hynny'n hwb aruthrol i mi. Does ryfedd i mi adrodd wrth fy rhieni mai dyna'r mis gorau erioed i mi ei dreulio yng Nghaerllion!

Ro'n i'n hoff o greu rhestrau bryd hynny, fel y tystia'm dyddiadur o'r cyfnod. Byddai'r rhestrau hyn yn amrywio o'r llyfrau ro'n i wedi eu darllen i'r dillad ro'n i wedi eu prynu, gan gynnwys blows 'ffrili' am £1 a 10 swllt a ffrog 'reit binc' am £4 a 4 swllt. Wn i ddim a oedd y rhestrau'n rhoi rhywfaint o deimlad o reolaeth i mi, neu'n cynnig rhywfaint o gysur wrth gadw'r meddwl yn brysur ar yr adegau pan fyddai'r hiraeth am Geraint ar ei waethaf.

Dim ond dwy ffrind oedd gen i yng Nghaerllion, ac mae arnaf ddyled o ddiolch iddyn nhw am ddyfalbarhau ac am fy nerbyn i fel yr o'n i. A dweud y gwir, doeddwn i ddim yn treulio digon o amser yng Nghaerllion i roi cyfle i mi fy hun wneud ffrindiau, ond fe gymerodd Roberta Ann Owain o Lanfair Talhaearn, a'i ffrind hi, Eurwen Jones o Riwlas, fi o dan eu hadain. Roedden nhw wedi fy 'mabwysiadu' fi, a dweud y gwir, gan edrych ar f'ôl i a'm helpu gyda'r Gymraeg. Er 'mod i'n canu rhai pethau yn Gymraeg bryd hynny, roeddwn i'n dal i deimlo nad oedd fy ngafael ar yr iaith yn gryf iawn, ac fel sy'n amlwg o'r rhestr caneuon yr arferwn eu canu, ro'n i'n llawer mwy cysurus gyda'r Saesneg.

Bob dydd Mercher byddwn yn dychwelyd i Gaerdydd. Roedd yn rhaid i mi gael gweld Geraint, a byddai yntau'n dianc o'r ysgol am y prynhawn. Os nad oedd digon o arian gen i ar gyfer y tocyn bws, byddwn i'n bodio, ond naill ffordd neu'r llall, roedd yn rhaid cyrraedd i Gaerdydd ac at Geraint! Wedi cyrraedd, byddai Geraint a minnau naill ai'n mynd i'r sinema, neu i erddi'r Castell os oedd hi'n braf. Roedd y fan honno'n boblogaidd iawn gyda chariadon bryd hynny.

Ond wrth gwrs, wedi treulio prynhawn bendigedig yng nghwmni Geraint roedd hi'n anos fyth dychwelyd i Gaerllion, a byddai fy nghalon ar dorri bob nos Fercher wrth ffarwelio a throi 'nôl am y coleg. Roedd y siwrne ei hun yn ddigon o hunllef. Roedd angen dau fws. Byddai'r cyntaf, i Gasnewydd, yn cymryd awr a hanner; wedyn, byddai'n rhaid disgwyl mewn arhosfan digon di-raen cyn dal bws arall i Gaerllion. Ac wedi cyrraedd y fan honno roedd angen cerdded i fyny i'r coleg trwy'r tywyllwch.

Weithiau, os oedd Dad ar gael, byddai'n fy ngyrru i'n ôl – doedd y siwrnai ddim hanner mor hir yn y car, ond fel rheol mynd ar y bws fyddai rhaid. Doedd fy rhieni ddim yn dymuno i mi ddod adref mor aml. A deud y gwir, roedden nhw'n credu 'mod i'n ddwl yn dod 'nôl i weld Geraint mor gyson, gan bregethu y dyliwn i fod yn canolbwyntio mwy ar waith yn hytrach na'r berthynas. Ond wrth gwrs, a minnau'n ferch ifanc, ffôl, dros ei phen a'i chlustiau mewn cariad, ro'n i'n gwbl fyddar i'w protestiadau.

Ar ôl y siwrne nos Fercher, byddai deuddydd arall o ddarlithoedd wedyn cyn dychwelyd adre ar gyfer y penwythnos. Yr unig adeg yr arhoswn yn y coleg am yr wythnos ar ei hyd oedd pan fyddai gofyn i mi berfformio yng Nghaerllion, naill ai yn y coleg ei hun, yn yr eglwys, mewn cinio lleol neu noson gaws a gwin. Rwy'n cofio mai un o'r ychydig ddyddiau Mercher y bu i mi aros yn y coleg oedd y tro cyntaf i mi yfed fymryn yn ormod. Mae'n debyg fy mod yn ceisio anghofio'r hiraeth am Geraint y noson honno, ond beth bynnag, dyna'r noson i mi gael blas ar win coch am y tro cyntaf ac mae hynny wedi aros gyda mi hyd heddiw!

Ro'n i i fod i ganu unawd mewn noson gaws a gwin, a, chwarae teg iddi, fe gytunodd fy ffrind coleg, Janice, i ddod gyda mi yn gwmni. Mae'n rhaid i ni gyrraedd fymryn yn fuan a chael ein hannog i helpu'n hunain i'r caws a'r gwin, achos dyna'n union wnaethon ni. Fyddai dim angen llawer bryd hynny i'm gwneud i'n *tipsy*, a doedd Janice hithau heb arfer mwy na minnau gydag alcohol. Erbyn i mi gamu i'r blaen i ganu ro'n i fymryn yn fwy sigledig ar fy nhraed nag arfer!

Rwy'n siwr bod golwg ddoniol ar y ddwy ohonom, y ddwy fel arfer yn barchus tu hwnt, finnau'n canu ac yn cymryd fy hun o ddifri a Janice yn llywydd yr Undeb Gristnogol! Mae'n rhaid i mi roi perfformiad gweddol serch hynny, gan mai dyna'r cyntaf o gyfres o nosweithiau caws a gwin i mi ganu ynddynt yng Nghaerllion.

Roeddwn i'n dal yn ffrindiau gyda merched eraill yr Eirlysiau bryd hynny hefyd, ac ar ôl tua chwe mis o fod yn y coleg fe fentrodd un ohonyn nhw sôn wrtha i iddyn nhw weld Geraint efo rhywun arall. Roeddwn i'n nabod y ferch dan sylw yn ddigon da i wybod ei bod hi'n dlws iawn, iawn, ac ro'n i'n hynod o ypsét, wrth reswm. Fe gefais ffrae 'da Geraint am y peth, ac yntau'n styfnigo ac yn mynnu mai dim ond cwrdd am goffi wnaethon nhw. Dyna pryd y penderfynais i aros yn y coleg dros y penwythnos am y tro cyntaf, yn ymdrech dila i'w dalu fe 'nôl.

Cynhelid dawns yn y coleg bob pythefnos, ac roedd un yn digwydd y nos Sadwrn honno. I ffwrdd â fi i'r ddawns felly, a chael noson ddigon dymunol, a phan oedd hi'n bryd noswylio derbyniais gynnig bachgen i'm hebrwng i 'nôl i'r neuadd breswyl.

Wedi sgwrsio am 'chydig, cyflwynodd ei hunan i mi fel Eric – Eric Jarman. Jarman arall! Sôn am gyd-ddigwyddiad. Er i mi aros yn y coleg y penwythnos hwnnw er mwyn cadw'n ddigon pell oddi wrth un Jarman, ro'n i wedi digwydd taro ar un arall, a dyna brofi i mi na fedrwn i ddianc rhagddyn nhw!

Ddigwyddodd dim byd rhwng Eric Jarman a mi. Waeth pa mor flin oeddwn i 'da Geraint, ganddo fe yr oedd fy nghalon a buan y bu i ni gymodi. Daeth Geraint i lawr i Gaerllion i'm gweld ac aeth pethau'n ôl i fel yr oedden nhw, fwy neu lai. Er hynny, roedd hadau amheuaeth wedi eu plannu yn fy meddwl, a fedrwn i ddim peidio â gofidio y byddai Geraint yn cwrdd â rhywun arall. Pryder a fyddai'n destun gofid i mi lawer tro yn y dyfodol, er na allwn i rag-weld hynny ar y pryd.

Erbyn dechrau fy ail flwyddyn yng ngholeg Caerllion, roedd gŵr hyfryd iawn o'r enw Ken Griffiths yn chwilio am waith i mi. Roedd e wedi dod i Eisteddfod y Barri a digwydd clywed yr Eirlysiau, a daeth i gefn y llwyfan ar ei union gan weiddi ei fod e moyn bod yn asiant i ni. Trefnwyd i ni gwrdd â Ken yn fuan wedi'r eisteddfod, a chanfod wedyn mai dymuno bod yn asiant i mi yn unig yr oedd Ken. O edrych 'nôl heddiw, rwy'n tybio fod ei frwdfrydedd yn ymwneud â llwyddiant Mary Hopkin yn y cyfnod, ac rwy'n meddwl iddo gredu y gallai efelychu'r llwyddiant hwnnw gyda mi.

Roedd gan Ken gysylltiadau da yn Llundain. Roedd e'n byw ac yn gweithio yno ac yn adnabod Norman Newell, oedd yn enw mawr yn y byd canu yn y cyfnod. Trefnwyd i mi a Geraint fynd i lawr i Lundain i gwrdd ag e, ac i ffwrdd â ni i swyddfa Norman. Fe ddigwyddon ni gwrdd â Russ Conway y diwrnod hwnnw, ac roedd hynny'n cyfrannu at y cyffro oedd ynghlwm â'r daith rywsut.

Yn naturiol, roedd gen i'r gitâr gyda mi yn y cês, ac fe fentrodd Norman Newell ryw sylw am gario bomiau ynddo, gan lwyddo i'm gwylltio i braidd. Rwy'n cofio i mi a Geraint drafod gyda'r asiant ein bod yn ysgrifennu deunydd gwreiddiol, fe'n ysgrifennu'r geiriau a minnau'n cyfansoddi'r alawon, ac mae'n rhaid ein bod wedi llwyddo i greu argraff o fath, achos fe drefnwyd i mi gael sesiwn recordio yn stiwdios EMI ar fy union.

Roedd hynny'n beth anferth i mi, a minnau'n dal yn y coleg, wrth gwrs. Rwy'n cofio rhyfeddu fod Madeleine Bell, oedd yn gantores boblogaidd yn y cyfnod, yn canu backing vocals i mi yn y stiwdio! Roedd hyn yn brofiad cwbl wahanol ac yn llawer mwy cynhyrfus na recordio'r albwm gyda'r Meillion yn neuadd Reardon Smith!

Recordiwyd cân o'r enw 'Fe Ddaw' – roedd Geraint wedi ysgrifennu'r geiriau yn Gymraeg wrth gwrs, a finnau wedi cyfansoddi'r dôn, ond fe gyfieithwyd hi i'r Saesneg a'i recordio gyda cherddorfa lawn. Roedd y sengl yn swnio'n ffantastig ac rwy'n cofio teimlo fod cyfle am lwyddiant aruthrol o fewn ein gafael, ond nid dyna a fu. Rwy'n meddwl eu bod wedi sylweddoli 'mod i'n edrych fel Mary Hopkin ac yn canu fel Mary Hopkin – ac roedd angen i'r asiant ganfod rhywun y gallai ei marchnata'n wahanol i Mary.

Bu rhywfaint o drafodaeth ynghylch newid fy llais a thorri fy ngwallt a'i liwio fe'n dywyll, ac efallai, yn ddeunaw oed, nad oeddwn i'n barod am hynny. Yn y diwedd, y rheswm a roddwyd dros beidio â rhyddhau'r sengl oedd eu bod yn teimlo fod y cwbl yn rhy debyg i'r hyn yr oedd Mary Hopkin eisoes yn ei wneud, a dyma ddychwelyd i Gymru ac yn ôl i'r coleg gan gredu fod cyfle mawr wedi ei golli, a rhywsut roedd Caerllion yn teimlo'n fwy o garchar nag erioed.

Y Bara Menyn

Mae'r bobl hynny sy'n ffigyrau cyson yn eich bywyd ar hyd y blynyddoedd yn brin iawn. Hwyrach na fyddwch chi'n eu gweld nhw am wythnosau, am fisoedd neu hyd yn oed flynyddoedd ar y tro, ond er hynny maen nhw yno i chi, dim ond i chi godi'r ffôn neu gysylltu efo nhw. Rôl fel hyn y mae Meic Stevens wedi ei chwarae yn fy mywyd.

Y tro cyntaf i mi gwrdd â Meic oedd yn y Drenewydd ym mis Rhagfyr 1968. Roeddwn i'n nesáu at ddiwedd tymor cyntaf fy ail flwyddyn yng Nghaerllion ar y pryd ac roedd Dad, Mam, Geraint a minnau wedi teithio draw i'r Drenewydd am fy mod i'n perfformio mewn cyngerdd yno. Rwy'n cofio mai dydd Sul oedd hi, ac roedd Mam a 'Nhad yn chwilio am siop tsips fyddai'n agored i ni gael tamaid i'w fwyta cyn y gyngerdd, ond roedd pobman ar gau.

A dyna pryd welson ni Meic. Dad welodd e gyntaf, yn cerdded i lawr y stryd ar ei ben ei hun. Doedd 'na neb arall o gwmpas, dim ond Meic yn ei het ddu, clogyn du, sbectol dywyll, trowsus du, bŵts du a chês gitâr du. Yn ddu o'i gorun i'w sawdl. 'My God!' ebychodd Dad. 'Look at him there! He looks like a bat out of hell!' 'No it's alright,' meddai Geraint. 'I recognise him. That's Meic Stevens that is. He's famous,' a finnau'n ychwanegu 'mod i'n meddwl ei fod e'n iawn – er ei fod yn edrych fymryn yn rhyfedd.

Doedd 'run ohonom wedi gweld y fath beth o'r blaen! Ro'n i'n sidêt iawn ar y pryd, yn gwisgo dillad parchus o Marks & Spencers. Ambell *hairpiece* ffals oedd fy syniad i o fod yn fentrus, tra oedd Geraint yn edrych fel hogyn capel mewn siwmper wlân a chordyrois gwyrdd byth a hefyd.

Cyrhaeddom y cyngerdd ac roedd tyrfa anferth o bobl yno. Roedd e'n dipyn o achlysur a phawb oedd yn boblogaidd yn y sîn gerddoriaeth Gymraeg ar y pryd yn cymryd rhan: Tony ac Aloma, Hogia'r Wyddfa, Iris Williams, Dafydd Iwan ... roedd y rhestr yn ddi-ddiwedd. Ond yr hyn rwy'n ei gofio fwyaf am y noson yw sefyll y tu cefn i'r llwyfan, a sylwi ar Meic yn croesi o ben arall yr adeilad, trwy'r holl berfformwyr, ac yn anelu ata i, o bawb. Cyflwynodd ei hun i mi a Geraint gan ddweud, 'Hi, I'm Meic, Meic Stevens. You're Geraint Jarman, aren't you? And you're the singer Heather Jones. I love your voice Heather, and I really like your poems,' meddai wedyn wrth Geraint. 'You must come down to Solva one day and help me out. I'm writing a pop opera called *Etifeddiaeth trwy'r Mwg*. Yeah, come down and meet my girlfriend Tessa. She's expecting our second child … come and help me finish this pop opera … "

Roedd e'n sgwrsio'n Saesneg bryd hynny wrth gwrs am nad oeddwn i'n medru'r Gymraeg yn dda iawn, a doedd ei iaith yntau ddim yn wych chwaith!

Fis yn ddiweddarach, derbyniodd Geraint gynnig Meic a mynd draw i Solfach. Es i ddim gydag e'r tro cyntaf hwnnw, yn bennaf oherwydd fod gen i bethau i ddelio â nhw.

Wedi'r flwyddyn gyntaf yn y coleg, roedd pawb wedi symud allan o'r neuadd breswyl. Roedd Roberta Ann ac Eurwen wedi symud i mewn i dŷ efo ffrindiau, ac fe ganfyddais fy mod i ar fy mhen fy hun. Fedrwn i ddim byw efo ffrindau am nad o'n i wedi treulio digon o amser yno i wneud rhai! Felly, ro'n i'n byw 'da merch o Hayling Island. Roedd hi'n ferch dlws iawn, iawn ond doedden ni ddim yn nabod ein gilydd mewn gwirionedd a doedd gennym ni fawr yn gyffredin chwaith.

Dri mis i mewn i ail flwyddyn y cwrs, yn ystod gwyliau'r Nadolig, penderfynais na fedrwn i ddioddef dychwelyd i Gaerllion. Penderfynais adael Caerllion a mynd i'r Coleg Cerdd a Drama yng Nghaerdydd i astudio canu a cherddoriaeth, gan ddechrau y Medi canlynol. Roedd yn benderfyniad delfrydol yn fy meddwl i gan mai i'r fan honno y bwriadai Geraint fynd hefyd, ac ro'n i wedi cael addewid o le. Felly'r diwrnod arbennig hwnnw, roeddwn wedi aros gartref i geisio delio gyda'r trefniadau hynny tra oedd Geraint wedi mynd lawr i Solfach. O fewn ychydig oriau iddo gyrraedd yno, roedd y ffôn yn canu.

'Hei, 'dan ni wedi penderfynu ffurfio grŵp, a 'dan ni am i ti fod yn brif leisydd. Mae'n rhaid i ti ddod yma ar dy union, dere lawr ar y trên nesaf …"

Ches i fawr o gyfle i wrthod ganddyn nhw, ond roedd yn rhaid cael caniatâd Dad cyn gallu rhoi ateb cadarnhaol. Fe gytunodd yntau, felly i ffwrdd â fi ar y trên. Wedi cyrraedd Tyddewi, roedd hen fan flêr yn aros amdana i. Doedd Meic na Tessa yn gyrru ac felly roedd ffrind iddyn nhw wedi cynnig fy hebrwng o'r orsaf yn ôl i'r tŷ. Dwi'n cofio mai fy ymateb cyntaf oedd 'Waw! Mae'r rhain yn wahanol …' ond allwn i ddim llai na meddwl beth ar wyneb daear yr o'n i a Geraint yn ei wneud yn eu plith chwaith.

Cyrhaeddais y tŷ, bwthyn bychan o'r enw Bryn Hyfryd ar brif stryd Solfach, a chwrdd â Tessa ac Izzy'r fechan. Dim ond dwy ystafell wely oedd yn y bwthyn. Roedd Meic a Tessa yn un ohonyn nhw, a Geraint eisoes wedi hawlio'r llall. Roedd Izzy'n cysgu dan y staer, lle'r oedd llenni'n cau i greu 'ystafell' dros dro.

Fel yr oeddwn i'n pendroni ble fyddwn i'n cysgu, dyma Tessa, fel pe bai hi'n synhwyro hyn, yn dweud, 'We weren't sure what you'd want to do, whether you'd want to sleep upstairs with Geraint or if you'd like us to make up a bed on the couch?'

'Oh, a bed on the couch, please,' meddwn innau ar f'union. Doedd ein perthynas ni ddim wedi datblygu mor bell â hynny. Er 'mod i bron yn bedair ar bymtheg, ro'n i'n grefyddol iawn a doedd dim bwriad gen i gael rhyw cyn priodi. A dweud y gwir, ro'n i o'r farn y byddwn i'n pechu yn erbyn Duw pe bawn i'n gwneud y fath beth.

Ar y dydd Sul, fe goginiodd Tessa ginio bendigedig i ni, ond tra oeddem wrth y bwrdd digwyddodd Meic gwyno am rywbeth neu'i gilydd, naill ai'r grefi neu'r tatws rhôst neu rywbeth, ac fe aeth yn ffrae fawr rhyngddyn nhw. Diwedd y ffrae oedd i Tessa ddechrau taflu pethau at Meic ac yna stormo mas. Wel, ro'n i'n crynu. Ro'n i wedi dychryn ac roedd y cyfan yn gymaint o sioc i mi. Doedd Mam a Dad byth yn gweiddi ar ei gilydd a doeddwn i ddim wedi arfer â chlywed pobl yn codi eu lleisiau hyd yn oed. Ro'n i'n nerfus iawn ymhlith y dieithriaid hyn wedi hynny. A dweud y gwir, rwy'n siŵr i hynny fy ngwthio i'n nes at Geraint; roeddwn i fel llygoden fach dawel, yn cilio ato fe i gysgodi rhag y storm. Y noson honno, anghofiais am y syniad o'r gwely ar y soffa a bu i mi gysgu yn yr un stafell â Geraint.

Erbyn y bore, roedd y ddrycin heibio, a chyfle o'r diwedd i drafod ffurfio'r Bara Menyn. Mewn dim o dro, roedden ni wedi sgwennu'r gân 'O nynni sy'n caru Cymru' a dyna ddechrau'r grŵp. Yna, daeth 'Disgwyl am dy gariad', 'Rhywbeth gwell i ddod', ac un y bu i mi ei chyfansoddi. Mae pawb dan yr argraff mai Meic sgrifennodd 'Dewch ar y trên', ond Geraint biau'r geiriau a minnau'r dôn. Ar y dechrau, cân i blant oedd hi i fod, yn llawer ysgafnach a melysach na'r ffordd y mae Meic yn ei chanu.

Ar yr un diwrnod, ffoniodd Meic Wren Records gan ddweud wrthyn nhw, 'Right, we want to make a record. I've got a fabulous group here, we're going to do it y'know, it's going to be great!'

Roedd Meic yn wahanol i bawb yr o'n i wedi ei gyfarfod cyn hynny. Roedd e, ac mae e o hyd, yn gwbl unigryw ac fe agorodd fy llygaid yn aruthrol i'r byd mawr o'm cwmpas. Ac am ei fod e mor wahanol, doedd rhywun byth yn cwestiynu ei ymddygiad e rywsut. Byddai'r pethau fyddai e'n eu gwneud yn taro rhywun yn rhyfedd neu'n wirion neu'n boen, efallai, pe bai rhywun arall yn eu gwneud nhw, ond gan mai Meic oedd Meic doedd rhywun ddim yn meddwl ddwywaith, jyst yn rolio'u llygaid ac yn dweud, 'typical Meic'.

Fel y tro hwnnw, flynyddoedd yn ddiweddarach, y daeth i'r tŷ, yn waed o'i gorun i'w sawdl, a'i wynt yn ei ddwrn. Eglurodd iddo fod yn gyrru'i feic modur ar hyd Ffordd Ninian pan gafodd ddamwain. Roedd y beic wedi llithro ar rywbeth ac yntau wedi colli rheolaeth a chael sgriffiadau go ddrwg o ganlyniad, ond sgriffiadau ai peidio, roedd e wedi llwyddo i ddod oddi yno. Ro'n i wedi dychryn, ond mynnais ei fod e'n eistedd i lawr a rhoddais goffi du iddo fe i drio'i gael e i ddod ato'i hun.

Roeddwn i a Geraint wedi ein cyfareddu gan Meic Stevens, ond roedd rhaid derbyn y gallai Meic fod yn anwadal hefyd. Er mor annwyl y daeth e i ni, roedd ganddo dueddiad i'n gadael ni i lawr ar adegau. Rwy'n cofio un tro, sbel wedi hynny, i Geraint a minnau benderfynu cael noson allan efo'n gilydd – doedd hynny ddim yn digwydd yn aml gan ein bod yn rieni ifanc erbyn hynny. Roeddem wedi trefnu i Meic ddod draw i warchod erbyn saith o'r gloch, ond cyrhaeddodd saith o'r gloch a doedd dim sôn amdano. Hanner awr wedi saith, wyth, naw o'r gloch a doedd dim golwg o Meic. Roedd y noson a'n cynlluniau wedi mynd i'r gwellt. Ond wnaeth e ddim methu troi lan yn llwyr. Tua thri o'r gloch y bore, dyna ble'r oedd Meic yn y drws, yn feddw iawn a merch ddieithr ar ei fraich. Dyna'r tro cyntaf i mi wylltio o ddifri efo Meic. Agorais ffenest y llofft a gweiddi i lawr i'r stryd nad oedd croeso iddo yma ac nad oedd e am gael dod i mewn. Rwy'n cofio gweiddi arno ei fod e wedi'n gadael ni i lawr ac y dylai chwilio am rywle arall i dreulio'r noson.

Ond doedd hi ddim yn bosib bod yn flin 'dag e am yn hir iawn, chwaith. Dyw hi byth!

Wedi ffurfio grŵp y Bara Menyn yn 1969, y cam nesaf oedd ceisio recordio albwm, ymddangos ar y teledu a chael ein clywed ar y radio.

Rwy'n cofio gwneud eitemau ar gyfer rhaglenni fel *04 05 Ac Ati*.

Roedd Meic o'r farn y byddai'n syniad i ni wisgo lan yn wyllt a gwirion, ac rwy'n credu mai dyma pryd y dechreuodd f'agwedd i at fywyd newid. Yn sicr, fe wnaeth ffurfio'r Bara Menyn a dod i nabod Meic fy newid i. Cyn hyn, ro'n i'n athrawes ysgol Sul fyddai'n mynd i'r eglwys o leiaf unwaith ar y Sul ac yn darllen *Key Notes* crefyddol yn fy amser hamdden. Wedi cwrdd â Meic, ro'n i moyn bod yn debycach iddo fe a Tessa a'u ffrindie. Byddai Meic yn dweud wrtha i, 'You shouldn't wear those boring clothes, Heather, you look like a stuffed parrot', ac o edrych 'nôl, rwy'n tueddu i gytuno 'dag e!

O dipyn i beth dyma ddechrau gwisgo dillad gwahanol, a thyfu 'ngwallt yn hir. Gallai fy rhieni weld y newid ynof fi, a doedden nhw ddim yn croesawu'r newid o gwbl. Doedden nhw ddim yn hoff o Meic, a dweud y gwir, nac o'r ffaith ei fod e a Tessa'n byw 'da'i gilydd heb briodi, yn enwedig gan fod ganddyn nhw ddau o blant ifanc. Roedd y syniad yn gwbl wrthun iddyn nhw ac mae'n debyg eu bod nhw'n ofni ei ddylanwad e arna i.

Yn fuan wedyn, symudodd Meic a Tessa o Fryn Hyfryd i dŷ arall o'r enw Caerforiog. Tŷ yn y wlad oedd hwn, mewn lle o'r enw Middle Mill, ddim yn bell o Solfach. Roedden nhw'n rhannu eu cartref newydd gyda chwpwl arall ac roedd fy rhieni'n meddwl fod hynny'n od iawn. Pe baen nhw wedi gweld y cwpwl arall, fe fydden nhw wedi meddwl fod y trefniant yn fwy od fyth. Roedd y gŵr yn y cwpwl arall fel pe bai e'n byw ar blaned wahanol. Doedd e ddim yn gwneud dim byd, dim gwaith o fath yn y byd. Byddai'n croesawu Geraint a mi i'r tŷ trwy ddweud, "Hey man, let's light some joints and sit by the fire …"

Rwy'n cofio un tro i Meic a Geraint fynd allan i hel coed tân. Fe warion nhw tua teirawr yn torri coed a'u casglu nhw, ac wedi iddynt gyrraedd yn ôl, dyma'r creadur arall 'ma'n dweud yn ei lais cysglyd, 'Wow, man, that's a groovy pile of logs.'

Roedd hi'n amlwg fod Geraint, fel finnau, yn newid. Rwy'n cofio i ni gael ffrae yn y cyfnod hwnnw, a Geraint yn dweud wrtha i, 'Why don't you just f*** off!' Mae'n gas gen i regi hyd heddiw, ond roedd yn wir gas gen i'r gair hwnnw'n arbennig, a dyma finnau'n taflu 'nôl, 'Don't you speak to me like that, in that … that Meic Stevens language!' Ond roedd hi'n rhy hwyr i newid fy meddwl i erbyn hynny. Doedd dim troi 'nôl. Roedd Meic Stevens wedi sbrinclo'i lwch hud trosta i – a thros

Geraint hefyd.

Ar ddiwedd y chwedegau roedd yna gryn alw amdanom i wneud gìgs byw a pherfformio ar y radio, ac mae ambell gìg yn aros yn y cof yn fwy na'i gilydd. Doedd yr un ohonom ni'n gyrru, ac roedd hynny'n cymhlethu pethau. Mae dyddiaduron y cyfnod yn tystio i wylltineb ein hamserlen bryd hynny – un enghraifft fyddai dal pum trên gwahanol i Gaernarfon o Gaerdydd er mwyn perfformio yn y Majestic. Aros y noson yng Nghaernarfon cyn dal bws naw i lawr i Aberystwyth i berfformio yng ngwesty'r Skinners. Wedi aros noson a dal annwyd rywsut yn fan'no, bodio wedyn i lawr i Aberaeron ac yna Dad druan yn dod lan o Gaerdydd i'n casglu ni o fan'no yn ei sborts car coch!

Roedden ni'n gwneud ambell i gìg yn Saesneg bryd hynny hefyd, er bod tipyn o gynnwys Cymraeg hyd yn oed yn y rheiny. Fyddai e ddim yn anghyffredin i mi ganu 'Ar Lan y Môr', 'Lisa Lân' ac 'Aderyn Pur' mewn llefydd fel Gŵyl Casnewydd.

Rwy'n cofio 'mod i'n cael gwersi canu ar y pryd, ac wrth gwrs roedd f'athrawes yn awyddus iawn i mi ddatblygu'n llais a dod yn soprano a chanu caneuon clasurol, ond doedd gen i ddim diddordeb yn hynny. Cantores werin oedd yr unig beth oeddwn i am fod.

Roedd Iris Williams a minnau'n ffrindiau da yn y cyfnod hwn. Er iddi gael ei magu ym Mhontypridd, roedd hi erbyn hynny'n byw yn yr Heath, yn agos at fy nghartref i, ac roedd gan y ddwy ohonom lawer yn gyffredin. Rwy'n cofio mynd 'da hi ar ei siwrne gyntaf ar ôl iddi basio ei phrawf gyrru. Roedd e'n hunllef pur! Roedd Iris wedi prynu Morris Minor ac rwy'n cofio'r ddwy ohonom yn teithio draw i Aberdâr trwy Bontypridd. Bu'n rhaid inni aros wrth olau coch, ond yn anffodus methodd hi ailgychwyn y car wedi i'r golau droi'n wyrdd! Fan'no'r oedd hi, yn gwneud ei gorau i aildanio a minnau yn y sedd wrth ei hochr yn suddo'n is ac yn is gan embaras. Yn y diwedd bu'n rhaid i griw o fechgyn oedd yn y car tu ôl i ni ein gwthio ni cyn y gallodd Iris aildanio'r injan. Anghofia i fyth mo'r daith honno. O edrych yn ôl roedd e'n hynod o ddoniol. Roedden ni'n cael sbort 'da'n gilydd, Iris a minnau. Byddem yn aml yn teithio o le i le gyda'n gilydd, a bu cyfnod pan oedden ni'n canu deuawdau hefyd, ond roedd Iris yn llawer mwy uchelgeisiol na fi.

Rwy'n cofio un tro i ni fynychu eglwys ysbrydegol gyda'n gilydd. Dim ond rhyw ddeg arall oedd yn y gynulleidfa, a ni oedd yr unig ddwy ifanc; roedd pawb arall yn eu pumdegau a'u chwedegau. Safai pump ar y llwyfan yn trosglwyddo negeseuon i bobl, ac o'r diwedd daeth ein tro ni. Dywedodd un ohonyn nhw fod ganddi 'neges i'r ddwy ifanc yn y cefn' a'r neges oedd y byddai un ohonom yn dod yn gantores enwog iawn, iawn. Wrth gwrs, roeddwn i'n tybio mai ataf i y cyfeiriai'r neges, yn union fel y tybiai Iris mai amdani hi'r oedd e'n sôn, ond rwy'n fodlon cyfaddef mai hi oedd yn iawn!

Un diwrnod sy'n aros yn y cof hyd heddiw yw'r 5ed o Orffennaf, 1969. Dechreuodd y diwrnod yn ddigon di-nod, a minnau'n codi a chael bath fel arfer, ond wedyn yn y prynhawn fe ffoniodd Meic cyn dod draw am de, a finnau'n ymhyfrydu yn hynny. Fe ysgrifennais yn fy nyddiadur, 'Daeth Meic Stevens i'n nhŷ fi am de!' a thanlinellu hynny deirgwaith! A dyna ddechrau antur a hanner. Ddiwedd y prynhawn bu i ni gyd wasgu i mewn i gar Huw Jones a theithio draw i Fairford, ger Rhydychen. Wedi crwydro'r dre am gyfnod, aethon ni gyd i glwb gwerin cyn mynd 'nôl i aros gyda ffrind i Huw o'r enw Alice.

Doeddwn i ddim yn arfer yfed bryd hynny, a dweud y gwir prin fyddwn i'n cyffwrdd â'r ddiod feddwol, ond mae'n rhaid fy mod wedi yfed ambell wydriad o seidr y noson honno, achos y peth nesaf rwy'n ei gofio yw deffro'r bore canlynol a chofio mai hwn oedd y diwrnod yr oeddem ni i gyd i fod yn Llundain yn recordio *Dŵr*. Roedd gen i ben tost ofnadw, a gwaethygodd pethau wrth i ni fynd i'r car a chychwyn am Lundain. Fy mai i oedd hynny, gan mai fi oedd yr un a chwydodd hyd car Huw!

Er i mi wneud addewid i mi fy hun y bore hwnnw na fyddwn i'n cyffwrdd â'r seidr am sbel go faith, yr hyn nad oeddwn i'n ymwybodol ohono oedd fod rhywbeth arall yn cyfrannu at y cyfog. Roeddwn i fwy na thebyg eisoes yn feichiog ar y pryd.

Roedd yr haf hwnnw'n un o gyfnodau hapusaf fy mywyd. Dyna'r tro olaf, mae'n debyg, i mi allu mwynhau bod yn wironeddol ifanc, heb boen yn y byd, cyn gorfod dygymod â bod yn wraig ac yn fam ifanc. Roedd y trip arbennig hwnnw hefyd yn arwyddocaol am mai dyna'r tro cyntaf i mi deithio dros bont Hafren – yr hen bont erbyn heddiw, ond roedd hi'n newydd ar y pryd ac roedd y siwrne drosti'n teimlo mor gyffrous i mi. Ro'n i'n 20 oed, ac ar fin profi tro ar fyd go iawn.

Yr ymweliad hwnnw â Llundain fu'n gyfrifol am ddechrau fy obsesiwn am siopau. Rwy'n cofio cerdded i lawr Oxford Street, Regent Street, Bond Street, Soho, Petticoat Lane a thrwy Camden, a chael fy nghyfareddu gan y gwisgoedd a'r dillad gwahanol oedd ar gael.

Yn ôl at hanes y Bara Menyn, ac un o'r gìgs mwyaf cofiadwy i Geraint a minnau ei wneud gyda Meic oedd draw ym mhrifysgol Bangor, ble'r oeddem i chwarae mewn derbyniad siampên a mefus. Y noson cyn i ni deithio lan yno roedd ffrind i Meic – gitarydd hyfryd iawn o'r enw Bill Lovelady – wedi dod i gwrdd â ni, a chawsom noson hyfryd gyda'n gilydd. Roedden ni'n dal mewn hwyliau da iawn wrth deithio lan i'r gogledd. Yn anffodus roedd rhai ohonom mewn hwyliau gwell na'i gilydd, ac eraill efallai mewn hwyliau rhy dda!

Roedd Meic fel ninnau wedi bod ar y trên trwy'r dydd, ond yn wahanol i'r gweddill ohonom, roedd e'n feddw erbyn i ni ddechrau perfformio. Bron cyn gynted ag y camodd e ar y llwyfan fe ddechreuodd e chwerthin. Ac unwaith iddo ddechrau doedd dim taw arno fe. Roedd e'n chwerthin fel dyn gwallgo, tra oedd Geraint a minnau wrth ei ymyl yn ceisio ymddwyn fel pe bai dim byd o'i le, gan obeithio y byddai Meic yn dod ato'i hun, yn sefydlogi ac yn sobri.

Gwaethygu wnaeth pethau. Roedd Meic yn dal i chwerthin a chwerthin yn afreolus, ac yn y diwedd fe chwarddodd mor galed fel y bu iddo golli ei falans a llithro'n un swp ar y llawr, a fan'no'r arhosodd e, yn gorwedd ar ei gefn yn ceisio chwarae'r gitâr ac yn dal i chwerthin a chwerthin! Yn y cyfamser, roedd Geraint a finnau'n ymdrechu i ganu ac yn ceisio anwybyddu'r dyn oedd ar ei hyd ar lawr yn chwerthin.

Diwedd y gân oedd i Geraint gael digon ar yr histrionics – a wela i ddim bai arno fe; gan gamu'n ofalus dros Meic, cerddodd oddi ar y llwyfan gan fy ngadael i i barhau i ganu! Bu'n rhaid i mi orffen y set ar fy mhen fy hunan. Pan gerddodd Geraint i ffwrdd, dim ond dwy gân oedden ni wedi eu canu, felly prin oedden ni wedi torri'r garw, a dweud y gwir. Rwy'n cofio canu 'Summertime' a phethau fel yna i'r dorf, ac yn wahanol i Ger, doeddwn i ddim yn filain efo Meic. I'r gwrthwyneb, roedd y bwndel o ddireidi ar y llawr yn dod â gwên i'm hwyneb i, ac yn peri i minnau fod eisiau chwerthin gydag e.

Gìg arall cofiadwy, ond am resymau gwahanol, oedd teithio draw i'r Ynys Werdd gyda'r Bara Menyn. Hydref y 18fed 1971 oedd hi. Roeddwn i'n fam ifanc erbyn hynny, a minnau wedi codi'n gynt nag arfer i baratoi ein merch Lisa ar gyfer mynd i aros 'da Mam. Bu i'r tri ohonom – Meic, Geraint a minnau – deithio draw i faes awyr Rhws er mwyn hedfan draw i Iwerddon. Ro'n i'n 21 mlwydd oed a dyna'r tro cyntaf yn fy mywyd i mi fod mewn awyren o unrhyw fath.

Roeddwn wedi manteisio ar lwnc bach o frandi i leddfu'r nerfau, fel yr oedd Meic a Geraint, er nad wy'n hollol sicr beth oedd eu hesgus hwy! Rwy'n amau i Meic hefyd ddioddef o nerfau ynglŷn â hedfan yn ystod y daith honno, achos wrth i ni adael y môr o'n holau ac fel y daeth tir cadarn Iwerddon i'r golwg, aethom trwy boced o *turbulence* dychrynllyd.

Diolch i'r ddiod, dull Meic o ddelio gyda'i ofnau oedd dechrau chwerthin yn afreolus unwaith yn rhagor, fyddai wedi bod yn ddigon drwg ynddo'i hun o gofio'r tro diwethaf iddo droi'n hysterical. Ond yna dechreuodd weiddi trwy'r pyliau chwerthin, 'Mae'r awyren am grashio, mae'r awyren am grashio!' Wedi mymryn o seibiant, dilynwyd hyn gan, 'Rydan ni gyd am farw!' ac yna, 'Dwi'm yn barod i farw!' Roedd e'n gorymateb, fel arfer, ac er bod Geraint a minnau yn gyfarwydd â hynny, yn anffodus fe gymerodd un fenyw ef ar ei air a dechrau sgrechian dros bob man.

Diolch byth, fe dorrodd hynny'r garw gyda gweddill y teithwyr, ac wrth weld Meic yn fan'no'n hanner chwerthin, hanner gweiddi, a'r fenyw yma'n panicio'n llwyr, dechreuodd pawb arall chwerthin. Bron na ellid clywed yr ochenaid o ryddhad gan Geraint a minnau. Roedd y teithwyr eraill wrth eu bodd gyda'r gŵr gwyllt a gwalltog hwn, ac unwaith eto bu i gymeriad hoffus Meic ennill y dydd.

Ddaeth proffwydoliaeth tafod-mewn-boch Meic ddim yn wir. Cyrhaeddwyd y maes awyr yn ddiogel ac fe'n cyrchwyd oddi yno gan ŵr hyfryd iawn o'r enw Joe O'Donnell. Joe oedd yn rhoi llety i ni yn ystod ein harhosiad yn Iwerddon ac ni allai yr un ohonom fod wedi gobeithio cael lletywr gwell.

Pwrpas ein hymweliad oedd perfformio ar orsaf Radio Telefis Eireann, ac ar raglen deledu. Bu i mi ganu ambell solo heb weddill y Bara, a dwi'n cofio canu 'Lisa Lân' yng nghwmni tri aelod o'r band Gwyddelig enwog *The Chieftains*. Yn ôl cynhyrchwyr y rhaglen doedden nhw ond yn gallu fforddio tri aelod, ond roedd e'n brofiad ffantastig cael canu yng nghwmni'r perfformwyr hyn.

Erbyn hynny roedd y tri ohonom wedi cael blas ar Iwerddon a'i phobl a'i phethau, ond dim ond un noson y bu i ni aros, a'r diwrnod canlynol dyna ni'n camu ar yr awyren unwaith yn rhagor.

Cyn diwedd yr wythnos honno, ro'n i wedi dechrau recordio cyfres deledu o'r enw *Misoedd.* Cyfres gyda HTV oedd hon, ac Euryn Ogwen Williams yn gynhyrchydd arni. Roedd gofyn i mi gyfansoddi alaw i gyd-fynd â gwahanol ddarnau o farddoniaeth bob wythnos, ac wrth gwrs roeddwn i'n canu'r rheini wedyn yn ystod rhaglenni'r gyfres. Fe recordiwyd chwe rhaglen i gyd, rwy'n meddwl.

Roeddwn i'n parhau yn llwyr ddibynnol ar fy nhad i'm hebrwng i bobman a'm cyrchu adref ac ar Mam i warchod Lisa. Er i mi erfyn ar Dad i roi ambell wers yrru i mi, chymerodd e mo'r abwyd. Doedd e ddim yn tybio y byddai gyrru'n gweddu i'm natur. Pryderai y byddai'r broses yn un rhy ofidus i mi ac na fyddwn i'n gallu cadw rheolaeth tu ôl i'r olwyn – sy'n eironig iawn erbyn heddiw wrth gwrs, gan fy mod i'n treulio hanner fy mywyd yn y car yn teithio o un lle i'r llall. Bryd hynny, fodd bynnag, fyddwn i ddim wedi gallu fforddio car hyd yn oed pe bawn i'n gallu gyrru.

Y daith nesaf wedi Iwerddon oedd draw i ynys arall, i ynys Môn, i wneud gìg yn Llangefni. Dad ddaeth gyda mi unwaith yn rhagor, er bod Geraint hefyd wedi addo y byddai'n dod lan gyda ni. A dweud y gwir, dwi'n cofio iddi fynd yn ffrae rhyngom ar y funud olaf pan ddywedodd ei fod wedi newid ei feddwl ac y byddai'n well ganddo aros adref.

Felly, i ffwrdd â ni, Dad a mi, i fyny ar hyd yr A470 draw i Langefni, lle cawsom groeso tywysogaidd, a lle treulais i dros awr yn dilyn y perfformiad yn llofnodi i bobl. Sôn am deimlo fel seren go iawn!

Hyd yn oed heddiw, rwy wrth fy modd yn cael cyfle i fynd lan i'r gogledd, ac fe allaf ddweud â'm llaw ar fy nghalon mai dyna fy hoff siwrne. Rwy'n gwybod fod sawl un yn casáu'r A470, ond i mi, mae gadael Caerdydd a dechrau ar yr hewl honno'n chwa o awyr iach.

Diwedd cyn dechrau

Bu bron i'r Bara Menyn ddod i ben cyn dechrau o ddifri. Yn fuan wedi i ni fod i lawr yn Llundain y daeth yr anghydfod a fu bron yn gyfrifol am roi diwedd ar y grŵp.

Roedd yn ddiwrnod pen-blwydd ar Tessa, cariad Meic, ond yn anffodus dyna hefyd y diwrnod y cefais i ffrae gyda hi a difetha ei dathliadau. Rwy wedi sôn eisoes am y ffrae honno rhwng Geraint a minnau pan fu iddo regi arna i, a dyna hefyd oedd asgwrn y gynnen rhyngof fi a Tessa'r tro hwn. Roedd hi wedi 'nghlywed i'n dweud hynny, a doedd hi ddim yn hapus ynghylch fy agwedd i, yn enwedig gan fy mod i ar y pryd yn westai yn ei chartref hi. Taranodd i lawr y grisiau a sgrechian arna i i adael y tŷ. Roedd ganddi neges gwbl glir i mi: os nad o'n i'n gallu eu derbyn nhw fel ag yr oedden nhw, yna doedd dim croeso i mi yno, ac fe fyddai'n well i mi adael ar unwaith.

Ar y pryd, rwy'n cofio nad oeddwn i'n deall beth oeddwn wedi ei wneud o'i le. O'm rhan i, gan fod Geraint wedi defnyddio iaith hyll tuag ata i, credwn fod gen i hawl i weiddi arno, ac roedd Tessa'n ymyrryd mewn dadl rhwng dau gariad ac yn creu ffrae fawr o fewn y grŵp. Beth bynnag, roeddem ni'n perfformio yn Abergwaun y noson honno, ac yn gwbl ddirybudd, cyhoeddodd Meic o'r llwyfan mai dyna fyddai gìg olaf y Bara Menyn, ac arna i oedd y bai am y cwbl am i mi feiddio â dweud rhywbeth o'i le.

Ddaeth y Bara Menyn ddim i ben y noson honno, ond wnaeth Meic na minnau fyth anghofio'r digwyddiad hwnnw. Wrth edrych 'nôl, mae'n bosib i Tessa gyfrannu at well dealltwriaeth rhyngom mewn gwirionedd. Daethom i ddeall fod yna ffiniau pendant i berthynas y tri ohonom gyda'n gilydd. Hyd heddiw, os yw Meic yn rhegi o 'mlaen i, mae'n ymddiheuro ar ei union, ac yn dweud, 'Wir ddrwg gen i Hedd, do'n i ddim yn meddwl hynna.'

Ro'n i'n dal i berfformio fel artist unigol yn ystod y cyfnod gyda'r Bara Menyn, gan gynnwys ambell raglen gyda'r BBC. Dechreuodd hynny, mae'n debyg, pan ddaeth gŵr o'r enw David Richards, cynhyrchydd gyda'r BBC, draw i'r tŷ ym mis Mehefin. Roedd e am i mi gymryd rhan mewn rhaglen deledu, *Cyfres Bryn Williams*. Wedi hynny, roedd gen i gìg arall gyda'r BBC ym mis Gorffennaf.

Ym mis Awst 1969 y bu i mi sylweddoli am y tro cyntaf hwyrach na fyddai bywyd fel seren bop yn fêl i gyd. Daeth y darganfyddiad yn Eisteddfod Genedlaethol Sir y Fflint, a hynny wedi dyddiau o gael dieithriaid yn dod atom i ofyn am lofnod tra oeddem yn crwydro'r maes. Bu i ni dreulio'r diwrnod cyntaf ar ei hyd yn llofnodi, ac yn ystod yr wythnos honno hefyd y bu i mi berfformio yn y Babell Lên am y tro cyntaf – a'r tro olaf.

Roedden ni'n aros mewn pabell – tri ohonom, sef fi, Geraint a Huw Jones. Wrth gwrs, roedd pob dim yn gwbl ddiniwed bryd hynny, ddim fel mae pethau'r dyddiau hyn. Mae pawb yn sôn am y chwedegau fel cyfnod o ryddid ac o ddiwygiad, ond fe alla i ddweud â'm llaw ar fy nghalon ein bod ni'n gwbl naïf .

Ar ôl y Steddfod bu i ni fodio i lawr i'r Bala, yna ymlaen trwy Aberystwyth gan anelu am sir Benfro lle'r oeddem i gyd i aros efo Meic. Roedden ni'n treulio llawer o amser yn sir Benfro ar y pryd, a'r tro hwnnw roedd criw ohonom yno'n gwersylla ac yn perfformio gyda'r hwyr. Os nad oedd gìg wedi ei drefnu, yna byddem jyst yn troi lan a chanu yn y dafarn leol! Roedden ni'n mwynhau ein hunain, yn joio mas draw. Roedden ni'n ifanc ac yn rhydd, roedd y tywydd yn braf ac fe allen ni wneud fel y mynnem. Rwy'n cofio un noson pan benderfynodd criw ohonom fynd i'r môr yn ein dillad.

Ym mis Awst wedyn, bues i'n gweithio gyda'r Hennessys a Ray Smith a Margaret John ar sioe o'r enw *Green Desert* gan Harri Webb. Rhyddhawyd record o'r sioe hefyd. Cynhyrchiad yn seiliedig ar farddoniaeth Harri Webb oedd yr holl beth. Roedd Ray Smith wedi sgrifennu ata i gan gyfeirio at un gân yn benodol – 'Colli Iaith' – yn dweud yr hoffai weld y gân honno'n cael ei chanu heb fath o gyfeiliant. Wedi ei darllen, dywedodd Geraint yn union yr un peth, er 'mod i'n daer i chwarae'r gitâr yn ogystal â'i chanu.

Perfformiwyd y sioe yn y parc, ar dir Castell Caerdydd, ac rwy'n cofio i Mam, Dad, Nanna a Geraint ddod i'm gweld i ar y noson agoriadol. Roedd gennym ni ddau berfformiad y dydd, ac wrth gwrs hoff gân y rhelyw oedd y gân ddigyfeiliant – diolch byth fod dadlau Ray Smith a Geraint wedi ennill y dydd!

Dro arall yn ystod yr haf hwnnw bu i ni berfformio gìg ym Mhumsaint, a minnau'n gwirioni fod Iris Williams a Ryan a Ronnie yn rhan o'r *line-up* hefyd. Rhyw ddeuddydd wedi hynny aeth Geraint a finnau i weld ffilm o'r enw *Run Free, Run Wild*, ac ar y ffordd yno clywsom i ddyn gamu ar y lleuad am y tro cyntaf.

Roedd e wir yn haf hirfelyn, yn gyfnod o gwrdd â ffrindiau a gwneud ffrindiau newydd, yn gyfnod o brofiadau newydd a datblygiadau cyffrous o ran gyrfa, ac yn bennaf oll, wedi'r holl hiraethu yng Nghaerllion, ro'n i'n cael treulio amser cyson yng nghwmni Geraint. Ro'n i wedi gwirioni arno. Ro'n i dros fy mhen a'm clustiau mewn cariad ag e. Yr haf hwnnw, roedden ni'n ifanc, yn ddibryder, a heb boen yn y byd, ond ychydig a wyddem fod ein bywyd ar fin troi wyneb i waered.

Beichiogi

Dau ddiwrnod yn fyr o ddiwedd mis Awst, dechreuais deimlo'n sâl. Deffro yn y bore'n teimlo'n dost a pharhau'n dost trwy'r dydd … a'r diwrnod canlynol, a'r diwrnod wedi hynny. Ar y pedwerydd dydd, daeth y meddyg i'm gweld i a dweud 'mod i'n edrych yn anaemig – petai hynny ond yn wir!

Ro'n i'n deffro yn y bore'n dost, ac er y byddai pethau'n gwella rhywfaint wrth i'r dydd fynd rhagddo, doeddwn i'n dal ddim yn teimlo'n iawn. Yn ystod y cyfnod hwnnw, bu Iris Williams yn hynod o dda efo mi. Erbyn hynny, roedden ni wedi dod yn dipyn o ffrindiau ac roedd hi'n dod i 'ngweld i bron bob dydd i holi a oeddwn i'n teimlo ychydig yn well.

Doedd pethau fawr gwahanol bron wythnos yn ddiweddarach. Ar y 5ed o Fedi es i gael tynnu fy llun ar gyfer rhaglen i'r BBC, ac yn y lluniau hynny mae yna ryw olwg bell-i-ffwrdd arna i; mae fy meddwl i yn rhywle arall. Dwi'n meddwl 'mod i wedi amau fod rhywbeth o'i le, ond nad oeddwn i am gyfaddef y peth i mi fy hunan.

A dweud y gwir, cyn hynny doeddwn i ddim hyd yn oed yn meddwl ei bod hi'n bosibl i mi feichiogi. Ro'n i'n gwbl ddiniwed, mor ddiniwed fel fy mod i'n credu 'mod i'n rhy fechan i feichiogi. Ro'n i'n meddwl fod rhaid i rywun fod yn dalach i gael plentyn, ac yn cario mwy o bwysau nag oeddwn i. Mae hynny'n swnio'n gwbl wallgo'r dyddiau hyn, wrth gwrs, ond doedd pobl ddim yn trafod y peth bryd hynny. Doedd dim o'r fath beth ag addysg ryw yn yr ysgol a doeddwn i'n sicr 'rioed wedi trafod rhyw gyda neb adre.

Mae'n rhyfedd hefyd y ffordd mae rhywun yn delio â sefyllfa. Trwy gydol y cyfnod hwnnw pan o'n i'n teimlo'n sâl, ro'n i'n dal i berfformio a gwneud gìgs hyd y lle. Mae'n syndod sut mae rhywun yn gallu dal ati pan fo rhaid.

Mam a'm gorfododd i fynd at y meddyg yn y diwedd. Hi ddywedodd wrtha i, 'Heather, dwi'n meddwl dy fod ti'n feichiog; mae'n rhaid i ni fynd at y doctor.' Erbyn y 10fed o Fedi roedd fy amheuon wedi eu cadarnhau wrth i'r meddyg gyhoeddi fod y prawf wedi dod 'nôl yn bositif. Ro'n i'n ugain oed ac yn feichiog.

Wnes i ddim poeni o gwbl ynghylch torri'r newyddion i Geraint. Ro'n i'n hyderus erbyn hyn fod Geraint yn fy ngharu i ac fe wyddwn y byddai hyn yn selio ein dyfodol ni'n dau gyda'n gilydd. Ro'n i wedi awgrymu wrtho falle fy mod i'n feichiog, ac felly doedd y newyddion ddim yn sioc fawr iddo. Pe bai unrhyw un yn mentro gofyn i mi sut y teimlwn am y peth, byddwn yn eu hateb yn onest, 'Rwy'n hapus, cyn belled â bod Geraint yn hapus. Sa i moyn iddo fe deimlo'i fod e'n cael ei gaethiwo ...'

Torrodd fy mam ei chalon pan ddaeth y cadarnhad 'mod i'n disgwyl, fe'i llethwyd yn llwyr gan y newyddion. Yn un peth, roedd hi'n poeni be' ddywedai pobl eraill: 'I'll never be able to go to the Townswomen's Guild again, I'll never be able to look the neighbours in the eye ...' Ro'n i wir yn ypsét gyda'i hagwedd hi, ond ddywedais i ddim byd. Doeddwn i ddim mewn sefyllfa i feirniadu.

Roedd fy nhad wedi siomi'n ofanadwy hefyd – fe lefodd e pan glywodd e'r newydd, a thrwy ei ddagrau daeth y pryderon. 'Where are you going to live? You haven't got any money. You're meant to be going to college ... you won't be able to do that now.' Ond o dipyn i beth daethant i arfer gyda'r sefyllfa, ac roedden nhw'n gefn i mi drwy'r cyfan oll.

Rwy'n cofio mynd gyda Geraint i ddweud wrth ei dad. Roedden ni'n amlwg braidd yn naïf, achos fe benderfynon ni fynd draw i weld Mr Jarman bron ar unwaith. Roedd e'n gweithio fel cyfrifydd i gwmni mawr yn y ddinas ar y pryd, ac i mewn â ni'n dau i'w swyddfa a chyhoeddi fod gennym ni rywbeth i'w ddweud wrtho.

'Be sy'n bod?' meddai yntau, a Geraint wedyn yn ateb yn dawel, 'Heather's pregnant.' Fe wylltiodd e'n gacwn – roedd e mor grac nes iddo daflu pensal ar draws y stafell a'n dychryn ni'n dau. Rwy'n meddwl mai sioc a rhwystredigaeth oedd yn gyfrifol am hynny'n fwy na dim. Aethom ati i geisio ei dawelu, gan ei sicrhau y byddai popeth yn iawn a'n bod ni'n bwriadu priodi. Ni fu erioed unrhyw drafodaeth am erthyliad na mabwysiadu na dim byd felly – doedd hynny ddim yn opsiwn i'r un ohonom. Felly, waeth faint oedd rhywrai'n bytheirio, doedd dim i'w wneud ond derbyn y sefyllfa a gwneud y gorau ohoni.

Bu'n rhaid i ni dyfu lan yn glou. Digwyddodd popeth mor sydyn, gyda threfniadau'n cael eu gwneud un ar ôl y llall – fel caseg eira oedd yn casglu momentwm, a ninnau heb fath o reolaeth arni. Ddeuddydd wedi i ni ganfod 'mod i'n disgwyl, aeth Geraint a minnau i weld Mr Douse y pregethwr ynglŷn â threfnu priodas. Doedd dim dadl na fydden ni'n priodi. Dyna oedd pawb yn ein sefyllfa ni'n ei wneud bryd hynny, felly pam ddylien ni fod yn wahanol? Pennwyd 25 Hydref fel diwrnod y briodas.

Dechreuon ni chwilio am fflat neu dŷ, cyn sylweddoli mai 'chydig iawn allen ni ei fforddio. Roedd yn rhaid i mi roi heibio'r freuddwyd o fynd i'r Coleg Cerdd a Drama tra oedd Geraint yn fyfyriwr yn dechrau ar ei flwyddyn gyntaf yno. £6 y mis oedd Geraint yn ei dderbyn fel grant bryd hynny, a doedd y swm hwnnw'n sicr ddim yn mynd yn bell iawn. Ro'n i'n dal i berfformio, yn dal i wneud *Disc a Dawn* ac ati, ond y gorau allwn i obeithio amdano oedd gwaith canu achlysurol, a doedd hynny ddim yn cynnig cyflog sefydlog.

Mae'r hyn sgrifennais i yn fy nyddiadur ar gyfer 12 Hydref 1969 yn darllen: 'Daeth Ger draw i ngweld i heno. Rwy'n hoff iawn ohono. Teimlo'n sâl trwy'r dydd, ond yn teimlo fymryn yn well wedi iddo fod …' 'Rwy'n hoff iawn ohono' – dyna'r cwbl fedrwn i fentro ei fynegi i mi fy hun, a hyn gwta bythefnos cyn priodi!

Rwy wedi ceisio meddwl sawl gwaith sut oeddwn i'n teimlo am briodi o dan y fath amgylchiadau. Mewn gwirionedd, rwy'n meddwl fod y syniad wedi codi ofn arna i. Ro'n i'n tybio 'mod i'n gwneud y peth iawn, y peth aeddfed, a'n bod ni'n ymddwyn fel oedolion cyfrifol. Doeddwn i ddim am frifo Mam a Dad fymryn yn fwy nag yr o'n i wedi ei wneud yn barod, ond pe bawn i'n bod yn onest, doeddwn i ddim yn barod i briodi o gwbl – dim mwy nag yr oedd Geraint, mae'n siwr. Doedden ni'n fawr mwy na phlant ein hunain.

Diwrnod cyn y briodas, diwrnod y rihyrsal, es i gael gwneud fy ngwallt – ond roedd yn gas gen i'r ffordd yr edrychai. Roedd y steilydd yn benderfynol o'i roi e lan, tra o'n innau moyn iddo fe ddisgyn yn rhydd dros fy 'sgwyddau, fel rhyw hipi. Mynnai pawb y dylwn i ei roi e lan a chael blodau ynddo a phopeth, ond fe ges i fy ffordd fy hun yn y diwedd, diolch byth.

Doedd pethau ddim yn dda iawn rhwng Geraint a finnau yn union cyn y briodas. A dweud y gwir, sa i'n credu ein bod ni'n siarad â'n gilydd yn y dyddiau cyn y briodas, na hyd yn oed ar fore'r diwrnod mawr ei hun – yn sicr wnaethon ni ddim siarad 'da'n gilydd cyn y gwasanaeth. Doedd hynny ddim yn ddechrau addawol iawn i'n perthynas fel gŵr a gwraig. Roedd hi hefyd yn dywydd ofnadwy ac yn dymchwel y glaw, a wnaeth pethau ddim gwella wrth i'r dydd fynd rhagddo chwaith.

Bu i ni briodi'r un fath: Geraint yn olygus fel arfer mewn siwt, a minnau'n fechan wrth ei ymyl mewn ffrog wen a oedd, o edrych yn fanwl arni, yn dangos y mymryn lleiaf o chwydd. Chwaer Geraint, Catrin, oedd y forwyn briodas a ffrind gorau Geraint, Hywel Evans, oedd y gwas priodas. Roedd Geraint yn nerfus iawn, rwy'n cofio, ond wedyn roeddwn innau hefyd.

Cynhaliwyd y seremoni yn eglwys Llysfaen. Priodas fechan iawn oedd hi, gyda Mam a Mrs Jarman yn helpu i osod y blodau. Dim ond un ffrind yr un gafodd Geraint a minnau eu gwahodd i'r gwasanaeth, a Huw Jones a Mari Herbert oedd yno i'n cefnogi.

Wedi'r gwasanaeth, roeddem wedi trefnu i groesi o'r eglwys i'r dafarn gyferbyn, Y Griffin, a chael y brecwast priodas yn yr oruwchystafell yn y fan honno. Roedd hi'n ystafell braf â digon o le i bawb, ac wedi inni gyrraedd aeth Dad i weld rheolwr y lle i ofyn iddo ein hebrwng i'r fan honno, dim ond i glywed fod yr ystafell eisoes yn cael ei defnyddio! Roedd rhywun arall wedi cael y blaen arnon ni ac roedd brecwast priodas eisoes yn cael ei gynnal yno. Buan y sylweddolom fod camddealltwriaeth wedi digwydd a'i bod yn ymddangos fod y dafarn wedi gwneud camgymeriad. Yn y diwedd, bu'n rhaid bodloni ar frecwast priodas yn y dafarn ei hun, yng nghanol y 'locals', y mwg sigarét a'r sŵn.

Felly, fan'no'r oedd yr Athro O H Jarman ac eraill yn ceisio dweud ychydig eiriau a fawr neb yn eu clywed uwchben sŵn aflafar y *jukebox*. Fe fuaswn i'n hapus wedi rhoi'r byd am i'r llawr fy llyncu'r funud honno, roedd gen i gymaint o gywilydd.

Roedd y noson briodas yn hunllef hefyd. Buan iawn y daeth y mis mêl i ben – yn llythrennol! Am wn i fod y sgrifen ar y mur o'r cychwyn cyntaf. Wedi'r brecwast, teithiodd Geraint a minnau i fyny i Tyndyrn – ddim yn rhy bell o Gaerdydd, dim ond rhyw awr i ffwrdd, gyda'r bwriad o aros mewn gwesty gwledig moethus lle'r oedd Dad wedi talu am stafell i ni am ddwy noson, ond wrth gwrs wnaeth hyd yn oed hynny ddim troi allan fel yr oeddem wedi ei fwriadu.

Ar y noson gyntaf, ac wedi'r diwrnod hunllefus, penderfynodd Geraint geisio adfer ychydig ar y diwrnod. Prynodd bryd tri chwrs i ni ym mwyty rhamantus y gwesty, ein pryd cyntaf fel gŵr a gwraig, ac oedd, roedd y pryd yn fendigedig. Yn anffodus roedd y bwyd yn llawer mwy cyfoethog na'r hyn yr oeddwn i wedi arfer ag e. Rwy'n cofio i mi

53

gael hwyaden fel prif gwrs – doeddwn i erioed wedi cael hwyaden cyn hynny – a chyda dechreufwyd a phwdin hefyd, fe fu'n ormod i mi. Yn union ar ôl gorffen y pwdin, bu'n rhaid imi esgusodi'n hunan a rhedeg i'r tŷ bach lle bues i'n chwydu fel ci.

Ro'n i'n teimlo'n ofnadwy. Roedd y chwydu'n goron briodol ar ddiwrnod blêr. Roedd Geraint wedi gwario cymaint ar y pryd hwnnw, a finnau'n moyn i'r noson honno fod yn achlysur arbennig, jyst i ni'n dau. Hwyrach ei bod hi'n anodd credu fod hynny'n bosib, ond gwaethygu wnaeth pethau wedi hynny hefyd. A minnau'n ferch ddinesig oedd heb dreulio amser yn y wlad, cafodd yr arhosiad yn y gwesty gwledig effaith ddifrifol ar fy asthma. Buan y canfyddais fy hun yn brwydro i anadlu, a thros yr oriau nesaf aeth yr hyn a ddechreuodd fel tyndra yn fy mrest yn frwydr i fedru anadlu o gwbl.

Yng nghanol bwrlwm y briodas roeddwn wedi anghofio pacio'r pwmp asthma, felly doedd hwnnw ddim wrth law. Bu'n rhaid cysylltu ar frys gyda'r teulu i ofyn i rywun yrru o Gaerdydd gyda'r moddion angenrheidiol. Chwarae teg i Gareth, fy mrawd, fe ddaeth e â'r pwmp i fyny'r M4 ar ei feic modur. Wedi iddo gyrraedd, rwy'n ein cofio ni'n tri – y gŵr, y wraig a Gareth – y tri ohonom yn eistedd ar y gwely dwbl yn yr ystafell; Gareth yn sgwrsio'n braf, 'Oh, this is very nice, isn't it?' a finnau'n gorfod canolbwyntio'n llwyr ar anadlu – doedd e ddim yn ddechrau rhamantus iawn i'n bywyd priodasol!

Yn y diwedd, bu'n rhaid galw'r meddyg hefyd, a barn hwnnw oedd fod angen mymryn o lwch a budreddi dinesig ar fy sgyfaint unwaith yn rhagor – fod awyr iach cefn gwlad yn fy ngwneud i'n dost! Doedd dim amdani felly, ond pacio'n bagiau (a hynny prin wedi i ni orffen eu dadbacio) a symud i aros i lawr yn Nghas-gwent. Druan â Geraint, rwy'n siwr ei fod e'n edifar priodi â rhywun mor ffwdanus! Gadawsom y gwesty bendigedig yma yng nghanol y wlad a symud i wely a brecwast bach a chyffredin yng nghanol Cas-gwent, a threuliwyd gweddill y mis mêl yn crwydro'n ddi-hwyl o gylch y dref.

Bywyd priodasol

Er bod Nanna (mam Dad) a'i chwaer hithau, Anti Ela, yn fyw o hyd, roedd y ddwy wedi rhoi arian ei etifeddiaeth i Dad yn barod er mwyn ei alluogi i brynu tŷ i ni yn Alfred Street yn y Rhath. Symudon ni i'r tŷ ar 15 Rhagfyr 1969, ac rwy'n cofio ei bod hi'n oer o'r munud cyntaf i ni gamu trwy'r drws. O'r dechrau, roedd rhaid rhannu'r tŷ gyda thenantiaid er mwyn gallu talu 'Nhad yn ôl. Myfyrwyr o'r coleg oedd y tenantiaid amrywiol, ac er bod y tŷ wedi'i rannu fel bod modd cael ychydig o breifatrwydd, roedd sŵn eraill yn mynd a dod yn gyson, ac roedd rhaid rhannu'r ystafell ymolchi.

Doeddwn i ddim yn hoffi'r tŷ o gwbl. Roedd yn well gen i dai newydd, ac ro'n i wedi arfer efo tai fel y rhai ar stryd St Brioc, rhai golau, braf, tra oedd y tŷ yma'n fach ac yn dywyll ac yn cau i mewn am rywun, bron iawn. Doedd dim gardd o flaen y tŷ, a fawr ddim byd y tu ôl iddo chwaith.

Rhywbeth arall oedd ar goll ynddo oedd tŷ bach yn y tŷ ei hun. Roedd gofyn mynd allan i'r cefn pan oedd angen mynd i'r toiled, ac roedd hyn yn drafferthus iawn a minnau'n disgwyl. Roedd yn gas gen i godi yng nghanol y nos a mynd mas y bac i'r oerfel. Does ryfedd felly mai dyna un o'r pethau cyntaf y gwariais i arian arno ar ôl gallu arbed digon o arian o'r canu!

Roedd diwrnod yr enedigaeth yn prysur nesáu, a buan y dechreuais deimlo'n unig iawn. Nid yn unig 'mod i'n byw oddi cartref am y tro cyntaf yn fy mywyd, ond roedd cymaint o bethau eraill wedi newid hefyd. Ro'n i'n wraig briod, feichiog ac yn gorfod cadw tŷ a choginio am y tro cyntaf – er nad o'n i'n gallu berwi ŵy hyd yn oed, mewn gwirionedd! Wnes i 'rioed ddysgu sut i goginio; roedd Mam wedi gwneud hynny drosta i ar hyd y blynyddoedd. Yn wir, rwy'n dal i gasáu coginio â chas perffaith.

Hefyd, tra o'n i'n feichiog, rwy'n meddwl i'm ffrindiau agos benderfynu 'Dwi ddim isie bod yn rhan o hynny', felly roedden nhw'n f'anwybyddu fi i ryw raddau. Doedd neb yn dod draw. Ro'dd pawb yn gwybod, *'There's big trouble if I go there'*. Fe soniais eisoes 'mod i'n hoffi'r teimlad o berthyn, o fod yn rhan o bethau, ac erbyn hyn roedd y cyfleoedd hynny wedi diflannu'n llwyr. Doeddwn i ddim hyd yn oed yn mynd i'r eglwys rhagor, er bod hynny wedi bod yn rhan allweddol o'm mywyd i yn y gorffennol. Roeddwn i rywsut wedi penderfynu na fyddai croeso yno i rywun fel fi, ac yn teimlo 'mod i wedi pechu trwy ganfod fy hun yn feichiog cyn priodi.

Un o'r ychydig rai a ddeuai draw i 'ngweld i oedd Meic Stevens. Rwy'n cofio hwnnw'n dod heibio un diwrnod a dweud, 'You look really fed up, Jones. You shouldn't be here, you should be working, you should be singing. You shouldn't be sitting here hiding your light under a bushel …' A chan ei fod e'n ddyn mor unigryw, ac yn un a weithredai ar yr hyn a gredai ynddo, dyma fe'n mynd mewn i'r BBC yn Llandaf a gweiddi ar bawb, 'Someone please give Heather Jones a job, she's miserable!'

Er i hynny godi gwên, roeddwn i'n teimlo'n gwbl unig, yn teimlo fel pe bai fy meichiogrwydd wedi fy ynysu oddi wrth bawb a phopeth. Un eithriad gwerthfawr iawn, ac un a ddaeth yn ffrind da i mi ymhen amser oedd Mary. Rwy'n cofio sefyll ar fy mhen fy hunan yn aros am fws a minnau'n tynnu at ddiwedd fy meichiogrwydd, pan ddaeth y ferch ifanc yma ata'i a gofyn yn betrus ai Heather Jones oeddwn i.

Wnes i ddim ei nabod hi. Roedd hi rai blynyddoedd yn iau na mi, ond eglurodd wrtha i y bu hi yn ysgol Cathays, a'i bod hi wedi fy adnabod o'r dyddiau hynny pan fyddwn yn sefyll ar lwyfan yr ysgol i ganu. Eglurodd sut oedd hi wedi fy edmygu i o bell bryd hynny, ac mai ei huchelgais hi yn ei blynyddoedd cynnar yn yr ysgol oedd cael bod yr un fath â mi.

A bod yn gwbl onest, rwy'n cofio teimlo'n swil iawn o fy meichiogrwydd amlwg yn ei chwmni hi. Roeddwn i'n methu deall pam ei bod hi mor awyddus i sgwrsio â mi a minnau'n fawr o role model iddi yn fy sefyllfa bresennol. Dim ond wedi iddi gyfaddef ei bod hithau'n feichiog hefyd yr oedd ei diddordeb hi ynof fi'n gwneud synnwyr. Roedd hi'n un ar bymtheg oed ac ar ei phen ei hun.

Fe ddaethom ein dwy yn ffrindiau da. Roedd hi'n byw yn weddol agos at gartref Geraint a minnau yn Alfred Street, a byddai'n galw o dro i dro, neu'n trefnu cwrdd. Gallwn rannu llawer o bryderon ynghylch magu plentyn â hi, a hynny mewn cyfnod pan oeddwn angen ysgwydd i bwyso arni. Rwy'n falch o ddweud ein bod ni'n dwy wedi parhau'n gyfeillion cadarn ers y dyddiau hynny ac rwy'n ei gweld hi'n aml.

Er gwaethaf cefnogaeth Mary, roedd fy mywyd a'm cynlluniau i wedi gorfod newid yn llwyr, ond ychydig iawn oedd wedi newid i Geraint.

Ailgydiodd e yn ei gwrs yn y Coleg Cerdd a Drama fel yr oedd wedi bwriadu ei wneud, ac o'r herwydd byddai allan am y rhan helaethaf o bob dydd. Daeth i gwrdd â ffrindiau newydd; byddai'n cael hwyl yn eu cwmni ac yn cymdeithasu â hwy yn ystod y dydd a chyda'r nos, ac arferai chware pêl-droed yn gyson hefyd. Prin y bu'n rhaid iddo gyfaddawdu o gwbl, tra oeddwn i'n treulio'r rhelyw o ddyddiau ar fy mhen fy hun.

Does 'da fi fawr o gof o fod yn feichiog, dim ond nad oeddwn i'n ei fwynhau e. Wnaeth e ddim helpu fod Lisa'n hwyr, a'm bod innau'n anferth ac yn anghyfforddus iawn erbyn y diwedd. A minnau mor fechan, bron na allwn i gerdded. Roedd yr enedigaeth ei hunan yn hunllef, ond roedd Geraint yno 'da fi. Arhosodd e trwy'r cwbl, ac roedd e'n gysur mawr i mi a minnau'n ofnus a phryderus. Druan ag e, ar ôl 30 awr o fod wrth fy ochr i, bu'n rhaid iddo fynd mas o'r stafell reit ar y diwedd – doedd y staff ddim yn moyn iddo fe fod yno wrth iddyn nhw ddelio â chymhlethdod funud olaf. Er mor anodd oedd y geni, pan gyrhaeddodd y ferch fach 'ma i'm breichiau, fe syrthiais mewn cariad â hi ar f'union.

Fel rhywun sydd wedi rhoi genedigaeth i dri phlentyn gwahanol mewn tri degawd gwahanol, rwyf wedi cael profiad uniongyrchol o'r modd mae popeth wedi newid a datblygu. Y dyddiau hyn, gall rhywun eni a gadael yr ysbyty'r diwrnod hwnnw, ond pan gefais i Lisa, roedd y mamau newydd yn cael eu cadw yn yr ysbyty am ddiwrnod neu ddau o leiaf. Fodd bynnag, am ryw reswm, os oedd rhywun dan bum troedfedd yn cael babi, roedd gofyn iddynt aros i mewn am wythnos, a chan nad oeddwn i'n ddim ond 'four foot eleven and three quarters' yn ôl y metron, roedd fy ffawd wedi ei selio am y saith diwrnod nesaf.

Rwy'n cofio dadlau 'da'r metron, finnau'n mynnu 'mod i am adael a hithau'r un mor gadarn na châi'r un o'm traed adael y ward. Aeth y ddadl rhywbeth yn debyg i hyn:

'Excuse me, I'm leaving whether you like it or not. I've been asked by the BBC to sing on a religious programme tomorrow and there's the *Disc a Dawn* record in five days' time and I've got to do it. Don't you understand? It's a chance of a lifetime, to sing for the BBC ...'

Hithau'n mynnu, 'I'm sorry, Mrs Jarman, but you can't go. You're not well and you're under five foot ...'

Roedd hi'n ddadl danllyd a barodd am gryn oriau, ond doedd y metron ddim am ildio. Roeddwn i'n gweld fy nghyfle gyda'r BBC yn diflannu dros y gorwel, ac felly am unwaith roedd rhaid bod yn gadarn, yn fwy ymosodol nag arfer. Mynnais, 'Right, I'm signing myself out,' gan wybod nad oedd yna ddim y gallai'r staff ei wneud i'm rhwystro. Doedd e ddim yn fy natur i ddadlau a thynnu'n groes, ond roeddwn i mor daer eisiau bod yn gantores.

Erbyn i mi gyrraedd adref pwy oedd wedi troi lan heb ddweud dim wrtha i ond Stephanie, *penpal* i mi o'r Unol Daleithiau, neu Steffi fel yr arferai alw ei hun. Roedden ni'n dwy yn llythyru â'n gilydd er pan oedden ni'n wyth oed, ond doeddwn i 'rioed wedi cwrdd â hi cyn hynny. Roedd e'n syrpreis hyfryd, ond roedd ei hamseru hi'n anffodus, a dweud y lleiaf. Druan â hi, ro'n i wedi ymlâdd ormod i wneud fawr ddim efo hi, ac felly bu'n rhaid i Dad ei diddori hi. Dwi'n cofio iddyn nhw dreulio un diwrnod yng Nghastell Coch, yna diwrnod arall yng Nghastell Caerdydd. Felly, o leiaf os na welodd hi fawr ddim o Gymru yn ystod ei hymweliad, fe gafodd hi weld ambell i gastell a thu mewn i'r BBC!

Buan iawn y cyrhaeddodd diwrnod yr ymweliad â'r BBC i recordio albwm *Disc a Dawn*. Doeddwn i prin yn gallu cerdded oherwydd y pwythau 'ro'n i wedi eu cael ac rwy'n cofio cyrraedd y stiwdio yn Llandaf a bod yn falch o gael eistedd i lawr i ganu. Daeth Steffi a Geraint yn gwmni i mi ac fe genais ddwy gân. 'Lisa Lân' oedd cân y bore. Roeddwn i'n gwirioni ar y gân honno ar y pryd, a dweud y gwir rwy'n dal yn dwlu arni, a dyna un rheswm pam y gelwais fy merch yn Lisa. Ar ôl cinio, es i 'nôl i'r stiwdio i ganu 'Cân o Dristwch', cân gan Meic Stevens wrth gwrs.

Ro'n i mor falch o gael cyrraedd adref y noson honno, ro'n i wedi ymlâdd, ond roedd hi fel ffair yn y tŷ gyda'r nos gan fod cymaint o bobl yn galw i weld y fechan.

Roeddwn i'n dal yn wan iawn, felly doedd e'n fawr o syndod i mi gael fy nharo'n wael cyn diwedd yr wythnos. Yn wir, ddyddiau'n unig wedi i mi adael yr ysbyty, bu'n rhaid i mi fynd i 'ngwely am bythefnos am fy mod i wedi cael *infection* yn y groth. A'r rheswm pennaf dros y salwch yn ôl y meddyg oedd am i mi adael yr ysbyty'n rhy fuan. Felly, oedd, roedd Metron yn llygad ei lle wedi'r cwbl a dyna ddysgu i mi i beidio â dadlau!

Wedi gwella, roedd yn rhaid dychwelyd i Alfred St. Tan hynny, ro'n i wedi cael aros yng nghartref fy rhieni ac wedi cael Mam yn gymorth i mi gyda Lisa, ac, yn bennaf oll, yn gwmni cyson i mi. Afraid dweud nad oeddwn i'n edrych ymlaen at ddechrau bywyd teuluol yn fy nghartref fy hun.

Serch hynny, er mawr syndod i mi, yn y cyfnod cynnar hwn roedd popeth yn odidog. Ro'n i a Geraint a Lisa bron fel pe baem yn 'chwarae' ar fod wedi tyfu i fyny, yn chwarae tŷ bach os liciwch chi. Roedd gennym ni batrwm a threfn, ac roedd hyd yn oed golchi cewynnau Lisa'n sbort. Bryd hynny, roeddwn i'n gorfod mynd i'r *launderette* ar Heol Albany i wneud y golch, gan na chawsom ni beiriant golchi yn y tŷ tan 1977.

Ein system wresogi yn Alfred Street oedd tân trydan digon tila yr olwg oedd ond yn gallu cynnig baryn o wres. Doedd gwres canolog ddim yn gyffredin iawn bryd hynny, yn sicr ddim mewn tŷ teras bach fel oedd gennym ni.

Byddwn i'n codi yn y bore gyda Lisa, yna'n gwneud gwaith tŷ, cyn mynd am dro gyda'r pram yn y prynhawn. Gyda'r hwyr wedyn, byddai Geraint a minnau'n gwylio'r teledu, ac ar y dechrau, roedd hyd yn oed hynny'n deimlad braf. Mae'n swnio'n od falle yng nghyd-destun heddiw, ond roedd yna elfen o ryddid yn perthyn i wylio'r teledu. Roedd cael gwylio rhaglenni ar ein teledu ein hunain, heb i neb ddweud wrthym ni beth y caem ei wylio yn bendant yn gam ymlaen i ni'n dau.

Wedi i Lisa gyrraedd, daeth cyfnod mwy cymdeithasol, oedd yn fendith i mi. Dros yr haf, byddai rhywun wastad yn taro heibio: ffrindiau Geraint gan fwyaf, oedd wedi dod yn ffrindiau i minnau hefyd erbyn hynny; Pws, Huw (Jones), Pys, Meic Stevens, a Hywel, ffrind pennaf Geraint. Ond yn raddol, daeth y gwyliau haf i ben, ac wrth i'r gaeaf gyrraedd roedd pawb naill ai'n brysur yn y coleg, yn y gwaith neu gyda'u gyrfa. O dipyn i beth arafodd y llif ymwelwyr, a theimlais innau'n fwyfwy ynysig a gwahanol. Dechreuodd Geraint yntau ar ei ail flwyddyn yn y coleg a dechreuais innau deimlo 'mod i wedi fy nghaethiwo, gan gwympo i byliau o lefain cyson am y tro cyntaf yn fy mywyd.

Buan yr ymddangosodd y tyllau yn fy mherthynas i a Geraint. Byddwn yn aml yn treulio'r prynhawniau'n cerdded i'r dref o Ffordd Albany gyda Lisa yn y goets, ac ar fwy nag un achlysur byddwn yn gweld Geraint yn crwydro'r strydoedd gyda'i griw ffrindiau newydd o'r coleg. Roedden nhw'n chwerthin ac yn chwarae'n wirion fel unrhyw lafnau ifanc ugain oed eraill, tra oeddwn innau'n teimlo'n hen cyn f'amser, yn hen ffasiwn ac yn gwbl ar wahân.

Mae'n debyg 'mod i'n teimlo'n flin trosof fy hun bryd hynny, yn enwedig am iddi fod yn freuddwyd gennyf innau gael mynd i'r Coleg Cerdd a Drama hefyd. Yn y gorffennol, nid breuddwyd Geraint na'm breuddwyd i oedd cael bod yn fyfyrwyr yno, ond ein breuddwyd ni. Dylai fod wedi bod yn rhywbeth y gallen ni fod wedi ei rannu, ei brofi a'i fwynhau gyda'n gilydd. Yn hytrach roedd Ger wedi cael bwrw mlaen gyda'i ochr e o'r freuddwyd, ac er i mi orfod ildio fy nyheadau i, roedd e wedi gallu cario mlaen yn union yr un fath. Felly does dim dwywaith, pe bawn i'n gwbl onest efo mi fy hun, 'mod i fymryn yn chwerw am y modd yr oedd pethau wedi troi allan.

Ro'n i hefyd yn ferch ansicr iawn erbyn hynny. Roedd symud allan o gartref a sefydlu f'aelwyd fy hun, priodi, a dod yn wraig ac yn fam, oll wedi digwydd yn annisgwyl a'r cyfan wedi digwydd ar unwaith. Chefais i mo'r cyfle i ddygymod â'r newidiadau fesul tipyn, ac roedd hynny'n ddi-os wedi'm taflu oddi ar f'echel. Yn fwy na hynny, er ein bod bellach yn bâr priod, roedd Gerant a minnau'n dal yn anaeddfed iawn o ran ein hemosiynau, fel unigolion ac fel cwpwl. Doedden ni ddim wedi arfer gorfod dygymod â rhigolau bywyd bob dydd. Tan hynny roeddem wedi gallu ymhyfrydu yn y ffaith i ni gwympo tros ein pen a'n clustiau mewn cariad, heb sylweddoli hwyrach fod angen gweithio'n barhaus ar berthynas.

Dechreuais geisio egluro sut oeddwn i'n teimlo wrth Geraint, a chwarae teg iddo yntau, fe wnaeth ymdrech ar y dechrau i'm cynnwys i yn ei fywyd. Byddai'n dod adref i gael ei ginio gyda Lisa a minnau, a chan fod hynny yn torri ar ddiwrnod hir o unigrwydd fel arall, roedd e'n rhywbeth yr edrychwn ymlaen ato trwy'r bore, bron o'r funud y gadawai am y coleg ar ôl brecwast. Ond pharodd hynny ddim yn hir. O fewn saith diwrnod roedd yr ymweliadau hynny wedi peidio ac arhosodd Geraint yn y coleg i fwynhau cwmni ei gyd-fyfyrwyr. Ac er 'mod i'n ymwybodol pa mor anodd oedd hi iddo redeg adref bob gafael, roeddwn i'n sensitif iawn ar y pryd ac roedd ei benderfyniad yn fy ypsetio i.

Efallai mai dyna sy'n egluro'r atgof nesaf. Rwy'n cofio mynd i mewn i'r coleg un amser cinio gyda Lisa yn ei phram, i mewn i ble'r oedd y myfyrwyr i gyd yn cael cinio. Wrth gwrs, dyna lle'r oedd Geraint yn eistedd efo tair o ferched a dyma fi'n mynd at y bwrdd a gofyn a gawn i air gyda Geraint tu fas. Cyn gynted ag yr oedden ni allan dyma fi'n dechrau ei bwno fe, gan weiddi, 'You bastard, you bastard! Sitting there with three girls whilst I'm left at home looking after your baby!' Yn y diwedd dyma fi'n rhedeg i ffwrdd tan lefain i'r dre, a gadael Lisa yn ei phram tu allan i'r coleg a Geraint yn sefyll yno'n syfrdan wrth ei hochr. Wrth edrych yn ôl, dyna ddechrau'r dirywiad mewn ffordd. O'n i'n anhapus ac yn genfigennus wrth ei weld e'n mwynhau cwmni merched eraill. Ro'n i'n teimlo'n rhwystredig am ei fod e'n cael mynd i'r coleg a finnau'n methu. Doedd dim llawer o arian gennym chwaith. Wedi geni Lisa, doeddwn i'n sicr ddim mewn sefyllfa i ennill rhyw lawer, a gyda Geraint yn y coleg, roedd yn rhaid i ni ddibynnu ar arian gan y teulu ac ar yr arian achlysurol fyddwn i'n ei gael trwy wneud ambell gìg. Roeddwn i'n teimlo'n isel iawn drwy'r amser, ac roedd ei weld e'n eistedd yn y pybs a'r caffes gyda'i ffrindiau coleg yn gwneud i mi deimlo 'mod i wedi cael fy ngadael ar ôl mewn ffordd.

Daeth yr hen ofnau o gyfnod Caerllion yn eu hôl. Dechreuais feddwl y byddai'n fy ngadael i am rywun oedd â'i thraed yn rhydd, am un o'r merched ifanc hardd yn y coleg efallai, a dyna pryd y dechreuais gredu o ddifri ei fod e wedi anghofio amdana i, ei fod e wedi dewis gwneud rhywbeth arall yn lle bod gyda mi, ac roedd hynny'n brifo. O'm safbwynt i, roeddwn i'n gwneud ymdrech fawr i ddod i delerau gyda'm rôl newydd fel mam a gwraig tŷ. Roeddwn i'n ceisio creu awyrgylch gartrefol yn y tŷ, ond doedd e ddim yn gweithio. Roedd y rhamant drosodd a ninnau prin wedi cael blwyddyn o briodas.

Roedd e'n brysur wrth gwrs, roedd e'n brysur yn y coleg a dim amser ganddo i fi fel Heather. Doeddwn innau ddim yn nabod neb yn yr un sefyllfa â fi. Roedd y ferch ifanc boblogaidd, fyrlymus gyda gyrfa ddisglair o'i blaen wedi diflannu i rywle, ac roedd e fel petai pawb wedi anghofio am fy modolaeth i. Do'dd neb yn galw – roedd fy hen ffrindie'n dal yn yr ysgol neu yn y coleg a do'dd Mam hithau ddim yn gallu dod i lawr achos doedd dim car ganddi hi, felly ro'n i'n berson unig iawn. Ro'n i wedi cyrraedd y gwaelod ac yn casáu pob dydd.

Wrth edrych yn ôl, mae'n debyg fy mod yn dioddef o iselder. Ar y gorau, dwi ddim yn berson sy'n mwynhau bod ar ben fy hun; dwi'n un sy'n dwlu ar gwmni pobl eraill. Doedd dim grwpiau 'Mam a'i Phlentyn' na dim byd fel'na ar y pryd.

Roedd yna ambell eithriad i dorri ar draws undonedd y dyddiau –

roeddwn i'n gyfeillgar iawn â Dave Burns o'r Hennessys yn y cyfnod hwnnw. Roedd yntau'n ceisio gwneud bywoliaeth o ganu, felly arferwn fynd draw ato am baned pan oedd Geraint yn y coleg. Roedden ni'n ffrindiau da. Roedd e'n mynd mas 'da Aloma ar y pryd, ac fe fyddwn i'n mwynhau cael ychydig o'u hanes nhw. Roedd hynny'n help mawr. A dweud y gwir, roedd Dave yn dweud yn gyson, 'I think you're suffering from that post-natal depression thing' ond wnes i ddim meddwl mynd i chwilio am gymorth. Rwy'n dal i fod yn ffrindiau 'da Dave heddiw, ac wna i ddim anghofio iddo fod yn ffrind da i mi pan oeddwn i angen rhywun.

Erbyn 1970 roedd y Bara Menyn wedi dod i ben – fu dim anghydfod penodol, ond roedd pethau'n amhosib wrth fod Geraint yn y coleg a Meic yn mynd yn ôl ac ymlaen i Lundain i wneud recordiau gyda Warner Bros. Roedd e'n gwneud yn dda iawn, ond roedd ei fywyd personol e'n gymhleth. Yn Llundain, roedd e wedi cwrdd â merch o America o'r enw Carol Ann, ac roedd hi wedi dilyn Meic yn ôl i Solfa. Yn naturiol, er gwaetha agwedd *laid-back* Tessa at fywyd, roedd hi'n canfod y sefyllfa'n anodd. Symudodd Carol Ann i mewn i'w cartref nhw, ac roedd y tri ohonyn nhw'n byw yn yr un tŷ. Byddai Tessa'n arfer fy ffonio i'n beichio crio, a bu i'w hiechyd hi ddioddef yn y diwedd. Doeddwn i ddim yn gyrru ar y pryd, ac roedd Lisa'n dal yn ifanc iawn, felly roedd hi'n anodd iawn i mi fynd draw yno i'w gweld ond fe brofodd yn gyfnod anodd iawn i ni gyd.

Sa i'n credu fod Meic eisiau i'r berthynas rhyngddo fe a Tessa ddod i ben, ddim mewn gwirionedd. Yn syml iawn, roedd e'n methu dewis rhwng y ddwy, dyna beth oedd e, ac roedd Carol Ann, fel mae rhai merched, yn un oedd wedi cael ei hudo gan berfformwyr. Mae'n rhywbeth sy'n dal i ddigwydd yn y byd adloniant; dyna ydy grwpis am wn i.

Rwy'n chwerthin wrth gofio y bu gen i fy stelciwr fy hunan ar un adeg – ond un diniwed oedd e, un gwahanol i unrhyw stelciwr arferol ac fe ddaeth e'n ffrind da iawn i mi a Geraint yn y diwedd! Roeddwn yn cerdded i lawr Albany Road ryw ddiwrnod pan ddechreuais i ddod yn ymwybodol fod 'na rywun yn fy nilyn i. Os o'n i'n eistedd mewn caffi, roedd e yno hefyd, a dechreuais anesmwytho braidd. Yna, wedi cyrraedd adref dyma gnoc ar y drws, a finne'n mynd i'w agor e, a dyna lle'r oedd y stelciwr. Ar ei union, fe ddywedodd,

'Hello. I hope you don't mind. I've been following you because I'm a big fan of Geraint Jarman's poetry. My name's Siôn Eirian.' Wrth gwrs, wedi iddo egluro'i hun, dyma fi'n ei wahodd i mewn am baned o de, ac o fewn dim o dro roedd Geraint ac yntau'n ffrindiau da. Wedi deall, roedd e wedi fy ngweld i ar Albany Road ac wedi meddwl 'Heather Jones yw honna, mae hi'n briod â Geraint Jarman. Felly, os dilyna i hi, mi ga i wybod lle maen nhw'n byw!'

Ro'dd e'n ymwelydd cyson wedi'r achlysur hwnnw, ac yn dod draw yn aml. Ma' fe'n dal yn fachgen hyfryd ac mae gen i feddwl mawr ohono.

Ryan Davies

Ychydig fisoedd wedi i Lisa gael ei geni, roeddwn i'n dathlu fy mhen-blwydd yn un ar hugain, ac er gwaetha undonedd arferol fy mywyd i, digwyddais dreulio fy mhen-blwydd yn ddigon difyr. Prynais bâr o sgidiau a ffrog yn y dref. Mae'n debyg y byddwn wedi prynu llawer iawn mwy pe bai gen i fwy o arian. Doedd hi ddim chwaith yn rhwydd iawn mynd i siopa dillad gyda phlentyn mewn coets bryd hynny – dim nad yw hynny'n llawer gwell erbyn heddiw, am wn i.

Yn y prynhawn wedyn, aeth Lisa a fi i wylio Geraint yn chwarae pêl-droed – a finnau wedi gwisgo fy nillad newydd ac yn teimlo'n dda, mae'n siwr!

Ro'n i'n dal yn gigio a pherfformio pan ddeuai'r cynigion a phan fedrwn i drefnu i rywun warchod Lisa. Roedd yna ddeuoliaeth ryfedd yn perthyn i'm bywyd. Gan amlaf, byddwn wrthi'n gwneud pethau cyffredin iawn fel mynd i siopa a chadw tŷ, yna'r funud nesaf cawn ar ddeall y byddwn yn perfformio gyda phobl fel Iris Williams, neu Tony ac Aloma ac ati.

Rai dyddiau wedi fy mhen-blwydd, roedd gen i gìg yn Llanrwst, ac rwy'n cofio teithio yno gyda Ryan Davies – RYAN DAVIES! Ryan o Ryan a Ronnie! Ro'n i'n sicr wrth fy modd 'da hynny – ro'n i wedi cwrdd ag e o'r blaen, ac wedi ei hoffi, ond yn y cyfamser roedd llwyddiant Ryan a Ronnie wedi tyfu a thyfu. Roedd gwybod y byddwn i'n treulio oriau yn ei gwmni ar y siwrne i'r gogledd yn fwy cyffrous na'r gìg ei hun, ac yn rhywbeth i mi edrych ymlaen ato.

Rhoddodd Ryan lifft i mi lan i'r gogledd yn ei Jaguar, ond er gwaetha'r car crand, doedd dim gorchest yn perthyn i Ryan. Yn ogystal â bod yn ddyn hynod o ddoniol, roedd e'n ŵr boheddig. Dyw hi ddim bob amser yn hawdd rhannu car ar siwrne faith gyda rhywun nad ydych chi prin yn ei nabod, ond doedd hynny ddim yn broblem y tro hwnnw. Yn wir, roedd yn bleser. Wnaethon ni ddim gorffen y gìg tan un ar ddeg o'r gloch ac roedd hi'n nesáu at dri o'r gloch y bore arna i'n cyrraedd 'nôl adre i Gaerdydd, ond doedd dim ots gen i am hynny. Roeddwn i wedi cael newid o'r diflastod dyddiol; am ychydig oriau, roeddwn wedi teimlo fod bywyd yn un ar hugain yn hwyl wedi'r cyfan, ac, yn bwysicach fyth, roeddwn i hefyd wedi gwneud ffrind newydd.

Er gwell, er gwaeth

Yn 1971 daeth diwedd ar y gofidiau ariannol pan gefais y cyfle i gymryd rhan yn gyson ar gyfres deledu Bryn Williams, cyfres o'r enw *Â Phleser*. Roeddwn i'n canu ar fy mhen fy hunan ac yn cael cyfle i ganu deuawdau gyda Bryn ar y rhaglenni, ond ro'n i'n swil iawn ohono ar y dechrau, ac yn dawel iawn yn ei gwmni e. Roedd e'n ddyn golygus, poblogaidd a thalentog.

Yn yr un cyfnod, roeddwn i hefyd yn gweithio ar raglen o'r enw *Cadw Reiat* gyda HTV. Rhaglen nodwedd oedd hon, cyfuniad o sgetsys a chaneuon. Roedd Valmai Jones a Meical Povey yn cydweithio â mi ar y gyfres a byddai gofyn i mi fynd i mewn i'r stiwdios yn gyson i ymarfer gyda nhw. Wedi fy nghyfnod hir ar fy mhen fy hun yn Alfred Street, roedd hi mor braf cael teimlo'n ifanc unwaith yn rhagor a chael mwynhau cwmni pobl o'r un oed â mi. A dyna oedd dechrau cyfeillgarwch glòs rhwng y tri ohonom. Amser cinio byddem yn mynd i glwb y BBC am ddiod neu'n mynd am dro trwy gaeau Llandaf. Am y tro cyntaf ers i mi ganfod fy mod yn feichiog roeddwn yn teimlo fel merch ifanc unwaith eto, yn teimlo fod gen i rywbeth i'w gynnig tu hwnt i ddyletswydd a 'mod i fel y merched hynny oedd yn y coleg gyda Geraint.

Roedd Meic Povey wedi dod i lawr o'r gogledd, ac yn mynd mas 'da Sharon Morgan ar y pryd, ond o'r dechrau, roeddwn yn cael fy nenu ato. Yn un peth, roedd e'n talu mwy o sylw i mi na Geraint, ac yn fy nghynnwys i mewn pethau. Arferem fynd yn griw i dafarn y New Ely gyda'r nos, a phob un ohonom yno'n mwynhau cerddoriaeth a pherfformio ac ati. Roedden nhw'n ddyddiau hapus dros ben. Dwi'n cofio weithiau y byddwn i'n mynd i Barc y Rhath i dorheulo gyda Valmai a Lisa yn y goets, a byddai Meic weithiau'n dod hefyd. Roedd e newydd symud i lawr i Gaerdydd, ac mae'n debyg ei fod yntau fel finnau'n teimlo'n unig, yn hiraethu am ei deulu, ac yn colli Sharon, a oedd yn dal i fyw yn y gogledd. Ond o'n i'n ffeindio ein bod ni'n dod ymlaen yn dda, fi a Meic. Bryd hynny, roedd e'n hoffi cyfansoddi caneuon a cherddi a byddai'n arfer gofyn i mi wrando ar amryw ganeuon yr oedd wedi eu hysgrifennu, tra oedd e'n eu canu i gyfeiliant hen gitâr. Un diwrnod, mi ddywedodd Meic ei fod e wedi sgwennu cân amdana i, 'Brown Eyes', ac wrth i mi wrando ar y geiriau synhwyrais efallai fod ganddo deimladau cryfach na chyfeillgarwch tuag ataf. Ddywedais i ddim byd am hynny wrtho nac wrth neb arall, dim ond claddu'r syniad a chloi'r drws arno yn fy meddwl. Wnes i'n fwriadol ddim meddwl am y peth, a llwyddais i dwyllo fy hunan i ryw raddau y gallen ni barhau'n ffrindiau.

Wrth edrych 'nôl nawr, efallai fod yr hyn ddigwyddodd rhyngof fi a Meic yn anorfod. Â'm llaw ar fy nghalon, gallaf ddweud na wnes i ragweld perthynas rhyngom, ond mae'n rhyfedd sut mae'r isymwybod yn mynnu gweld golau dydd weithiau. Roedd e'n amlwg i bawb arall, mae'n debyg, a bu i mi ganfod hynny pan gyhoeddodd Valmai fod y criw i gyd yn mynd allan un noson, gan ofyn a hoffwn i fynd 'da nhw. Doedd hi ddim yn gallu mynd, meddai hi, ond fe ychwanegodd y byddai Meic yno.

F'ymateb i oedd, 'Dyw Meic ddim moyn mynd yno 'da fi, siwr iawn,' ac ro'n i wir yn credu hynny, ond chwerthin wnaeth Valmai.

'Heather fach, ti mor naïf! Tasa fo ond yn cael hanner cyfle! Efo chdi mae o isio bod siwr, nid efo fi! Alli di ddim gweld ei fod o dros ei ben a'i glustiau mewn cariad efo chdi?'

'O Dduw. O Dduw mawr!' Roeddwn i wedi fy syfrdanu.

'Yndi mae o, a rŵan 'mod i wedi dweud wrthot ti, gei di wneud fel y mynni efo'r wybodaeth. Ti'n gwybod yn iawn 'mod i'n hoff iawn ohonot ti a Geraint, a jyst cofia dy fod ti'n ferch briod ac mae gennyt ti deulu bach hyfryd …'

Doedd Valmai ddim yn gwybod sut oedd pethau rhyngof fi a Geraint go iawn wrth gwrs. Mewn gwirionedd, yn y cyfnod hwnnw, roedd Geraint a fi wedi pellhau oddi wrth ein gilydd yn sylweddol, ond roeddwn wedi cwato hynny rhag pawb.

Fe fues i'n mynd mas 'da Meic fel rhan o griw am tua chwe mis cyn i'r berthynas rhyngom ni'n dau ddatblygu ymhellach. Doedd Geraint byth yn dod allan gyda ni. Mae'n debyg ei fod e'n mynd mas 'da'i griw e o'r coleg, ac roedd e'n rihyrsio trwy'r amser. Roedden nhw'n paratoi a pherfformio dramâu yn y coleg ac yn ymarfer ar eu cyfer tan yn hwyr y nos, ac felly doedd e jyst ddim yna.

Roedd geiriau Valmai fel petaent wedi datgloi y drws hwnnw yr oeddwn i wedi bod yn ei anwybyddu ers sbel, ond o hynny mlaen dyma ddechrau ymddiddori ym Meic Povey a'i weld e mewn ffordd wahanol, ei weld e fel mwy na ffrind. A bod yn hollol onest, er na fyddwn i wedi cyfaddef hynny i mi fy hun hyd yn oed, roeddwn i'n meddwl ei fod e'n hynod o olygus, ac ro'n i'n hoff iawn, iawn ohono. Yn sydyn iawn, ro'dd yr hyn a deimlwn tuag at Meic yn debyg i'r teimladau cyffrous hynny fu gen i pan oeddwn mewn cariad gyda Geraint gyntaf, ond do'n i ddim yn deall fy hun. Fedrwn i ddim deall sut oedd posib i mi gwympo mewn cariad gyda Meic a minnau'n dal i garu Geraint.

Roeddwn i'n ddryslyd iawn yn y cyfnod hwnnw. Yn bendant fy meddwl 'mod i'n dal i garu Geraint, ond yn cael fy nenu at Meic hefyd. Ro'n i'n ifanc, newydd gael fy mhen-blwydd yn un ar hugain o'n i. Mae'n debyg 'mod i hefyd yn *flattered* bod rhywun yn dal i'm canfod yn ddeniadol, er 'mod i'n fam ac yn wraig tŷ gyda phlentyn ifanc. Ro'n i wedi bod yn isel fy ysbryd gyhyd, a Geraint wedi bod yn byw bywyd na allwn i fod yn rhan ohono. Roedd hynny'n bwydo fy ansicrwydd, felly roedd canfod fod rhywun yn meddwl y byd ohona i yn brofiad newydd, ysgytwol ac yn cyfri llawer.

Dwi'n cofio'r tro cyntaf i mi fynd i gwrdd â Meic ar fy mhen fy hun. Fe aethon ni i dafarn y *Discovery* yn Lakeside. Dwi ddim yn gwybod pam penderfynu cwrdd yn y fan honno, ond dwi'n cofio mynd yn syth adref wedi'r cyfarfod a theimlo fod rhaid i mi gyfadde'r cwbl i Geraint, a dyna a wnes i.

'Mae'n rhaid i mi ddweud wrthot ti, fedra i ddim ei gadw rhagddot. Dwi newydd fod mas 'da Meic Povey, mewn tafarn, jyst fi a fo, a dwi'n ffed-yp efo'r sefyllfa yn y fan yma, a 'dan ni'n dau yn dod ymlaen mor dda ...'

Ro'n i wedi disgwyl y byddai Geraint yn grac, yn genfigennus, yn siomedig, ond roedd e'n grêt am y peth.

'Dwi'n deall,' medde fe. 'Dwi byth yma ac fe briodon ni'n rhy ifanc ... Mae popeth yn iawn, dim ond i ti wneud yn siwr nad ydy'r berthynas yn datblygu'n ddim byd mwy na chwmni a chyfeillgarwch, dim ond nad ydy o'n mynd dim pellach ...'

Mewn ffordd roeddwn i'n rhyfeddu at ei ymateb e. Taswn i'n bod yn gwbl onest, roedd 'na ran ohona i oedd am ei weld e'n colli ei dymer, am ei glywed e'n taranu nad oeddwn i byth i weld Meic eto, ond wnaeth e ddim. Roeddwn i wedi bwriadu iddo fe gael ysgytwad – rhywbeth i wneud iddo fe sylweddoli pa mor ddrwg oedd pethau rhyngon ni, pa mor isel o'n i wedi bod yn teimlo.

Dwi'n cofio trafod ei ymateb gyda ffrind i mi, a hithau'n dweud, 'O fydden i ddim wedi hoffi hynny. Byddwn i wedi moyn ei glywed e'n dweud, "Reit, ble ma' fe? Dwi am fynd draw yna i'w sorto fe mas ..."'

Roedd ymateb Geraint yn anodd i'w ddeall, yn un eithaf rhyfedd, a dweud y gwir. Fe ddehonglais i ei ymateb e bron fel pe bai e'n dweud fod dim ots ganddo beth wnawn i i ddiddori fy hunan. O'n i moyn iddo fe frwydro amdana i, yn moyn iddo fe ddangos fod ots 'da fe, ond wnaeth e ddim. Wrth gwrs, rydyn ni i gyd yn gyfrifol am ein hymddygiad ein hunain yn y pen draw, ond wrth edrych 'nôl, pe bai rhywun ond wedi cydio ynof fi a f'ysgwyd i, pe bai rhywun ond wedi holi beth ddiawl o'n i'n meddwl o'n i'n ei wneud, falle y bydde pethe wedi troi mas yn wahanol. Roedd Geraint bron fel pe bai e wedi cydsynio i mi barhau i weld Meic ac felly dyna a wnes i, ond ddatblygodd pethau ddim pellach rhyngom, dim am sbel.

Chwe mis yn ddiweddarach roedd y Steddfod ym Mangor – on' tydi hi'n rhyfedd sut y mae'r Steddfod yn dod i mewn i bob dim? – ac wrth gwrs roedd Meic Povey yno. Cyn y Steddfod fe fydden ni – Meic a minnau – yn cwrdd am ddiod ambell waith, ddim yn aml iawn gan ei fod e'n teithio 'nôl ac ymlaen i'r gogledd gryn dipyn. Roedd e hefyd yn sgwennu llythyrau hir, bendigedig ata i, ac weithiau'n anfon lluniau hefyd.

Beth bynnag, wythnos Steddfod Bangor oedd achlysur priodas Meic Stevens a Tessa ym Mangor hefyd. Yr wythnos honno, roedd cyngerdd 'Sachlïain a Lludw' yn cael ei gynnal yn rhywle yng nghyffiniau Bangor, ac ro'n i'n ypsét nad oedd neb wedi gofyn i mi gymryd rhan. Roedd Meic Stevens a'r Band wedi cael gwahoddiad i berfformio, felly hefyd y Diliau ac eraill, ond nid y fi. Chwarae teg iddo fe, roedd Meic Stevens wedi sylweddoli sut o'n i'n teimlo ac wedi dwyn perswâd ar y trefnydd i'm cynnwys innau hefyd. Wedi'r cyfan, roeddwn i eisoes yn y gogledd am yr wythnos gan fy mod i'n gwneud ambell i ymddangosiad 'solo' yng nghyngherddau'r Eisteddfod.

Yr wythnos honno, arferai Meic Povey ddod i'm gweld yng ngwesty'r Castell ble'r o'n i'n aros. A dweud y gwir, roedd e'n awyddus iawn i ddod i briodas Meic Stevens gyda mi. Doedd Geraint ddim wedi gallu dod i fyny ar gyfer y briodas am ei fod e'n brysur yn perfformio 'nôl yng Nghaerdydd.

Pan ddaeth diwrnod priodas Meic Stevens a Tessa, roedd Tessa'n hwyr iawn yn troi lan. Fe ddywedodd wrtha i wedyn mai'r rheswm am hynny oedd ei bod hi'n gyrru o gwmpas Bangor yn ceisio penderfynu a oedd hi'n gwneud y peth iawn ai peidio, ond mae'n rhaid fod rhywbeth wedi ei helpu hi i ddod i benderfyniad, achos troi lan wnaeth hi, a bu i Meic Stevens a hithau briodi. Ar ôl y briodas, fe gwrddes i â'r Meic arall yn fy mywyd i, Meic Povey, a threulio'r prynhawn yn cerdded o amgylch siopau'r ddinas.

Ro'n i wedi cael siampên yn y briodas, ac rwy'n cofio Meic Povey'n dweud wrtha i, 'Dwi isio dangos Mynydd Bangor i ti.' Fe'm tynnodd i fyny'r rhes uchel yma o risiau, reit lan i'r top, ac yna fy nghusanu yn y glaswellt. Ro'n i'n meddwl ei fod e'n berson hynod, hynod ramantus, a dyna pryd y datblygodd ein perthynas yn fwy na chyfeillgarwch clòs. Arhosodd Meic gyda mi yn y gwesty'r noson honno, ond fe ges i sioc yn y bore.

Drannoeth, dyna lle'r oedd Sharon Morgan yn eistedd yn y lolfa yng ngwesty'r Castell yn aros amdana i. Wedi fy ngweld i, fe ofynnodd, 'Fyddai modd i mi gael gair? Dwi'n gwybod dy fod ti wedi dechrau perthynas 'da Meic ac ro'n i moyn bod yn siwr nad jyst *fling* ydy e, dwi angen gwybod dy fod ti am edrych ar ei ôl e a'i drin e'n deg ...'

Ro'n i wedi fy syfrdanu, mae'n debyg am ei bod hi'n berson mor hyfryd, mor annwyl ac urddasol. Doeddwn i ddim wedi bwriadu ei brifo hi, dim am bris yn y byd, ond erbyn hynny roeddwn i'n dechrau deffro i'r ffaith 'mod i dros fy mhen a'm clustiau mewn cariad â Meic. Erbyn diwedd yr wythnos ym Mangor, ro'n i wedi colli 'mhen yn llwyr o'i herwydd e.

Beth bynnag, fe es i 'nôl i Gaerdydd at Geraint yn ferch gymysglyd iawn, ac o fewn dyddiau roeddwn i wedi gorfod dweud y gwir wrtho fe. Roedd e'n gwybod fod rhywbeth anarferol wedi digwydd; roedd e'n fy nabod i'n rhy dda.

Wnes i rioed ddeall ymateb Geraint i'r cyfaddefiad: o fewn dim o dro roedd e wedi dweud wrth ei rieni fe a'm rhieni i am y berthynas. Digwyddodd popeth mor gyflym wedyn, a phob un digwyddiad ac ymateb yn cael effaith ar y llall, fel rhes o ddominôs. Ymateb Dad ddaeth gyntaf. Fe ddaeth e draw ar ei union i fy atgoffa o'm cyfrifoldebau.

'Heather,' meddai, 'this is simply not on! You're a married woman, you have responsibilities, you have other people to consider other than yourself.' Doedd hynny ddim yn beth hawdd i mi ei glywed, yn enwedig a minnau'n gannwyll llygad fy nhad. Ro'n i wedi siomi 'Nhad o'r blaen wrth gwrs, ond rywsut, wedi'r gefnogaeth a'r ymdrech ganddo i sicrhau cartref i mi a Geraint a Lisa, roedd y sefyllfa hon yn llawer gwaeth. Ro'n i'n fwrlwm o emosiynau, yn gwbl gymysglyd ac yn fregus iawn, ond er gwaetha hynny gallwn weld fod 'Nhad wedi ei siomi lawer iawn mwy y tro hwn na phan glywodd e 'mod i'n disgwyl.

Roedd rhai o'r teulu'n barod iawn eu barn, a rhai hyd yn oed yn bygwth y bydden nhw'n ymdrechu i gymryd Lisa oddi wrtha i pe na bawn i'n rhoi'r gorau i'r berthynas 'da Meic, a doedd gen i ddim amheuaeth na fydden nhw'n cadw at eu gair chwaith.

Dim y teulu'n unig oedd yn cael trafferth dygymod â'm hymddygiad i. Rwy'n cofio Meic Stevens a Tessa'n dod i lawr i Gaerdydd am benwythnos a minnau'n eu gweld nhw yn Barbarellas yn fuan wedi hyn, ond gwrthododd y ddau â'm cydnabod o gwbl. Wn i ddim yn iawn beth oedd yn gyfrifol am eu hagwedd nhw tuag ata i. Bryd hynny, ro'n i o'r farn eu bod yn teimlo i mi fradychu Geraint a throi fy nghefn ar ein priodas, ond erbyn heddiw, rwy'n tybio'n wahanol. Roedden nhw wedi cael eu problemau eu hunain yn y gorffennol, ac efallai mai dyna beth oedd wrth wraidd eu hagwedd. Byddai siarad â mi wedi agor hen glwyfau, ac ro'dd yn well ganddyn nhw osgoi hynny.

Beth bynnag oedd eu rhesymeg, fe wnaethon nhw fy mrifo i i'r byw, ond nid nhw oedd yr unig rai i wneud hynny. Roedd pobl yn awyddus i fynegi barn. Dwi'n cofio sylwadau un actor ifanc oedd yn y coleg gyda Geraint ar y pryd. Digwyddais daro arno ym Mharc y Rhath ryw ddiwrnod, a chroesodd ata i gan ddweud, 'Fedri di ddim gwneud hyn i Geraint. Mae'n hyll, mae'n ffiaidd, mae'n gwbl anheg ...' Aeth ambell un mor bell â chynghori Geraint: 'Yli Geraint, os yw hi wedi bod efo dyn arall mae'n rhaid i chdi orffen pethau, tydi hi ddim gwerth ei chael ...'

Erbyn heddiw, a minnau'n hŷn a challach, rwy'n gweld nad yw busnesu ym mywydau a pherthynas bersonol pobl eraill yn beth i'w wneud heb ystyried yn ofalus. Doedd y rhain ddim yn gwybod ei hanner hi. Wydden nhw ddim am Geraint, na minnau chwaith, ond y gwir amdani oedd fod Geraint hefyd yn gweld rhywun arall tua'r un cyfnod ag y bu fy mherthynas i a Meic yn cronni. Llwyddodd Geraint i gadw'r peth yn gyfrinach, yn gystal cyfrinach fel na wnes i ganfod y gwir tan ddeng mlynedd yn ddiweddarach. Roedd Geraint a minnau wedi gwahanu erbyn hynny, ond rwy'n cofio gofyn iddo a fuodd e'n anffyddlon, ac fe gyfaddefodd, gan ychwanegu, 'Ond wnes i orffen pethau efo hi pan orffenes di efo Meic.'

Roeddwn i'n gandryll, yn gwbl gandryll 'dag e am hynny am gyfnod. Doedd Geraint ddim yn deall pam; wedi'r cwbl, doedd yr wybodaeth yn gwneud fawr o wahaniaeth i'r berthynas erbyn hynny, ond allwn i ddim anghofio fod 'na gymaint o bobl wedi 'meirniadu i a throi'n f'erbyn i yn sgil clywed am y berthynas efo Meic. Roedd pawb o'r farn fod Geraint wedi cael cam, ond doedd e ddim mor ddiniwed wedi'r cwbl.

A bod yn gwbl onest, mae rhywun yn aeddfedu ac yn gweld pethau'n wahanol pan fo ychydig o bellter rhwng y presennol a'r gorffennol. All yr un ohonom wybod i sicrwydd pa un fu'n anffyddlon gyntaf, pwy wnaeth beth a phryd, ac wn i ddim a oes ots am hynny wrth edrych 'nôl chwaith. Mae'n amheus gen i a fyddai gwybod hynny wedi newid unrhyw beth yn y diwedd. Mae'r gwirionedd trist yn siarad drosto'i hun – roedden ni'n dau mewn sefyllfa anodd, ein dau yn ifanc, ddim yn barod am ymrwymiad priodas ac yn bennaf oll yn hynod anhapus.

O'm rhan i, roeddwn i wedi bod yn ansicr o Geraint ers peth amser, ond newidiodd pethau o ran fy hunanhyder pan ddechreuais i ymddangos ar y teledu yn rheolaidd. Yn naturiol, cafodd y llwyddiant cyntaf yma ddylanwad arna i ac yn sgil hynny ar fy mherthynas i â Geraint. Yn sydyn ro'n i'n ddewr, ac yn dod yn fwyfwy hyderus. Doedd dim rhaid i mi fod yn gadach llawr mwyach. Doedd dim rhaid i mi fod yn annwyl gyda Geraint yn dragywydd dim ond am fy mod i'n ofni ei golli e. Doeddwn i ddim mor barod i'w dderbyn e'n ddiamod, ac erbyn hynny do'n i ddim yn poeni pe bawn i'n ei golli e achos ro'n i wedi blino ar orfod brwydro am ei sylw fe.

Er hynny, a hyd yn oed yng nghanol y difrod emosiynol, fe wyddwn i rywsut 'mod i'n dal i'w garu e. Er 'mod i'n caru Meic hefyd, wnes i 'rioed ystyried nad oeddwn i'n dal i garu Geraint mewn rhyw fodd, a bûm yn ei garu am flynyddoedd maith, hyd yn oed wedi i ni wahanu.

A hyd yn oed yn y cyfnod pan ddatgelwyd 'mod i wedi bod yn cael perthynas gyda Meic Povey, er cymaint yr oeddwn i'n ei deimlo am Meic, doedd dim modd gwadu'r cwlwm rhwng Geraint a minnau. Fe oedd tad fy mhlentyn, y plentyn yr o'n i mewn perygl o'i cholli pe bawn i'n parhau â'r berthynas gyda Meic. Doedd dim dewis gen i mewn gwirionedd; doedd dim amheuaeth mai Lisa oedd fy mlaenoriaeth. Hi oedd yn dod gyntaf. Hi fyddai wastad yn dod gyntaf, ac er mwyn ei chadw hi fe benderfynais fod rhaid rhoi cynnig arall ar bethau, ac i wneud hynny roedd yn rhaid cwpla 'da Meic.

Dod â phethau i ben 'da Meic oedd un o'r pethau anoddaf i mi ei wneud erioed. Doedd dim amheuaeth gen i mai dyna oedd y peth iawn i'w wneud. Fynnwn i ddim roi cyfle i neb beryglu fy mherthynas i â'm plentyn, ond fe dorrais i 'nghalon am gyfnod, a fedrwn i ddim trafod hynny 'da neb. Roedd Meic wedi f'atgoffa i o'r hwyl a'r chwilfrydedd a'r mwynhad ddylai fod yn rhan o unrhyw berthynas. Yn fwy na dim, roedd e wedi fy atgoffa i sut beth oedd bod yn ifanc. Heather oeddwn i iddo fe – nid Heather y fam, na Heather y ferch, na Heather y wraig, ond Heather yr unigolyn. Ro'n i'n teimlo'n fyw yn ei gwmni e, ac roedd ein cyfeillgarwch ni ac yna'n perthynas ni wedi fy nghodi mas o bydew iselder. Roedd e wedi dod â heulwen 'nôl i'm bywyd i.

Yn y Rhath oedden ni pan ddywedais i wrth Meic na allwn i barhau i'w weld e, bron ar y gyffordd ble mae Heol y Ddinas yn cwrdd â Heol Casnewydd. Er i mi geisio fy mharatoi fy hun at yr hyn oedd i ddod, roedd y boen o orffen pethau'n llawer gwaeth wrth weld maint y loes yr o'n i'n ei roi i Meic. Fe geisiodd e 'narbwyllo i newid fy meddwl, ond er mor anodd oedd hynny, bu'n rhaid i mi droi fy nghefn arno a cherdded i ffwrdd. O'r tu allan, roedden ni'n siwr o fod yn edrych fel dau berson ifanc digon dibryder yn ffarwelio, ond roedd yna dywyllwch aruthrol yn disgyn arna i wrth i mi adael Meic ar ôl. Fe gymerodd bob mymryn o hunanreolaeth oedd gen i, ond troi oddi wrtho wnes i, troi a cherdded yn ôl at fy nyletswyddau, yn ôl at fy nheulu. Rwy'n cofio'r ymdrech i barhau i gerdded oddi wrtho, i beidio ag edrych 'nôl, a finnau bron fel petawn i'n dal fy anadl rhag i mi golli rheolaeth a dechrau udo.

Wedi'r gwahanu, fe wnes i ganolbwyntio ar Lisa. Roeddwn i wedi llwyddo i'm darbwyllo fy hunan 'mod i'n ffodus, 'mod i wedi cael ail gyfle. 'Fuodd ond y dim i mi golli Lisa fach' fyddwn i'n 'i ddweud wrthyf fy hun, a fedrwn i ddim dychmygu ei cholli hi, dim am bris y byd. Bryd hynny ro'n i'n credu ei fod e'n ddewis syml rhwng Lisa a Meic, ac wrth gwrs fe ddewisais i Lisa. Mae'n rhyfedd sut mae rhywun yn dod i nabod eu hunain yn well wrth fynd yn hŷn hefyd – roedd y darbwyllo hwnnw'n bwysig. Allwn i fyth fod wedi ffarwelio â Meic ac ailgydio mewn bywyd 'da Geraint oni bai i mi gredu'n llwyr mai dyna'r unig ddewis oedd gen i.

Gwaith

Er bod fy mywyd personol i'n deilchion, roedd pethau'n parhau i fynd o nerth i nerth ar lefel broffesiynol. Roedd hynny'n gymorth wrth geisio dod i delerau â'r hyn oedd wedi digwydd, ac roedd y cyfleoedd i weithio o leia'n golygu nad oeddwn i'n boddi mewn hunandosturi. Roedd gweithio'n rhywbeth cadarnhaol, yn fodd o feithrin hunanhyder ac yn golygu nad oeddwn i'n cymharu fy hun yn anffafriol gyda Geraint o hyd. Wrth gwrs, roedd y ffaith fod gennym ychydig mwy o arian yn helpu gyda'r tensiynau adref hefyd.

Roedd gŵr o'r enw Arthur Dyke wedi llwyddo i berswadio Meic Stevens a minnau i recordio ar ei label, Newyddion Da. Gofynnodd i Meic a minnau wneud albwm yr un iddo, ac fel y trodd pethau allan, dyna'r unig ddwy albwm a ryddhawyd ar y label hwnnw. Felly, mae'n debyg eu bod yn werth arian mawr erbyn heddiw!

Dim ond rownd y gornel o'r tŷ yn Alfred Street yr oedd Arthur yn byw ar y pryd, felly pan ofynnodd a gâi fod yn rheolwr i mi, ro'n i wir yn ystyried ei gais o ddifri. Rwy'n cofio'n fuan wedi i mi ddod i nabod Arthur iddo alw draw un diwrnod ac eistedd ar y soffa yn yr ystafell fyw. Roedd e'n ddyn helaeth ei faint, a minnau'n fechan a Geraint yn ysgafn mewn cymhariaeth. Eisteddodd Arthur a chwympo drwy waelod y soffa ar ei union! Roedd yn ddigwyddiad anffodus gan na fedren ni fforddio prynu soffa newydd yn ei lle hi! Yn y diwedd, fe ddaeth Dad draw a'i thrwsio hi dros dro gyda mymryn o lastig a bôn braich, a byddai Arthur yn gwneud yn siwr ei fod e'n eistedd ar sedd arall bob tro y deuai draw o hynny ymlaen.

Chwarae teg iddo, pris bychan oedd y soffa o ystyried ymdrechion Arthur ar fy rhan. Fe fu'n weithgar iawn wrth geisio datblygu 'ngyrfa i. Diolch iddo fe, cefais sawl ymddangosiad ar HTV, neu Deledu Harlech, fel y gelwid y sianel bryd hynny. Roedd gan Arthur sawl cyswllt i lawr yn Llundain hefyd, ac ymysg y rhain oedd Walter Ridley a weithiai yn EMI Records. Fe fu Arthur yn gyfrifol am sicrhau sesiwn recordio i mi draw dros Glawdd Offa, a chefais innau gyfle arall i fynd i berfformio mewn stiwdio yn Llundain.

Aeth y sesiwn recordio yn arbennig o dda. Roedd Arthur a Walter wedi trefnu cân i mi o'r enw 'Any Time of the Year' – a oedd yn swnio'n

73

gwmws fel 'Those Were the Days' Mary Hopkin, ac er nad oeddwn i'n hapus iawn gyda hynny, roedden nhw'n fodlon rhyddhau'r gân fel sengl. Fe sicrhaodd Arthur gytundeb i mi gydag EMI, ond os oedd y trefniant am fynd ymhellach ac os oedd EMI am ryddhau'r record, roedd yn rhaid i mi gytuno i gael Arthur yn rheolwr personol i mi am oes. Doedd dim rhaid i mi feddwl am y peth. Gwrthodais y cynnig ar ei union. Doeddwn i ddim yn fodlon rhoi gweddill fy mywyd i Arthur.

Yn rhyfedd ddigon, un o'r prif resymau tros wrthod oedd y byddai'n golygu y byddwn yn gorfod gwneud cymaint o gìgs a pherffurmiadau yn Lloegr, a doedd hynny wir ddim yn apelio ata i. Ar y pryd ro'n i'n cael mwy a mwy o waith yng Nghymru ac yn cael cyfleoedd di-ri i ganu yn Gymraeg, ac ro'n i wrth fy modd yn cael gwneud hynny. Ac er bod Geraint a minnau'n ffraeo fel ci a chath bron yn ddyddiol erbyn hynny, roedd meddwl am orfod ei adael e a Lisa am wythnosau ar y tro i fynd i berfformio yn Llundain ac ati, wir yn wrthun i mi.

Yn fuan iawn wedi'r chwalfa yr oeddwn i wedi ei chreu wrth gael perthynas gyda Meic, ysgrifennodd Geraint gân i mi – sef 'Pan Ddaw'r Dydd'. Roedd geiriau'r gân yn golygu llawer i mi ac fe fyddwn i'n ei chanu gyda dagrau yn fy llygaid. Roedd y boen a'r dryswch yn dal mor ffres ar y pryd, ac roedd canu'r gân gan wybod fod y geiriau amdana i yn anodd ar brydiau. Rwy'n dal i gael trafferth i ganu'r gân honno heddiw, hyd yn oed wedi'r holl flynyddoedd. Mae hi jyst yn mynd â rhywun 'nôl i dristwch y cyfnod ond dyna gryfder y gân, am wn i. Beth bynnag, mae'n rhaid fod rhywun arall heblaw ni'n dau wedi gweld rhywbeth yn y gân – fe enillais i gystadleuaeth 'Cân i Gymru' 'da'r gân honno ym 1972. Roeddwn i wedi cystadlu yn 'Cân i Gymru' y flwyddyn flaenorol, ond cân Dewi Pws 'Nwy yn y Nen' aeth â hi y flwyddyn honno. Gallwn ddeall hynny – roeddwn i'n dwlu ar y gân yna, ond rwy'n siwr fod y profiad o gystadlu ym 1971 wedi bod yn baratoad da ar gyfer y flwyddyn ganlynol. Fe ddaethon ni'n ail yn Iwerddon wedyn, yn y gystadleuaeth yn yr Ŵyl Ban-Geltaidd.

Oherwydd gofynion eraill ar ei amser a'r angen i rywun warchod Lisa, methodd Geraint ddod i'r Ŵyl 'da fi, ond rwy'n cofio i mi benderfynu cystadlu yn y gystadleuaeth cân werin hefyd gan 'mod i draw yno. Fe enillais i £90 ac roeddwn i'n edrych ymlaen i ddod 'nôl adre 'da'r pres yn fy mhoced. Rwy'n cofio bod yn sâl iawn ar y llong wrth ddychwelyd i Gymru ond wnaeth hynny ddim amharu ar fy mrwdfrydedd i tuag at yr Ŵyl na thuag at gystadleuaeth 'Cân i Gymru', ac rwy wedi cystadlu a beirniadu yn y ddwy sawl gwaith wedi hynny. Yn ddwy ar hugain oed, cefais gynnig fy nghyfres fy hun gyda'r BBC. Roedd Meredydd Evans wedi gweld fy mod i'n gallu bod yn broffesiynol a dibynadwy yn dilyn y gyfres gyda Bryn Williams, a daeth y cynnig i greu cyfres fy hun. *Gwrando ar fy Nghân* oedd enw'r gyfres honno. Ro'n i wedi sgwennu cân o'r un enw yn y cyfnod pan oeddwn i yn y tŷ ar fy mhen fy hun gyda Lisa ac roedd geiriau'r gân yn rhyw fath o apêl am sylw. Daeth y gyfres allan yn yr haf, ym mis Awst rwy'n credu, ac rwy'n amau i bawb fod ar eu gwyliau a cholli'r gyfres! Chefais i ddim cyfres arall tan y nawdegau, ond fe wnaeth y gyfres esgor ar lawer iawn o waith i mi. Roeddwn i'n cael cynnig rhannau mewn amrywiol sioeau teledu, dramâu a phantomeimiau ac roedd e'n gyfnod cyffrous iawn. Un peth arall ddeilliodd o'r gyfres gyda'r BBC oedd y cyfle i ymddangos ar *Pebble Mill at One*.

Roedd rhywun o'r BBC yng Nghaerdydd wedi anfon tapiau ohonof draw i BBC Birmingham, a daeth cais i mi fynd yno am glyweliad. Yn ystod y clyweliad hwnnw cefais fy ffilmio'n canu'r fersiwn Saesneg o 'Gwrando ar fy Nghân' a defnyddiwyd y ffilm ar raglen gyntaf *Pebble Mill at One* wrth iddyn nhw lansio'r rhaglen newydd. Mae'n debyg felly mai fi oedd y gyntaf erioed i ganu ar y rhaglen honno!

Doeddwn i ddim yn teimlo i mi gael gystal hwyl â hynny arni, ac rwy'n cofio gwylio fy hun ar y sgrin a bod yn feirniadol iawn. Petawn i'n gwybod y byddai tâp y clyweliad yn ymddangos ar y teledu, fe fyddwn i'n sicr wedi gwisgo rhywbeth mwy teidi! Er i mi fod yn feirniadol o mi fy hun, mae'n rhaid fod cynhyrchwyr y rhaglen yn fodlon ar yr hyn a welson nhw, oherwydd fe dreuliais i gyfnod maith wedi hynny yn mynd 'nôl a mlaen i Birmingham i berfformio'n fyw ar y rhaglen, ac roedd bod yn westai cyson ar y sioe yn gyfle da i gwrdd ag enwogion Lloegr a chael profiad o ffilmio'n fyw.

Glenwood

O'r diwedd, fe gawson ni gartref newydd ym 1974. Rhan o'r dechrau o'r newydd gyda Geraint oedd hynny i fod, am wn i, fel mae rhywun yn dueddol o'i wneud wedi rhyw anghydfod difrifol. Erbyn hynny roeddwn i'n ennill arian da, roedd Geraint wedi dechrau gweithio ac roedden ni'n barod am le mwy.

Doedd hi ddim yn edifar gen i ffarwelio ag Alfred St, mae'n rhaid cyfaddef. Hoffais i 'rioed mo'r lle, a phrin ei oddef oeddwn i ar brydiau. Roedd e'n dŷ bach tywyll, tamp ac yn oer drwy'r amser, a bu'n gartref i mi trwy un o'm cyfnodau isaf, y dyddiau tywyll hynny o unigrwydd ac o anhapusrwydd.

Symudon ni i Glenwood yn 1974. Stad fodern oedd Glenwood, ac ro'n i'n llwyr grediniol mai dyma ddechrau dalen newydd i ni fel teulu. Roedd e'n cynnig dyfodol i briodas Geraint a minnau – neu felly'r oeddwn i wedi fy narbwyllo fy hun p'run bynnag. Roeddwn i'n ceisio adlewyrchu'r dadeni proffesiynol oedd yn digwydd i mi yn fy mywyd personol hefyd, mae'n debyg.

Dyma gyfnod *Nia Ben Aur* a chyfnod y teithio i Birmingham i wneud *Pebble Mill at One* ar gyfer Nationwide Television. Roedd yr ymweliadau hynny'n gyfle gwych i siopa, ac roeddwn i'n siopa llawer ar gyfer y tŷ newydd. Un siop aeth â'm bryd yn arbennig oedd Habitat. Doedd cadwyn Terence Conran heb gyrraedd Caerdydd bryd hynny, felly ro'n i'n gallu prynu'r holl ddodrefn ffantastig yma, oedd yn gwbl wahanol i unrhyw beth oedd yng nghartrefi fy nghyfoedion. Byddwn i'n cymryd ffansi at rywbeth, yn ei archebu ac ymhen dim o dro byddai'n cael ei ddelifro i'r tŷ yng Nghaerdydd.

O'i gyfnod, roedd y tŷ hwnnw yn Glenwood yn impresif iawn. Doeddwn i ond yn 24 oed a Geraint yn fengach fyth yn 23 oed, ond roedd gennym gartref bendigedig; doedd dim rhaid gofidio am arian rhagor, ac roedd pawb o'm cyfoedion yn eiddigeddus ohonom.

Ni oedd y cartref cyntaf yn yr ardal i fod â charped *shag pile*. Doedd dim rhaid i rywun fynd i'w wely, dim ond gorwedd i lawr lle'r oedd a syrthio i gysgu ar y carped bendigedig yma. Y term am ddodrefn y tŷ bellach fyddai *minimalist,* mae'n debyg. Dodrefn Habitat ym mhob man ar wahân i ddresel Gymreig yn y stafell gefn, a phethau cwbl *way-out,* yn glociau ac yn greiriau cwbl unigryw o'r siop honno. Wrth gwrs, doedd dim yn unigryw ynddyn nhw mewn gwirionedd; roedden nhw'n cael eu cynhyrchu yn eu cannoedd a'u miloedd – ond yn Birmingham. Yng Nghaerdydd roedden nhw *yn* gwbl unigryw, ac roedd pawb o'n ffrindiau ni wedi dotio ar y lle.

Am y tro cyntaf erioed, ro'n i'n teimlo'n falch o dŷ. Fy nhŷ i. Ro'n i'n gwario lot o bres ar y lle, yn ymhyfrydu yn ei wneud e'n *with it*, yn dderbyniol – yn well na derbyniol. Am dair blynedd, rhwng 1974 a 1977, hyd y gwyddwn i, roedd pethau'n weddol rhyngof fi a Geraint. Roedd gennym ni biano yn yr ystafell gefn, a byddem wrth ein boddau'n cynnal partïon.

Yr unig beth ar goll oedd car, a'r unig reswm am hynny oedd na allai'r un o'r ddau ohonom ni yrru. Doedd gan Geraint ddim diddordeb mewn dysgu, na finnau chwaith. Roedd fy nhad wedi dweud wrtha i droeon na fyddwn i'n gallu gyrru, nad oeddwn i'n ddigon deallus i ddysgu, mai dim ond merch o'n i, ac ro'n i wedi llyncu'r cyfan, ac yn fwy na hynny wedi credu ei eiriau. Tan 1977. Dyna'r flwyddyn y collais i Dad, ac wedi ei farwolaeth, roedd dysgu gyrru yn fater o raid. Roedd fy mam yn wraig weddw, a hithau fel finnau yn methu gyrru, a doedd gen i ddim ffordd o ymweld â hi. Roedd yn rhaid i un ohonom ni – naill ai Geraint neu finnau – ddysgu gyrru.

Ac o'r munud y dechreuais gael gwersi, ro'n i wedi gwirioni ar y wefr o fod tu ôl i olwyn car. Byddwn i'n mynd allan ar fy mhen fy hun bach wedi iddi nosi, a theithio strydoedd Caerdydd yn fy nghar cyntaf. Renault 4 pinc oedd o, wedi ei brynu gyda'r arian a adawyd i mi yn ewyllys fy nhad. Fe gostiodd e £625. Doedd e ddim yn werth y pris, a dweud y gwir roedd e'n gar sâl – ond roedd e'n binc ac roedd hynny'n plesio. Hwyrach nad oedd e'n Mercedes Benz neu'n gar mawr swanc, ond fy nghar i oedd e ac ro'n i uwchben fy nigon.

Roedden ni'n eithaf cyfoethog ar y pryd, am gyfnod byr. Y dyddiau yma, wrth edrych yn ôl ar yr adeg hynny yn Glenwood, rwy'n siwr mai ni oedd Posh a Becks Cymraeg y dydd. O'r tu allan, roedd gennym ni bopeth allai unrhyw un ddymuno amdano: gyrfaoedd llewyrchus gyda Geraint yn actor prysur, minnau'n gantores boblogaidd – cartref bendigedig, a merch fach oedd yn ddigon o sioe … popeth.

Yn anffodus, o fewn ychydig flynyddoedd roedd 'bywyd go iawn' wedi dal i fyny gyda ni. Fe brynodd y Cyngor sawl un o'r tai i'w gosod i deuluoedd trafferthus, ac ymysg y teuluoedd hynny i symud i mewn i'r stad yr oedd Maria a Joey, a ddaeth i fyw drws nesaf i ni. Does gen i ddim gair drwg i'w ddweud yn eu herbyn nhw, a dweud y gwir mae Maria a minnau'n dal i yrru cardiau Nadolig i'n gilydd. Roedd Maria'n ifanc iawn, iawn, prin wedi cyrraedd ei hun ar bymtheg. Minnau'n 24 mlwydd oed, ac yn edrych arni fel chwaer fach, am wn i. Beth bynnag oedd y rheswm, roedden ni'n dod ymlaen yn grêt ac yn ffrindiau clòs iawn.

Roedd Joey'n hŷn na hi, ac yn 'ddyn' o'r hen drefn, yn dal ag un droed yn yr ogof! Os byddai draw'n cael sgwrs, byddai Joey naill ai'n ei ffonio hi lan neu'n gyrru un o'r bechgyn draw, i ddweud mai adref oedd ei lle hi, nad oedd ganddi ddim busnes bod yn hel tai, ac y dylai fod adref yn glanhau'r tŷ neu'n hwylio'r te yn hytrach na hel clecs.

Felly bu'r berthynas rhyngddyn nhw am flynyddoedd. Yna un diwrnod, sbel ar ôl i mi adael Glenwood, fe adawodd Maria a dychwelyd yn ôl adref i fyw gyda'i mam. Doedd Joey ddim yn gallu byw hebddi, ac wedi erfyn a phledio arni i ddod yn ôl ato a hithau'n gwrthod, fe ddywedodd y byddai'n ei ladd ei hun. A dyna wnaeth e, druan ag e, lladd ei hun am nad oedd e'n gallu wynebu bywyd hebddi.

Mae'n gymaint o drueni. Roedd e'n ddyn mor annwyl yn ei ffordd fach ei hun, er yn gwbl wahanol i'r math o bobl ro'n i wedi arfer cymysgu â nhw. Arferai gadw adar ysglyfaethus a ffuredi yn yr ardd gefn, ond doedd dim yn ormod iddo. Dwi'n cofio un tro, cyn i mi ddysgu gyrru, fe fethais i gyrraedd adref mewn pryd i dderbyn Lisa o'r ysgol. Fe welodd Joey hi'n cnocio'r drws ar ei phen ei hun – doedd hi ond tua phump oed ar y pryd – a mynd â hi draw i'w tŷ nhw, ei gwarchod hi a'i bwydo hi gyda bîns ar dôst nes i mi gyrraedd adref. Rwy'n ei gofio fe'n dweud wrtha i gymaint yr oedd e wedi mwynhau ei chwmni hi, mwynhau cael ei charco, a chyfaddef y byddai wedi gwirioni cael merch. Tri o fechgyn oedd ganddo fe.

Roedd e'n ddyn na allai ddygymod 'da bywyd, ond na allai ollwng gafael yn Maria hyd yn oed wedi ei farwolaeth. Roedd y ddau dros eu pen a'u clustiau mewn cariad, ond roedd e'n gariad afiach, dinistriol, a bu iddo eu difetha yn y diwedd. Pan gyflawnodd Joey hunanladdiad roedd e'n ddeugain mlwydd oed, a phenderfynodd ffilmio'r weithred er mwyn i Maria gael gweld yr hyn oedd hi wedi 'ei wthio i'w wneud'. Fyddwn i ddim yn hoffi dychmygu'r fath wewyr meddwl yr oedd ynddo ar y pryd ac a'i cyflyrodd i wneud y fath beth, ond yn amlwg fe greithiodd y profiad Maria'n ddwfn iawn.

Nid priodas Maria a Joey oedd yr unig un i chwalu yn Glenwood. Hwyrach i ni ffarwelio gydag Alfred Street ond doedd gadael ein problemau o'n hôl ddim mor hawdd. Dim ond papuro dros y craciau oedd symud fel y trodd pethau allan. Er gwaetha sut yr oedd eraill yn ein gweld ni yn y cyfnod, ym mêr fy esgyrn fe wyddwn i fod rhywbeth o'i le. Doeddwn i ddim yn ymlacio a mwynhau'r berthynas, allwn i ddim. Ro'n i'n gwylio Geraint trwy'r amser. Mewn ffordd, dyna'r peth gwaethaf am fod yn anffyddlon. Mae'n ddinistriol iawn.

Ro'n i wedi bod yn anffyddlon iddo fe ac, er nad oedd gen i'r darlun llawn ar y pryd, roeddwn i'n ei amau. Mewn rhyw ffordd wyrdroedig, ro'n i'n meddwl y bydde fe'n moyn cael perthynas efo rhywun arall er mwyn unioni'r cam rywsut. Ro'n i'n amau ei fod e wrthi'n gweld rhywun arall ar yr union adeg pan oedden ni'n symud tŷ ac i fod yn canolbwyntio ar ddechrau o'r newydd.

Byddai rhai wedi 'ngalw i'n niwrotig am ofidio cymaint, ond roeddwn i'n ei nabod e'n dda. Doedd e ddim yn fy nhrin i'n rhy dda yn y cyfnod hwnnw; byddai'n f'anwybyddu i a phethau fel'na, ac er i mi wneud esgusion i mi fy hun ei fod yn ymddwyn felly am ei fod wedi cael loes gen i, ro'n i'n gwybod ei fod e'n fwy na hynny hefyd. O'n i'n gwybod fod rhywbeth o'i le, ond fedrwn i ddim rhoi 'mys ar beth yn union oedd y 'rhywbeth' hwnnw. Doedd dim rhaid i mi ddisgwyl yn hir cyn cael f'ateb.

Un diwrnod, cyrhaeddodd Geraint adre ar ôl cwpwl o ddiwrnodau bant gyda'r gwaith fel y tybiwn i – ond wedi iddo gyrraedd yn ôl roedd wedi rhoi'r cês i gadw dan y staer yn syth, bron y funud y daeth i mewn. Yn amlwg, i un oedd â'i meddwl yn llawn amheuon yn barod, roedd y weithred fach honno fel cadach coch. Penderfynais i 'mod i'n mynd i ganfod be ddiawl oedd yn mynd ymlaen. Roedd y cês yn amlwg yn cynnwys rhywbeth nad oedd Geraint am i mi ei weld, felly cyn gynted ag y cefais i gyfle, fe es i ymbalfalu yn y cês am gliwiau.

Fe ganfyddais i lyfr siec Geraint, ac wedi ei sgrifennu ar un o'r bonion oedd 'The Bear Hotel, Newtown'. Roedd e i fod yn recordio yn Sain am yr wythnos, felly pam ddiawl oedd y Bear, y Drenewydd, wedi ei sgwennu ar un o'r sieciau?

Es i ar f'union i weld Tich Gwilym. Pe bai popeth yn iawn, fe ddylai

79

Tich fod i fyny yn Sain yn recordio efo Geraint yr wythnos honno, ond pan ofynnais iddo, gwridodd Tich a'i chael hi'n anodd i edrych arna i. Yr unig beth ddeudodd o oedd, 'Dyw e'n ddim byd i' wneud efo fi Hedd, mae'n rhaid i ti ofyn i Ger …'

Ac felly dyna wnes i. Dwi'n cofio martsio i lawr i'r BBC lle'r oedd Geraint yn gwneud y rhaglen *Bilidowcar*. Roedd hi'n dipyn haws mynd i mewn i'r BBC bryd hynny, doedd rhywun ond yn gorfod dweud 'Dwi moyn gweld Geraint Jarman' wrth y brif dderbynfa, ac fe fydden nhw'n eich gadael chi mewn.

Es i mewn i'r swyddfa, a gallwn ei glywed yn siarad am rywbeth yn yr ystafell nesaf. Felly fe benderfynais eistedd ar y llawr a chlustfeinio, yn y gobaith y byddwn i'n clywed rhywbeth fyddai'n egluro'r hyn oedd yn mynd ymlaen. Ond yna fe ddaeth Geraint allan o'r swyddfa a'm gweld i yno, a gofyn beth ddiawl oeddwn i'n ei wneud, yn eistedd ar y llawr fel dynes wallgo.

Erfyniais arno am sgwrs, mynnu fod yn rhaid i ni siarad, ac aethon ni allan. Doedd e ddim am inni fynd i'r swyddfa i siarad am ryw reswm. Felly dyna lle'r oedden ni, tu fas i'r BBC, fi'n trio cael y gwir ganddo ac yntau'n gwadu bod unrhyw beth o'i le. Roedden ni'n mynd rownd a rownd mewn cylchoedd. O'r diwedd, fe gyfaddefodd iddo fod yn y Bear yn y Drenewydd, ac enwi'r ferch y bu'n aros yno yn ei chwmni, ond roedd e'n parhau i honni mai dim ond ffrindiau oedden nhw.

Wnes i ddim ei gredu e am un eiliad, ond gan nad oedd e'n fodlon trafod y peth mwyach, fe adewais i. Roedd gen i deimlad efallai y byddwn i'n cael y gwir o rywle arall, a pha well lle na llygad y ffynnon? Ro'n i'n nabod y ferch, felly i mewn â mi i'r car a gyrru draw i'w gweld hi. Gofynnais iddi'n blwmp ac yn blaen be'n union oedd yn mynd ymlaen rhyngddi hi a'm gŵr, ac fe gyfaddefodd y cwbl wrtha i, gan ddweud ei bod hi'n ei garu e a'i fod yntau mewn cariad efo hithau.

Byddai rhywun yn meddwl, a ninnau'n dau wedi cael perthynas o'r tu allan i'r briodas, mai dyna fyddai'r ergyd farwol, ond nid felly y bu hi am y tro. Rhyw rygnu mlaen wnaethon ni, y ddau ohonom yn anhapus a'r ddau ohonom yn delio hefo pethau yn ein ffordd ein hunain, orau y medren ni. Roedd yna bellter rhyngon ni, does yna ddim dwywaith am hynny, ond wnaethon ni ddim dod â'r berthynas i ben chwaith.

Tua'r adeg honno y dechreuodd Geraint ymhél â chriw oedd yn cymryd cyffuriau. Roedd hynny'n beth eithaf cyffredin bryd hynny wrth gwrs, ag ysbryd y chwedegau'n dal yn fyw ac yn iach, ond gallwn weld Geraint yn mynd fwy a mwy o dan eu dylanwad. Er mor fregus oedd ein perthynas cyn hynny, wnes i ddim meddwl y byddai pethau yn gwaethygu i'r graddau ag y gwnaethon nhw.

Un diwrnod, daeth Ger adre a datgan nad oedd e am gael soffa yn yr ystafell fyw rhagor a'i fod e'n moyn cael matres yno yn ei lle. Ro'n i'n gweld hynny'n arwydd clir fod Geraint yn ei chael hi'n anodd dygymod â bywyd bob dydd. Roedd e'n moyn dychwelyd i'w gyfnod fel myfyriwr, i'r dyddiau o eistedd o gwmpas tan berfeddion, yn smygu, yn yfed ac yn sgwrsio. Roedd yna elfen ohono oedd am ddiosg hualau 'cyfrifoldeb' a cheisio adennill bywyd afieithus, rhydd.

Ar un llaw, fe allwn i dwyllo fy hunan a chreu dadleuon cwbl resymol dros ymddygiad afresymol. Roedd y ddau ohonom – a Geraint yn enwedig – wedi gorfod tyfu lan a pharchuso'n llawer rhy fuan.

Mewn rhyw ymgais dila i ddal fy ngafael arno ac ar yr hyn yr oedd gennym, fe gytunais i gael gwared â'r soffa, ond dyna gamgymeriad oedd hynny. Bron dros nos trodd y cartref yr o'n i mor falch ohono yn fath ar sgwat. Disodlwyd y soffa barchus gan fatres ar y llawr, a newidwyd awyrgylch y cartref yn gyfan gwbl. Roedd y sefyllfa'n gwbl ddieithr i mi, ond dyma benderfynu ceisio troi llygad ddall gan obeithio y newidiai'r sefyllfa mewn amser, y câi Geraint bethau mas o'i system. Wrth gwrs, nid felly y bu. Gwaethygu, nid gwella, fu'r hanes, a minnau'n chwilio fwyfwy am ddihangfa. Pan nad oeddwn i'n gweithio, byddwn yn aml yn mynd i aros gyda Mam neu rywun arall. Unrhyw le, dim ond ei fod e'n ddigon pell o'r tŷ yn Glenwood.

Er nad oedd yna lawer o fwynhad yn perthyn i'm perthynas i a Geraint yn y cyfnod hwn, roeddwn o leiaf yn gallu mwynhau'r cyfleoedd oedd yn dod i'm rhan o safbwynt proffesiynol ac ym 1974 ro'n i'n gweithio yng Nghaerdydd fel cantores gyda'r Caricature Theatre. Roedd gen i gyd-weithwyr difyr yno; roedden nhw'n fywiog, yn greadigol a thalentog ac yn bennaf oll yn dda am dynnu fy meddwl a'm sylw oddi ar yr hyn oedd yn digwydd adre. Rwy'n cofio un cyd-weithiwr yno, David Claridge, yn arbennig. Fe ddaeth e'n enwog yn ddiweddarach fel creawdwr Roland Rat ar y teledu ac mae wedi gwneud llawer iawn o waith teledu a throsleisio da ers hynny. Roedd e hefyd yn arlunydd dawnus. Ymhell cyn dyddiau negeseuon testun a ffonau symudol heddiw fe fyddem yn cadw cysylltiad â chyd-weithwyr a ffrindiau trwy ffonio neu lythyru ac mae gen i bentwr o lythyrau gan David. Maen nhw'n frith o ddarluniau doniol a'i hanesion e ar daith. Rwy wedi eu cadw nhw i gyd – roedden nhw'n codi gwên bryd hynny ac maen nhw rywsut yn cynrychioli beth oedd gweithio gyda'r cwmni yn ei olygu i mi.

Ym 1975 wedyn, cefais gyfle i ymddangos yn y panto *Pwyll Gwyllt* 'da Cwmni Theatr Cymru. Roedd Geraint wedi ysgrifennu'r caneuon ar gyfer y sioe ond, wrth gwrs, doedd dim angen iddo ddod ar daith gyda ni. Mae'n siwr nad oedd y daith a'r cyfnodau hir oddi cartref o unrhyw gymorth i'r berthynas ar y pryd, ond o leiaf roedd gofynion y gwaith yn cynnig dihangfa i mi. Fe fûm i'n actio tywysoges am dri mis, a chael cwmni da pobl fel Iestyn Garlick, Valmai Jones, Gwynfryn Roberts ac yn y blaen. Fel gydag aelodau'r Caricature Theatre, roedd cael bod yn eu cwmni fel chwa o awyr iach.

Rwy'n cofio un noson yn arbennig wrth deithio'r panto. Cyrhaeddodd y criw Lanidloes ble'r oeddem am dreulio'r noson, ond oherwydd i ni gyrraedd yno ar awr mor hwyr, ffaelon ni â chael swper yn unman ac roedd pawb o'r criw ar lwgu. Sa i'n cofio pwy fentrodd i'r gegin, ond rwy yn cofio ymddangosiad y twrci yn y stafell. Dim byd arall, dim ond twrci anferth wedi ei rostio, ond roedd hwnnw'n ddigon o wledd i'r actorion llwglyd.

Wnaethon ni ddim llwyddo i roi perfformiad o unrhyw safon y diwrnod canlynol – mynnai pawb ddefnyddio'r gair twrci yn eu llinellau ar y llwyfan, a byddai pob un ohonom yn ein tro yn torri mas i chwerthin yn afreolus. Rwy'n siwr fod y gynulleidfa wedi meddwl fod y sgript fymryn yn anarferol, ond roedd hi'n Ddolig wedi'r cwbl!

Yn ystod fy nghyfnod gyda'r Caricature Theatre, roeddwn wedi dod yn gyfeillgar â merch o Streatham o'r enw Seldiy Bate – merch hynod oedd yn lliwio'i gwallt yn felyn ac yna'n taenu lliwiau amrywiol trwyddo gyda phinnau ffelt. Roedd hi'n bendant yn unigryw, ac yn ogystal â bod yn gwmni da, roedd hi hefyd yn gantores ac yn offerynwraig ddawnus. Roedd hi'n aelod o grŵp o'r enw Redbrass, a dywedodd wrtha i eu bod nhw'n chwilio am gantores fenywaidd gan ofyn a fyddai gen i ddiddordeb mewn ceisio am y swydd. Doedd dim rhaid iddi ofyn ddwywaith wrth gwrs, a thrwy ryw ryfedd wyrth bûm yn llwyddiannus.

Ro'n i wrth fy modd mewn ffordd, roedd gen i esgus arall i ddianc.

Treuliais bron i dair blynedd yn teithio gyda'r grŵp. Yn anffodus, doedden ni ddim yn ennill rhyw lawer o arian, dim ond rhyw £13 am bob gìg, ac ym 1977 doedd hynny ddim yn llawer. Roedd disgwyl i rywun dalu am ei gostau byw, yn fwyd ac yn ddiod a theithio allan o hynny, felly doedd fawr o arian yn weddill.

Ond roedd e'n brofiad heb ei ail, a heb y profiad hwnnw fyddwn i fyth wedi cwrdd ag Annie Lennox. Ymunodd hi â'r grŵp yn gymharol fuan ar fy ôl i, a dwi'n cofio bod ar y panel dewis yn ei chlyweliad. Roedd gweddill y grŵp fel minnau wedi dwlu arni, a thros y misoedd nesaf daethom yn dipyn o ffrindiau. Roedd hi'n ferch hyfryd iawn. Roedd hyn ymhell cyn iddi brofi llwyddiant byd-eang gyda'r grŵp Eurythmics. Daeth Annie a minnau'n ffrindiau da yn ystod cyfnod y band, cyfeillgarwch a barodd am flynyddoedd wedyn hefyd. Bryd hynny, yn ogystal â chanu gyda'r band, arferai weithio ym marchnad Camden. Roedd ganddi stondin yno, ac rwy'n cofio yr arferai ddod â'r holl ddillad maint bychan i mi, gan fy mod i'n ddim o beth bryd hynny. Doeddwn i ond yn pwyso rhyw chwe stôn, a byddai Annie'n dod â'r dillad ata i gan ddweud, 'Waeth i ti gael y rhain, achos alla i mo'u gwerthu nhw. Does 'na fawr neb mor fach â hynny.'

Mae llawer o'r dillad hynny'n dal gen i hyd heddiw, ond dydw i ddim mewn cysylltiad ag Annie rhagor gan ei bod hi bellach yn seren mor enwog.

Hyd yn oed yn ystod y cyfnod gyda Redbrass, roeddwn i'n parhau i berfformio gìgs amrywiol, ac roedd nifer fawr o'r gìgs hynny gyda Tich, Richard Dunn, John Morgan a Cat Croxford yng Nghymru. Band Heather Jones oedden nhw bryd hynny, ond ymhen amser fe gawson nhw enw mwy cofiadwy. Nhw oedd y Cynganeddwyr gwreiddiol. Am flwyddyn a hanner ro'n i'n perfformio gyda'r ddau grŵp, ac yn rhannu fy amser rhwng Llundain a Chaerdydd.

Nia Ben Aur

Syniad criw o ddynion ifanc talentog oedd y prosiect *Nia Ben Aur* – pobl fel Clive Harpwood, Iestyn Garlick, Tecwyn Ifan, Geraint Griffiths, Hefin Elis, Alun Sbardun Huws a Phil Bach. Roedden nhw wedi ysgrifennu sioe gerdd am Nia Ben Aur ac Osian, ac fe gomisiynwyd perfformiad ohoni ar gyfer Eisteddfod Genedlaethol Caerfyrddin ym 1974. Rwy'n credu i mi gael y rhan am mai fi oedd yr unig gantores Gymraeg ei hiaith oedd o'r oedran cywir ac â'r lliw gwallt cywir ar gyfer y rhan!

Roedd e'n brosiect newydd ac uchelgeisiol yn sicr, gyda chynrychiolaeth o bob rhan o Gymru ynghlwm â'r sioe. Rwy'n cofio, er enghraifft, mai dyma'r tro cyntaf i mi gwrdd â Sioned Mair a Caryl Parry Jones gan fod y grŵp Sidan – criw o ferched ifanc o Ysgol Glan Clwyd – hefyd yn rhan o'r sioe. Roedd yna fand mawr a chriw o fyfyrwyr o'r Coleg Cerdd a Drama hefyd yn rhan o gynhyrchiad *Nia Ben Aur*; roedd hi'n anferthol o sioe, a dweud y gwir, ac yn uchelgeisiol iawn. Wynford Elis Owen oedd yn cynhyrchu ac roedden ni'n ymarfer yng Nghanolfan yr Urdd ar Heol Conwy yng Nghaerdydd. Roedd hynny'n fy siwtio i i'r dim, wrth gwrs.

Yr unig beth a darfodd, i raddau, ar y pleser o gymryd rhan yn y fath sioe oedd y ffaith i mi ymrwymo i wneud gormod yn y cyfnod hwnnw. Roeddwn eisoes wedi cytuno i fod yn rhan o sioe arall i Theatr yr Ymylon ar gyfer wythnos y Steddfod, sef sioe *Beca a'i phlant*. Roedd Geraint yn rhan o'r sioe honno, ac actorion megis Olwen Rees a Dafydd Hywel. Wrth gwrs, roedd cydweithio â'r rheini'n apelio, ond roeddwn i'n daer eisiau bod yn rhan o'r sioe gerdd hefyd. Fe lwyddais i, yn y diwedd, i ddarbwyllo pawb y byddai'n ymarferol bosibl i fod yn rhan o'r ddwy sioe – roedd amseriad y perfformiadau yn fy ffafrio gan mai dim ond am un noson y byddai *Nia Ben Aur* yn y Pafiliwn.

Ar y noson fawr, bu'n rhaid trefnu *police escort* i mi trwy Gaerfyrddin er mwyn sicrhau 'mod i'n cyrraedd y Pafiliwn mewn da bryd i gamu ar y llwyfan. Fe berfformiais sioe *Beca* yn y theatr yng Ngholeg Caerfyrddin ac yna rhuthro draw i faes y Steddfod erbyn i'r llenni agor ar sioe *Nia Ben Aur*. Byddai sioeau nos y Steddfod yn dechrau'n weddol hwyr bryd hynny, ar ôl i'r cystadlu orffen am y dydd ac i'r technegwyr ailosod y llwyfan. Er hynny, roedd e'n golygu rhuthr gwyllt i mi, ac erbyn cyrraedd y Pafiliwn a dechrau ar y sioe, sylweddolais fod problem gyda rhai o'r offer sain.

Yr hyn rwy'n ei gofio fwyaf am y noson fawr oedd i Clive Harpwood, oedd yn chwarae rhan Osian, dreulio'r sioe gyfan yn canu i fy mronnau gan mai yn y fan honno yr oedd fy meicroffon i a chan nad oedd ei un e'n gweithio. Rwy'n siwr fod y gynulleidfa'n tybio ein bod ni'n dau yn arbennig o gariadus! Yn ôl pob tebyg, bu ymdrechion Clive a minnau yn ofer – yn yr adolygiad o'r sioe yn y *Western Mail* y diwrnod canlynol, cefais wybod 'mod i'n 'edrych yn dda ond nad oedd posib fy nghlywed i'n canu', felly'n amlwg doedd fy meicroffon innau ddim yn gweithio chwaith.

Diolch byth, doedd yna ddim problemau felly yn stiwdio Sain pan gafodd y cast wahoddiad yno gan Huw Jones i recordio'r sioe yn ddiweddarach. Y record honno, yn hytrach na pherfformiad Eisteddfod Caerfyrddin, fu'n gyfrifol am y ffaith i'r sioe fod yn llwyddiant ysgubol, rwy'n meddwl.

Ddeng mlynedd ar hugain wedi'r noson ryfedd honno ym Mhafiliwn yr Eisteddfod, daeth cast *Nia Ben Aur* at ei gilydd eto yng Ngŵyl y Faenol, gan dystio i boblogrwydd a hirhoedledd y sioe. Roedd honno'n noson arbennig iawn, yn wefreiddiol a dweud y gwir, a'r derbyniad i'r caneuon yr un mor wych ag erioed.

Diweddgan

Roedd y cyfnod rhwng '77 ac '80 yn bendant yn gyfnod anodd iawn yn fy mywyd; mae'n gyfnod na fyddwn i'n dymuno ei ailadrodd am bris yn y byd. I ddechrau, bu farw 'Nhad, cannwyll fy llygad a pherson oedd wedi cynnig cadernid cyson yn fy mywyd ar hyd y blynyddoedd. Roedd gen i feddwl y byd ohono, a phan fu farw fe'm trawyd oddi ar fy echel yn llwyr.

Bu farw o gancr yn gwbl annisgwyl yn Chwefror 1977 ac fe'm sigwyd gan y newyddion. Wedi hynny, doeddwn i ddim am fod yn unlle ond yng Nghaerdydd. Er na fues i 'rioed yn byw yn Llundain ro'n i'n aros yno gryn dipyn tra oeddwn yn perfformio gìgs ac ati, ond yn sydyn doeddwn i ddim am wneud hynny rhagor. Ro'n i am ddod 'nôl adref ac aros adref, ro'n i'n moyn bod yn agos at Mam ac at Lisa, ac felly dyma benderfynu rhoi'r gorau i'r band yn Llundain.

Feddyliais i erioed y byddai marwolaeth fy nhad yn profi'n ergyd mor galed. Roedd e'n teimlo fel petai un o sylfeini fy mywyd wedi mynd, wedi'm gadael. Fi oedd ei dywysoges fach e, ac roedd e wedi gwneud popeth i mi ers chwarter canrif a mwy. Roedd e wedi gofalu am bob dim. Fe gymerodd yr awenau wedi i mi ganfod 'mod i'n disgwyl a threfnu rhywle i ni fyw. Tra llethwyd fy mam gan y newyddion, fe 'sgwyddodd Dad yr holl faich yn ddirwgnach, a fu iddo 'rioed edliw hynny i mi'r un waith. Edrychodd ar f'ôl i ac ar ôl Lisa wedyn, a bu iddo fy ngyrru ar hyd a lled Cymru ganwaith drosodd wrth fy nhywys i gyngherddau a gìgs yn dragywydd. Roedd yr oriau yna ar y lôn yng nghwmni'n gilydd wedi meithrin cyfeillgarwch dyner rhyngom, cyfeillgarwch oedd ymhell tu hwnt i berthynas tad a merch arferol. Roedd f'amddiffynfa, fy nghraig, fy nihangfa wedi diflannu ac yn sydyn ro'n i ar fy mhen fy hun.

Wyddwn i ddim fod cancr arno fe a'i fod e am farw bron tan y diwedd un. Wyddai yntau ddim chwaith, dwi'm yn credu. Roedd fy mam a'm brodyr yn gwybod, ond rwy'n meddwl iddyn nhw gytuno i gadw'r newyddion oddi wrtha i – roedden nhw'n gallu gweld, mae'n debyg, na fyddwn i'n gallu delio â'r peth o gwbl.

Doedd Dad ddim yn iach ers sbel. Roedd e wedi treulio cyfnod byr yn ysbyty'r Heath oherwydd trafferthion 'da'r stumog, ac er iddo wella a chael dod gartre, roedd e wedi cael cymhlethdodau byth er hynny.

Unrhyw adeg yr holwn i Mam am y peth, ei hateb hi oedd ei fod e'n diodde o *gallstones* neu rywbeth tebyg. Wnaeth hi 'rioed ddefnyddio'r enw dychrynllyd hwnnw a gychwynnai efo 'C' yn fy ngŵydd i, ond roedd yn amlwg, hyd yn oed i mi, fod rhywbeth mawr yn bod arno, fod rhywbeth o'i le. Mewn pwl o rwystredigaeth, fe drefnais i apwyntiad gydag arbenigwr fy nhad, gan obeithio mynd at wreiddyn y gwir. Rwy'n cofio'i eiriau hyd heddiw.

'Well, I don't know what your mother and brothers have told you, Mrs Jarman, but your father has cancer. He may live a year, he may only live six months. I'm very sorry ...'

Fis yn ddiweddarach bu farw Dad.

Roedd yr ergyd gymaint caletach am nad o'n i'n ei disgwyl hi. Roedd e'n rhy ifanc i'n gadael ni, roedd ei fam e'n fyw o hyd. Roedd hi lan yn Ysbyty'r Heath ar ôl dioddef strôc, ond roedd hi wedi goroesi ei mab. Sylweddolais nad oedd neb wedi rhoi gwybod iddi am farwolaeth fy nhad, felly fe gynigiais fynd i'w gweld hi a thorri'r newydd drwg iddi.

Cerddais o gartre fy rhieni yn Ffordd Sant Brioc i'r ysbyty a mynd i eistedd wrth erchwyn ei gwely. Cydiais yn ei llaw a thorri'r newydd fod ei mab wedi marw. Fedrai hi ddim ymateb o gwbl oherwydd y strôc, ond wna i fyth anghofio'r dagrau. Dim emosiwn ar ei hwyneb, dim ystum o dristwch, dim smic o sŵn, dim ond y dagrau'n llifo'n rhydd. Afonydd tawel ar ei gruddiau oedd yn adrodd cyfrolau.

Dair wythnos yn ddiweddarach bu hithau farw. Wedi'r newyddion am farwolaeth ei mab, dwi'n tybio iddi ildio'n llwyr a rhoi'r gorau i frwydro mlaen.

Roedd honno'n flwyddyn galed iawn. Ar ôl colli 'Nhad a Nanna ym misoedd Chwefror a Mawrth, fe gollais ffrind agos ym mis Ebrill pan fu farw Ryan Davies. Yna ym mis Tachwedd bu farw f'athrawes ganu o gancr y gwddf, felly roedd yn ddeuddeg mis o golledion anodd tu hwnt.

Ro'n i'n dal i ganu yn Gymraeg, yn dal i berfformio gydag amrywiol gwmnïau ac yn dal i deithio a gigio, ond roedd bywyd yn fwrn. Yn ogystal â cheisio dygymod â galar, allwn i ddim anwybyddu'r peth rhagor, roedd y berthynas rhyngof i a Geraint ar ei gliniau.

Un arall o'r ymrwymiadau yr oeddwn i'n dal i'w gwneud yn achlysurol oedd y perfformiadau ar *Pebble Mill at One*. Gan fod y sioe yn cael ei darlledu'n fyw, roedd angen bod yno cyn ganol bore i baratoi ar ei chyfer, i glywed cyfarwyddiadau'r tîm cynhyrchu, i ddewis gwisgoedd a chael colur ac ati, yn ogystal â gwneud *sound check* ac ymarfer wrth gwrs. Golygai hynny 'mod i'n codi gyda'r wawr ar y dyddiau hynny, ac yn gadael Caerdydd ar drên cyn wyth y bore.

Roedd hi'n siwrne yr o'n i wedi ei gwneud sawl gwaith o'r blaen, ac ro'n i'n gwbl ffyddiog y byddwn i'n cyrraedd y stiwdio mewn da bryd, felly buan yr ymlaciais a dechrau mwynhau'r daith. Ychydig cyn hanner ffordd, penderfynais gymryd tro bach i'r cerbyd bwffe i nôl paned. Ar wahân i'r ferch tu ôl i'r cownter, dim ond un arall oedd yno: dyn tal, llond ei groen oedd yn ceisio penderfynu pa frechdan i'w dewis. Gofynnais am baned o de, ond chafodd y ferch ddim amser i ateb. Daeth y glec fwyaf arswydus a glywais i erioed a chefais fy nhaflu'n ddiseremoni ar lawr. Yn fechan fel ag yr own i, byddai'r ysgytwad wedi bod yn ddigon ond daeth fy nghyd-deithiwr, y dyn gyda'r frechdan, i'm canlyn gan lanio arna i a'm llorio eilwaith.

Mae'n rhyfedd sut mae munudau'n troi'n oriau ac oriau'n troi'n funudau ar adegau. Mae'n debyg i'r sioc barlysu fy ymateb am ennyd, ond buan y cefais fy ysgwyd o'm parlys. Wedi sicrhau fy nghyd-deithiwr a mi fy hunan 'mod i'n dal mewn un darn, nad oedd yna'r un asgwrn wedi ei dorri, fe gododd y ddau ohonom a mynd at y ferch fu'n gweini arnom eiliadau ynghynt. Roedd hi ar lawr, yn griddfan mewn poen. Roedd hi wedi cwympo i ganol poteli a gwydrau oedd wedi torri'n deilchion o'i chwmpas ac roedd hithau druan yn sgriffiadau gwaedlyd o'i chorun i'w sawdl – yn enwedig ei dwylo wrth iddi geisio ei harbed ei hun wrth lanio.

Ro'n i wrthi'n ei chynorthwyo pan ddechreuodd pethau fynd yn swreal iawn. Wrth edrych drwy'r ffenest yr unig beth a welwn oedd lluniau papur newydd a chylchgronau yn dangos merched noeth a bronnog. Un ar ôl y llall yn chwyrlïo heibio i ni. O dipyn i beth, cyrhaeddodd yr hanes i'r cerbyd. Roedd y trên wedi taro yn erbyn lori ludw oedd wedi torri i lawr ac yn sefyll ar y cledrau. Roedd y gwrthdaro wedi troi'r lori ar ei hochr, gan chwydu ei chynnwys ar hyd y rheilffordd a'r caeau cyfagos, a'r hyn a welwn i oedd y sbwriel ysgafnach, papurau newydd a chylchgronau yn chwyrlïo heibio i'r ffenestri.

Wn i ddim pa mor hir y buom yn aros yno am gymorth. Doedd amser ddim yn bod, ond o dipyn i beth cyrhaeddodd y gwasanaethau brys, ac wrth ddadebru a chanfod nad oedd anafiadau'r ferch wrth fy ochr yn rhy ddifrifol, dechreuais gofio fod amser yn bwysig iawn i mi y bore hwnnw.

Am faint fydden ni'n llonydd cyn ailgychwyn? A fydden ni'n ailgychwyn o gwbl? A fyddwn i'n gallu cyrraedd y stiwdio mewn da bryd? Roedd hyn cyn dyddiau'r ffonau symudol a doedd dim ffordd o gael neges i'r BBC. Erbyn un ar ddeg, roedd camerâu newyddion wedi cyrraedd, ac rwy'n cofio i rywun wthio camera yn fy wyneb a minnau'n daer yn ceisio egluro 'mod i ar y ffordd i Birmingham ar gyfer *Pebble Mill.* Rwy'n cofio erfyn arno i geisio cael neges drwodd i'r stiwdio rywsut. Y criw newyddion ddywedodd wrtha i fod tri wedi eu lladd ac eraill wedi eu hanafu'n ddifrifol iawn yn y ddamwain, ond wnes i ddim llefain bryd hynny. Ro'n i'n dal mewn sioc mae'n siwr.

Yn y diwedd, roedd hi bron yn saith o'r gloch y nos arnom yn cael cychwyn am adref, ac yn nes at ddeg arna i'n cyrraedd 'nôl i Gaerdydd. Fe es i gasglu Lisa ac yna cropian i'r gwely ar fy mhen fy hun a phob asgwrn a chyhyr yn ddolurus. Doedd dim sôn am Geraint ond doedd dim yn anghyffredin yn hynny. A dyna danlinellu gwirionedd ein priodas. Dechreuais lefain. Roedd y dagrau'n gymysgedd o sioc, o ddychryn, o dristwch, o siom ac o ddicter nad oedd fy ngŵr i yno i mi ar yr adeg pan oeddwn i ei angen e fwyaf. Wyddwn i ddim ble'r oedd e, ond fe wyddwn i'n iawn nad oedd gen i neb i boeni amdana i, neb i esmwytho digwyddiadau'r dydd o'm hesgyrn a'm cofleidio. Ceisiais gysuro fy hun wrth feddwl am deuluoedd y rhai a fu farw: doedd gen i ddim oll i gwyno amdano mewn cymhariaeth, ond doedd dim osgoi'r peth mwyach. Ar fy mhen fy hunan yn oriau mân y bore, fe wynebais i o'r diwedd nad oedd yna achub i'r berthynas.

Pan ddaeth y diwedd un, doedd hi'n fawr o syndod, a dweud y gwir. Ro'n i'n drist, wrth gwrs fy mod i, ond mae'n debyg fod yna ronyn o ryddhad hefyd. Roedd wedi bod yn gyfnod anodd, a'r straen o geisio achub y briodas a chadw wyneb wedi bod yn aruthrol ar y ddau ohonom.

Y noson y bu i Geraint adael fe chwiliais innau am gysur mewn Babycham a brandi, ac erbyn tua 8.30 ro'n i wedi meddwi. Roeddwn wedi trefnu cwrdd â Geraint yn nhafarn yr Uncorn oedd allan yn y wlad ger Llanedeyrn i 'siarad' ond buan yr aeth pethau'n flêr yn fan'no. Rhuthrais allan yn fy nagrau, ac oherwydd y Babycham a'r brandi mae'n debyg, roeddwn wedi rhoi fy mryd ar fynd i Lundain, felly dyma geisio anelu am yr M4, dros gloddiau a thrwy gaeau, ac yn fy stad feddwol wrth gwrs, bu i mi gwympo ar sawl achlysur – yn glewt i ganol mwd.

Roeddwn i'n fwd drosta i, ac fe gollais fy sgidiau a'm bag llaw yn rhywle.

Rywsut, fe'm canfyddais fy hun yn crwydro'r draffordd, ac mae'n debyg i rywun fy ngweld yn fan'no, gyda'r dagrau'n powlio lawr fy ngruddiau, a ffonio'r heddlu. Fe gyfaddefon nhw wedyn iddyn nhw dderbyn sawl galwad ffôn yn adrodd fod 'merch a golwg wyllt arni yn crwydro'r draffordd yn droednoeth'! Cyn i'r heddlu gael gafael arna i, ro'n i wedi dod oddi ar y draffordd ac wedi canfod fy ffordd at westy'r Post House yn Llanedeyrn.

Wedi cyrraedd y fan honno, baglais i mewn i'r cyntedd a chwympo i freichiau'r gŵr oedd â dyletswydd rheolwr y noson honno. Ro'n i'n torri 'nghalon, ac fe adroddais yr holl hanes wrtho, am sut oedd fy mhriodas wedi chwalu a'm gŵr wedi fy ngadael. Chwarae teg iddo, fe edrychodd ar fy ôl i, gan fy hebrwng i stafell ochr a'm rhoi i orffwys yn y fan honno, cyn mynd i ffonio rhywun i ddod i'm nôl. Wna i byth anghofio caredigrwydd y gŵr hwnnw. Byddai llawer un wedi arswydo o'm gweld yn camu trwy ddrysau'r gwesty crand hwnnw, a sawl un wedi fy nhroi ar fy sawdl a'm gyrru 'nôl allan i'r nos. Ond fyddai'r gŵr hwn ddim wedi gallu fy nhrin yn well pe bawn i'n un o'i westeion pwysicaf.

Ta waeth, daeth ffrind i mi, Dave Pierce, i'm casglu, ac ar y ffordd adref fe aeth ar hyd yr holl lonydd cefn yn y gobaith o ddod o hyd i'm bag a'm sgidiau, ond doedd dim golwg ohonynt yn unlle. Yna, yn gwbl ddirybudd, dyma olau glas yr heddlu'n dod rownd y tro i'n cyfarfod. Buan y cawsom ar ddeall mai chwilio amdana i yr oedden nhw a bod fy eiddo eisoes yn yr orsaf leol!

Wedi dweud yr holl stori wrthyn nhw, roedden nhw'n garedig tu hwnt, a dyma ddau heddwas ifanc yn fy hebrwng i adre, gan aros gyda mi nes oeddwn i'n teimlo ychydig yn well. Chyfeiriodd yr un o'r ddau at y rhesiad o blanhigion amheus oedd yn tyfu ar y silff ben tân yn yr ystafell fyw!

Wrth adael, dyma un ohonyn nhw'n dweud wrtha i am geisio gorffwys, ac y byddai'n dod yn ei ôl y diwrnod canlynol i wneud yn siwr 'mod i'n iawn. Fe gadwodd at ei air. Dychwelodd y bore wedyn ond wn i ddim ai poeni amdana i'r oedd e neu achub ar ei gyfle gan iddo ofyn i mi fynd allan ar ddêt gydag e! Doedd ei amseru ddim yn arbennig o dda, a doedd ei gais ddim yn arbennig o sensitif o dan yr amgylchiadau! Gwrthod wnes i wrth gwrs, a chau'r drws arno. Trois yn ôl i wynebu'r ystafell fyw wag a sylwi fod y planhigion ar y silff ben tân wedi gwywo. Rhag i chi feddwl hynny, nid rhyw arwydd o gydymdeimlad gyda'r briodas wywedig oedd y planhigion yn ei gynnig. Dim o gwbl. Yn fy nicter y noson gynt ro'n i wedi tywallt potel gyfan o Domestos hyd-ddynt.

Erbyn y diwedd, roedd Geraint yn mwynhau llwyddiant gyda band roc y Cynganeddwyr ac wedi dod yn boblogaidd iawn, iawn. Roedd e fel pe bai wedi fy ngoddiweddyd, a dweud y gwir. Un funud roeddwn i ar y brig, yn mwynhau cael fy nghyfres deledu fy hun tra oedd e'n actor ifanc yn cael trafferth dod o hyd i waith, ac yna'r funud nesaf roedd popeth wyneb i waered. Roedd sylw pawb wedi ei hoelio arno fe, a neb â'r diddordeb lleiaf yn yr hyn yr oeddwn i'n ei wneud. Roedd yn anodd dygymod â hynny, a bod yn gwbl onest.

Fe'm llethwyd gan dristwch a rhyw derfynoldeb pan ddaeth ein perthynas i ben. Ro'n i'n teimlo'n fethiant llwyr. Collais bob mymryn o hunan hyder oedd gen i. Roedd diwedd terfynol y briodas gyda Geraint fel pe bai wedi gwthio pob diferyn o egni allan ohona i. Am rai misoedd fe fethais wneud dim byd, ond yn raddol bach, dechreuais ail-gryfhau.

Gyda Geraint bellach yn rhan mor hanfodol o'r sîn Gymreig, yr unig ffordd y gallwn i feddwl am ymdopi â bywyd oedd trwy ddechrau o'r newydd, trwy adael popeth oedd yn gyfarwydd i mi ar ôl, felly dyna a wnes i, fwy neu lai. Penderfynais gamu allan o'r byd perfformio yng Nghymru yn gyfangwbl a chanolbwyntio yn hytrach ar wneud bywoliaeth trwy gyfrwng y Saesneg.

Rhosod a Gwin

Bydd rhai sy wedi profi tor-priodas yn gwybod fod y misoedd cyntaf yn rhai tywyll a chymhleth iawn. Mae amgylchiadau pawb yn wahanol wrth gwrs, ond roeddwn i'n teimlo'n fethiant. Roedd fel pe bai fy holl hanes bron ynghlwm â Geraint, ac er gwaetha'r twyll a'r siomedigaethau amrywiol a fu'n rhan o'n perthynas ar adegau, ro'n i'n dal i'w garu fe. Does dim dwywaith am hynny.

Wedi'r gwahanu, roedd dod i delerau gyda therfynoldeb pethau'n anodd. Doeddwn i ddim yn teimlo fod gen i'r egni i ddelio â fawr ddim byd arall. Roedd y ffaith ein bod ni'n dau yn bobl mor 'gyhoeddus' rywsut yn gwneud pethau'n waeth, ac rwy'n cofio i mi fyw fel meudwy braidd, yn osgoi ymddangos yn unman ac yn cadw allan o ffordd pawb. Oni bai am Mam, fe fyddwn i wedi gadael Cymru yn gyfangwbl yn y cyfnod cynnar hwnnw – fe fyddai'n hawdd troi cefn ar bopeth, diflannu … dianc … ond fedrwn i ddim gadael Mam. Ro'n i wedi fy narbwyllo fy hunan ei bod hi fy angen i a hithau'n dal i ddod i delerau â cholli Dad, ond wrth edrych 'nôl, y gwir yw mai fi oedd ei hangen hi, mae'n siwr.

Roedd yna ddicter wrth gwrs, ro'n i'n ddig iawn 'da Geraint am gerdded mas, am ein gadael ni'n dwy, ond fe ddefnyddiais i'r dicter hwnnw. Dyna'n sicr a'm galluogodd i fod yn gadarn ynghylch peidio â gweld Geraint am sbel. Welais i na Lisa mohono fe am gwpwl o fisoedd a fu dim cysylltiad o gwbl rhyngom yn y cyfnod hwnnw.

Waeth pa mor grac oeddwn i 'da fe, allwn i ddim osgoi'r hiraeth amdano chwaith. Roedd yr hiraeth bron fel poen gorfforol ar adegau a byddai angen ymdrech aruthrol i ymysgwyd ohono. Mae gen i atgof clir iawn o fod yn eistedd yn ffenest caffi yng nghanol Caerdydd ychydig wythnosau wedi i ni wahanu. Eistedd yno ar fy mhen fy hun oeddwn i, yn anwesu cwpanaid o goffi pan ddigwyddais godi 'mhen a sylwi ar Geraint yn pasio heibio. Welodd e mohono i, diolch byth, ond rwy'n cofio syllu ar ei gefn cyfarwydd e'n pellhau a minnau'n methu rheoli'r dagrau.

Fe gymerodd amser, ond yn raddol, dros gyfnod o fisoedd, dechreuais ailymddiddori mewn rhai agweddau o fywyd. Ro'n i'n fy atgoffa fy hun yn aml fod yn rhaid i mi atgyfnerthu ac ymwroli os oeddwn am fod yn fam dda i Lisa.

Hysbyseb yn y papur fu'n gyfrifol am aildanio'r awydd i weithio ynof fi. Hysbyseb gan fand *cabaret* Saesneg o'r enw Wine and Roses oedd yn chwilio am aelod ychwanegol i'r grŵp. Roeddwn i'n chwilfrydig, ond, a minnau ar fy mhen fy hun bellach, roeddwn i hefyd yn pryderu tybed a fyddai hyn yn ymarferol bosibl o safbwynt gofalu am Lisa? Unwaith eto, Mam achubodd y dydd. Mae hi bob amser wedi deall mor bwysig yw hi i mi gynnal cydbwysedd rhwng bod yn fam a bod yn berfformwraig. Yn fwy na dim, mewn cyfnod mor emosiynol dywyll, roedd hi'n gallu gweld y byddai dechrau canu eto'n gam pwysig i mi, ac yn help wrth i mi ailddiffinio fy hun a bwrw iddi i adeiladu bywyd newydd. Roedd Mam hefyd yn dwlu ar gwmni Lisa, yn enwedig felly yn y cyfnod cynnar ar ôl colli Dad.

Mynychais glyweliad, llwyddo yn y clyweliad hwnnw a chael cynnig bod yn aelod o'r band. O safbwynt personol, dyna'r peth gorau allai fod wedi digwydd i mi yn y cyfnod hwnnw. Roedd cael gweithio gyda chriw newydd o bobl mewn amgylchiadau hollol wahanol i'r sîn Gymraeg yn feddyginiaeth effeithiol iawn ac yn falm ar glwyfau'r misoedd diwethaf. Ar y pryd, roedd e'n ymddangos yn syniad synhwyrol dros ben, ond o safbwynt gyrfaol, efallai mai dyna'r peth gwaethaf y gallwn i fod wedi ei wneud. Fe giliais o olwg y cyhoedd Cymraeg, a rhoi cyfle iddyn nhw anghofio amdana i.

Rhyw fath o fand teyrnged i Abba oedd Wine and Roses. Roedden nhw wedi bod yn chwilio am gantores oedd hefyd yn gallu chwarae gitâr, felly roedden ni'n gweddu i'n gilydd i'r dim. Roeddwn i'n gallu cynnig rhywbeth iddyn nhw a hwythau'n cynnig trywydd newydd i minnau. Ro'n i'n canu eto, yn dechrau teimlo'n fwy hyderus a sefydlog, ac roedd criw Wine and Roses yn gwmni da. Buan y daethom yn ffrindiau agos. Roedd y criw yma – Marie, Phil a Mark – wedi dod â gwên yn ôl i'm hwyneb ac roedd hi'n hwyl gwisgo lycra tyn neu ddillad sgleiniog satin a chanu caneuon poblogaidd oedd yn ennyn ymateb da gan y cynulleidfaoedd. Roedden ni hefyd yn cynnal sioe oleuadau ar y llwyfan ac roedd e'n sbort i fod yn rhan o rywbeth fel yna, ac yn sicr yn brofiad cwbl newydd i mi.

Drymiwr ffantastig o Gaerffili oedd Mark, ond o fewn ychydig wythnosau i mi ymuno â'r band dechreuais synhwyro fod yna rywfaint o anniddigrwydd ymhlith y rhengoedd. Roedd Mark newydd ddechrau perthynas gyda merch oedd yn amlwg yn ddylanwadol arno, ac erbyn deall roedd hi'n anhapus ei fod e'n treulio cymaint o'i amser yng nghwmni merch sengl – sef fi! Mae gofidiau felly'n ddigon cyffredin, er yn aml yn ddi-sail. Gall fod yn anodd i rywun o'r tu allan i'r diwydiant fod yn gysurus â'r syniad o griw o bobl sy â pherthynas agos ac sy yng nghwmni ei gilydd tan oriau mân y bore sawl gwaith yr wythnos. Roedd Mark, druan ag e, mewn cyfyng-gyngor, ac yn gorfod dewis rhwng ei berthynas newydd a'r band. Y berthynas aeth â hi. Wrth gwrs, roedden ni i gyd yn drist o'i golli, a bu'n rhaid i'r grŵp chwilio am ddrymiwr arall ar frys. Dyna pryd y daeth Dave Coates i'm bywyd am y tro cyntaf.

Roedd e'n ddrymiwr talentog, a fe oedd y dewis perffaith i gamu i sgidiau Mark. Gan nad oedd Dave yn berchen ar gar, ro'n i'n ei gasglu fe a'i gyrchu i unrhyw gìg oedd gennym, ac ar ôl cyfnod sylweddol o rannu siwrneiau, cyfaddefodd Dave wrthyf ei fod e'n cwympo mewn cariad â mi. A dweud y gwir, doedd ei ddatganiad ddim yn gwbl annisgwyl. Ro'n innau wedi dod yn hoff iawn ohono yntau hefyd, a'r amser yr oeddem yn ei dreulio yn y car gyda'n gilydd, jyst ni'n dau, wedi golygu inni glosio mewn cyfnod gweddol fyr.

Ar ôl bron i flwyddyn o berfformio gyda Wine and Roses, roedd yr hen ysfa honno i berfformio yn Gymraeg yn dechrau gwthio'i ffordd 'nôl i'm meddwl i, ond fe gymerais hynny fel arwydd da. Ro'n i'n teimlo'n well, felly.

Rwy'n tybio 'mod i'n gwybod o'r dechrau cyntaf mai canu gwerin Cymraeg oedd fy ngwir gariad. Doedd gen i fawr o ddiddordeb mewn gwneud gyrfa o berfformio yn Saesneg mewn gwirionedd, er y bu'n ddihangfa angenrheidiol i mi am gyfnod. Wrth i'r flwyddyn gyntaf gyda'r grŵp ddod i ben, fe wyddwn na fedrwn i anwybyddu'r ysfa rhagor. Roedd fy nghalon yn perthyn i berfformio yn Gymraeg, a phenderfynais roi cynnig ar gamu'n ôl i'r sîn Gymreig.

Haws dweud na gwneud. Roedd rhaid i mi ddechrau o'r dechrau unwaith yn rhagor. Yn y flwyddyn y bues i ffwrdd, roedd ton o leisiau ac wynebau newydd wedi ymddangos ar y sîn. Un o'r rhain oedd Caryl Parry Jones. Nid yn unig yr oedd hi'n canu, roedd hi hefyd yn actio, yn barddoni ac yn gomedïwraig heb ei hail, ac roedd pawb yn dwlu arni. Roedd ganddi'r 'je ne sais quoi' ychwanegol hwnnw oedd ar goll yn y gweddill ohonom.

Fu hi ddim yn hawdd ailsefydlu fy hun fel perfformwraig, yn enwedig â chyn lleied o ferched yr un oed â mi'n gwneud yr un peth ar y pryd.

Mae e'n fwy derbyniol erbyn hyn, ond bryd hynny roedd pobl yn tueddu i feddwl fod rhywun – merch yn enwedig – wedi gweld ei dyddiau gorau erbyn cyrraedd ei deugeiniau. Doedd dim dewis gen i ond dechrau ar y gwaelod ac ailadrodd yr hen broses honno o berfformio mewn ciniawau a chyngherddau.

Am gyfnod, ar ddechrau'r wythdegau, treuliais sbel yn perfformio yn Gymraeg mewn gwahanol leoliadau ar draws Caerdydd, gyda Dave ar y drymiau ac ambell un arall yn ymuno â mi'n achlysurol, ond doedd gen i ddim amheuaeth na fyddai'n rhaid i mi weithio'n galed iawn i geisio adennill fy lle.

Tanlinellwyd hynny pan gefais gynnig i ymddangos ar y teledu eto ym 1982. Doedd hynny ddim yn newyddion mor dda ag y byddech chi'n ei ddisgwyl. Yn y rhaglen gyntaf honno wedi fy *comeback*, ro'n i'n lleisydd cefndir i ganwr oedd heb glywed amdana i erioed o'r blaen. Roedd fel pe bai'r diwydiant wedi anghofio amdana i'n llwyr.

Mam a Dad ar ddiwrnod eu priodas, 4 Medi 1940.

ble y'm magwyd ar St
Rd. Tynnwyd y llun tua
, cyn i dai eraill gael eu
iladu ar y stryd. Mae
yn dal i fyw yno hyd
iw.

Gyda'm brawd, Gareth.

Yn 6 oed, yn fy
ffrog 'Gwanwyn'
ar gyfer cyngerdd
yr ysgol.

Fi a Susie, ffrindiau gorau, ar
gychwyn i Barc y Rhath i
bysgota yn y llyn!

Llun ysgol – tua 9 oed.

Fy mharti pen-blwydd yn 8 oed.
Susie, fi ac Angela Morgan yn y
rhes flaen, a Janice Dufty a Helen
Rees yn y rhes gefn.

Fy mrawd hynaf, Malcolm,
neu Mac fel y mae pawb yn ci
nabod, gyda'i gar cyntaf.

tua 13 oed, ar y rhodfa tu
as i'r tŷ yn St Brioc Rd.

Yn yr eira ym 1963.

Helen Rosser, Barbara Morgan a fi
ar ymweliad â Llangrannog.

Gwasanaeth Dydd Gŵyl
Dewi Ysgol Ton-Yr-Ywen –
fi yw'r ferch sy'n cario'r 'R'.

Fy ymddangosiad cyntaf ar y teledu,
ar *Hob y Deri Dando*, 1966.

Geraint Jarman a fi. Tynnwyd y
llun yn Glan-llyn.

Aelodau grŵp Y Meillion 1967: Rhian Roberts, Beryl
Lloyd Jones, fi, Tanwen Jarman ac Eluned Rees.

...eraint a fi, gyda chwiorydd Geraint – Tanwen a Catrin – a Mari Herbert ...y dde, ar ein gwyliau mewn carafan yng Ngheinewydd, 1968.

Fy ffrindiau ar drip ysgol i Sw Bryste. O'r chwith i'r dde – Georgina Austin, Lyn Ackerman, Eluned Rees a Margaret Gage.

Yn ddarpar athrawes gyda phlant Ysgol yr Eglwys yng Nghymru, Malpas, yn ystod fy nghyfnod yng ngholeg Caerllion.

Y Bara Menyn –
tynnwyd y llun tu
allan i adeiladau
Caerforiog,
cartref Meic a
Tessa yn Solfach.

Fi a Mari Gruffydd,
Ponrhydfendigaid, 1968.

Mwy o'r Bara Menyn!

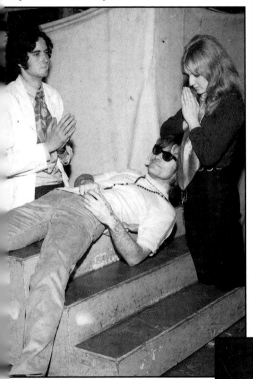

Fi a Seldiy Bate yn ystod fy
nghyfnod gyda'r Caricature
Theatre.

Wine and Roses – fi a Dave Coates ar y chwith,
a Phil a Marie Turner.

Llun trwy garedigrwydd
Anthony Charles.

Gydag Iestyn Garlick yn actio ym
mhantomeim *Pwyll Gwyllt*, 1975.

Fi a Lisa, y ddwy ohonom wedi
ein gwisgo mewn cotiau trendi!

Lisa a Geraint.

Hin Deg – Fi, Mike Lease a Jane Ridout.

Llun trwy garedigrwydd
Anthony Charles.

Llun trwy garedigrwydd Harry Thomas.

Yn y gôt wen –
diolch Eiry!

106

Stage Fright – grŵp a ffurfiwyd i berfformio
mewn clybiau. Dave ar y chwith, fi, John
Jenkins (tu ôl i mi) a Colin Hopkins
(Choppo).

Dave a minnau ar ddiwrnod ein priodas.

Sam, tua phump oed.

Gyda Heledd, fy wyres, a
Sam ar faes yr Eisteddfod.

Megan

Hin Deg

Ym 1982 roeddwn i'n un o sefydlwyr grŵp traddodiadol Gymreig. Ni allai Wine and Roses a Hin Deg fod yn fwy gwahanol i'w gilydd, ac ro'n i'n croesawu hynny. Daeth y grŵp i fodolaeth yn dilyn sgwrs gefais i gyda Mike Lease, gynt o'r Hwntws. Roedd e wedi gorfod gadael y grŵp hwnnw oherwydd rhesymau personol ac roedd e'n awyddus i greu grŵp o'r newydd, grŵp traddodiadol ei naws, ac yn chwilio am rywun i ganu ynddo. Dyna ddechrau ar Hin Deg – grŵp tri aelod, Jane Ridout, Mike Lease a minnau.

Bues yn ffodus iawn i gael y cyfle i gydweithio â'r ddau yma, ac roedd y profiad yn un braf a chwbl ddiymdrech. Mewn dim o dro, roedd yna gynigion gwaith amrywiol yn llifo i mewn, o raglenni teledu i ymddangosiadau mewn gwyliau megis y Cnapan, Gŵyl Werin Dolgellau, Gŵyl Werin Pontardawe a pherfformiadau di-rif mewn clybiau gwerin ac ati. Ambell waith, gan ddibynnu ar ba fath o gìg yr oeddem yn ei chwarae, bydden ni'n gwahodd eraill i ymuno â ni. Rwy'n cofio un achlysur i mi berfformio 'Cân y Copar Ladis' ar y teledu ar raglen o'r enw *Gwraidd y Gainc* gyda Mike Lease a Tich Gwilym. Roedd Tich yn ffrind da i mi ac yn eithriadol o dalentog – fe fu'n aelod o fand Heather Jones cyn ymuno â'r Cynganeddwyr a chyn i Geraint ddechrau ar ei yrfa canu roc. Wrth gwrs, erbyn cyfnod Hin Deg, roedd Tich yn chwarae'n gyson gyda Geraint ac felly roedd gofyn bod yn sensitif – dim ond yn achlysurol y gallen ni ei wahodd i chwarae gyda ni! Y tro hwn, roedd Tich yn chwarae'r *charango*, nid y gitâr drydan.

Ro'n i'n aml yn canfod fy hun yn meddwl mor braf oedd perfformio gyda rhywun oedd mor dalentog, mor frwdfrydig ac mor broffesiynol â Mike Lease. Byddai Stephen Rees (Ar Log) ac Iolo Jones yn mynd ato am wersi ffidil, a fe oedd meistr yr offeryn hwnnw yn ddi-os. Roedd Jane hithau'n wych hefyd, yn ferch dalentog ac yn gwmni da. Roedden ni'n ffrindiau cadarn, yn deall ein gilydd i'r dim, a chyd-ddigwyddiad hyfryd oedd i Jane a Mike syrthio mewn cariad yn ystod ein cyfnod gyda'n gilydd.

Roedd blynyddoedd Hin Deg yn flynyddoedd da; roedden nhw'n flynyddoedd a'n gwelsom yn teithio draw i Ffrainc ac i'r Unol Daleithiau i berfformio mewn digwyddiadau wedi eu trefnu gan Fwrdd Croeso Cymru. Roedden ni'n grŵp traddodiadol Gymreig, ond doedd

Mike na Jane yn gallu siarad Cymraeg, a chan mai wedi dysgu Cymraeg yr oeddwn innau, roedd hi'n anodd camu i mewn i'r sîn Gymraeg heb gymorth allanol.

Cododd yr unig gynnen a fu rhyngom erioed pan wrthododd Mike wneud albwm gyda Sain. Ro'n i'n credu fod hynny'n gam gwag. Roedd Mike yn awyddus i gadw'r albwm yn annibynnol, tran o'n i'n argyhoeddedig y dylen ni fynd at Sain. Roedden nhw'n meddu ar yr arbenigedd o ran cynhyrchu ac ôl-gynhyrchu albwm cerddorol, ond yn bwysicach na hynny hyd yn oed, fe fydden nhw hefyd yn gallu sicrhau cyhoeddusrwydd i ni ac roedden ni angen hynny yn fwy na dim. Hyd heddiw, gwn fod llawer heb glywed am Hin Deg.

Fe wnes i barhau i berfformio gyda Hin Deg am flynyddoedd – roedd rhai cyfnodau yn brysurach na'i gilydd wrth gwrs, ond roedd pob cân, pob perfformiad a phob taith yn bleser. Cawsom aduniad yn y flwyddyn 2006 pan fu Hin Deg draw yn Florida yn perfformio mewn cymanfa ganu yno.

Cafwyd dechrau gwael i'r trip olaf hwnnw, a gwaethygu wnaeth pethau wedi hynny. Roedden ni i fod i newid awyren ym maes awyr Dulles, Washington, ond wedi i ni gyrraedd yno a disgwyl am ein bagiau doedd dim golwg o'n hofferynnau yn unman. Wrth gwrs, tra oedden ni'n chwilio am yr offerynnau coll, gadawodd yr awyren nesaf hebddon ni. Dyn a ŵyr beth oedd yn mynd trwy feddwl y gŵr oedd yn disgwyl i'n croesawu yn Florida wedi i'r awyren honno lanio a dim golwg o'r perfformwyr o Gymru!

Daeth yr offerynnau trafferthus i'r golwg ymhen hir a hwyr, ond roedd rhaid cicio ein sodlau yn y maes awyr am bedair awr arall i ddisgwyl am yr awyren nesaf.

Wedi canfod ein hunain ar y cymal olaf o'n siwrne o'r diwedd, roedd Mike ar dân eisiau mygyn, ond wrth gwrs châi e ddim ysmygu ar yr awyren, felly doedd 'na fawr o hwyl arno, a dweud y lleiaf. Doedd lle'r oedden ni'n aros ddim yn ei blesio fe chwaith. Roedd y gwesty'n rhan o 'resort' Disney, a gallwn weld tyrau'r 'Magic Kingdom' o ffenest fy stafell. Roedd hi'n dwym ac yn braf yn Florida, ac fe ges i a Jane ddigonedd o sbort plentynnaidd, ond doedd Mike ddim yn mwynhau ei hun o gwbl, druan ag e. Treuliodd ran fwyaf yr ymweliad yn ei ystafell yn ysmygu.

Dave

Pan gyhoeddodd Dave ei fod mewn cariad â mi yn ôl ym 1980, roeddwn i'n hoff ohono, yn mwynhau ei gwmni, yn dod i ddibynnu mwy a mwy arno fel ffrind a'i angen yn fy mywyd, ond doeddwn i ddim yn ei garu.

Rwy'n meddwl 'mod i'n dal yn disgwyl i gariad fod yn don anferth o emosiwn oedd yn eich sgubo chi oddi ar eich traed, fel y digwyddodd gyda Geraint a minnau yn ein hieuenctid. Ro'n i hefyd yn dal yn ofalus iawn o'm hemosiynau, ac efallai'n gwrthod gwneud lle i gariad newydd yn fy mywyd mewn ymgais i'm gwarchod fy hun rhag torcalon pellach.

Fesul tipyn y swynodd Dave fi. Fe gymerodd beth amser cyn i mi gredu y gallwn ildio 'nghalon iddo a dechrau o'r newydd, ond yn ffodus i mi, roedd e'n ddyn amyneddgar a synhwyrol.

Roedd e hefyd yn fy ngwneud i'n hapus. Roedden ni gyda'n gilydd am mai dyna lle'r oedden ni am fod, nid oherwydd unrhyw synnwyr o ddyletswydd, ac roedd hi'n berthynas rwydd mewn cymhariaeth â phriodas dymhestlog. Erbyn hyn, roeddwn i wedi caniatáu i Geraint ddechrau gweld Lisa eto a thros y pedair blynedd nesaf fe fydden ni'n tri'n cwrdd yn rheolaidd. Roedd yn werthfawr iawn i Lisa gael gweld mam a dad gyda'i gilydd, ym mha bynnag ffurf y cymerai hynny, ond rwy'n siwr fod y cyfarfodydd rheolaidd hyn yn ddigon anodd i bartneriaid newydd Geraint a minnau.

Wedi pedair blynedd, roedd Lisa gryn dipyn yn hŷn ac mewn gwell oedran i ddirnad yr hyn oedd wedi digwydd rhwng Geraint a minnau. A hithau'n dechrau canolbwyntio ar fyw bywyd prysur merch yn ei harddegau cynnar, prinhaodd y cysylltiad rheolaidd rhwng Geraint a minnau. Trwy'r cyfan, bu Dave yn wych. Fe fyddai'n gefn i mi pan ddeuwn yn ôl o'r cyfarfodydd hyn yn grac, yn ypsét neu'n rhwystredig am ba reswm bynnag. Roedd ganddo ferch ei hun o berthynas flaenorol, merch o'r enw Nicola oedd tua'r un oedran â Lisa, ac felly roedd e'n deall fy sefyllfa i i'r dim. Roedd e'n dda am roi cefnogaeth a chymorth i Lisa hefyd, ond gallai gamu o'r neilltu a rhoi lle i'w pherthynas hi gyda'i thad hefyd.

Alla i ddim llai nag edmygu sut oedd Dave yn ymdopi â hyn – roedd e'n ffantastig, yn gytbwys a chadarn a chefnogol trwy'r cyfan ac fe fyddaf yn gwerthfawrogi hynny am byth.

Canfod llwybrau newydd

Yn ystod y ddwy flynedd gyntaf gyda Hin Deg ro'n i hefyd yn perfformio fel unigolyn, ond tra oedd fy mhrofiad gyda'r grŵp yn datblygu'n dda, roedd hi'n stori wahanol iawn pan fyddwn i ar y llwyfan ar fy mhen fy hun.

Roedd hi fel pe na bai'r 1970au wedi digwydd o gwbl. Wedi sefydlu sianel Gymraeg yn 1984 ro'n i'n tybio mai cynyddu, nid prinhau, fyddai'r cyfleoedd i ymddangos ar deledu, ond nid felly y bu – nid i mi beth bynnag. Un o'r gìgs cyntaf i mi eu cael ar S4C oedd fel cantores gefndir i'r Brodyr Gregory, ac roedd hi'n anodd iawn i mi ddygymod â hynny. Er ei bod yn wefr anhygoel i fod yn rhan o S4C yn ei blwyddyn gyntaf, roedd e'n brofiad cryn dipyn yn wahanol i'r cyfnod cynnar hwnnw gyda'r BBC a HTV.

Roedd y rhelyw o'r unigolion hynny a'm cyflogodd ac a'm cefnogodd i 'nôl yn y saithdegau cynnar naill ai wedi marw neu wedi ymddeol, a thon newydd o bobl wedi cymryd eu lle. Roedd hi'n sîn Gymraeg gwbl newydd, ac ar flaen y gad yr oedd Caryl Parry Jones. Does dim dadl nad yw hi'n gerddor a chantores amryddawn iawn, ond roedd e'n brofiad digon chwithig gweld rhywun a arferai ysgrifennu atoch fel ffan yn y saithdegau bellach wedi'ch goddiweddyd.

Yn ystod y flwyddyn a ddilynodd cefais ambell ymddangosiad ar y teledu. Un o'r rhain oedd fel rhan o'r gyfres *Cerdd o'r Cestyll* gyda Bryn Williams. Cyfres oedd hon a deithiai i gastell gwahanol bob wythnos, lle byddwn innau'n canu fel rhan o driawd gyda Toni Carroll a Linda Jenkins. Gyda'r ddwy yma y byddwn i'n canu cerddoriaeth gefndirol i'r Brodyr Gregory hefyd, rhywbeth a barodd hyd ddiwedd 1985.

Roedd canol yr wythdegau'n gyfnod digon anodd yn bersonol ac yn broffesiynol hefyd – digwyddiadau a gyrhaeddodd benllanw gyda phenderfyniad Lisa ym 1986 i fynd i fyw gyda'i thad a'i bartner. Roedd hi'n 16 oed ar y pryd, ac yn ymddwyn fel unrhyw ferch yn ei harddegau mae'n debyg, ond ar ôl ymdrechu'n galed i ail-greu bywyd a chartref sefydlog i ni'n dwy, fe wnaeth ei phenderfyniad fy mrifo i'r byw. Yn enwedig y modd y daeth ei phenderfyniad i'r amlwg.

Doedd e ddim yn anghyffredin iddi fod yn hwyr yn cyrraedd adref gyda'r nos, ac felly pan ffaelodd hi â throi lan ar amser un noson, doeddwn i ddim yn or-bryderus. Y cyfan wnes i oedd codi'r ffôn a chysylltu â Geraint i weld a oedd e'n gwybod beth oedd ei hanes hi. 'Mae hi yma gyda ni,' meddai. 'Ac mae hi am aros yma.' 'O dyna ni 'te,' atebais. 'Ddo'i i'w nôl hi bore fory felly ...' 'Na, ti 'di camddeall. Dyw hi ddim yn dod adref. Mae hi am aros gyda Nia a minnau o hyn ymlaen. Mae hi wedi penderfynu. Yma mae hi eisiau bod.' Beth fedrwn i ei ddweud? Ceisiais ddal pen rheswm gyda hi, a phan fethodd hynny ceisiais fynnu ei bod hi'n dod adref, ond doedd dim yn tycio. Roedd Lisa wedi gwneud ei phenderfyniad a dyna ddiwedd ar hynny.

Does dim ergyd waeth i rieni na chael eu gwrthod gan eu plant, ac roedd ei hymddygiad yn loes calon i mi. Bu hefyd yn ysgytwad. Doeddwn i ddim wedi rhag-weld yr ergyd, ac yn sydyn iawn ro'n i'n un swp emosiynol ac anwadal eto. Wedi cyfnod hir o fod yn ofalus ac yn amddiffynnol o'm hemosiynau, ro'n i wedi ymlacio, wedi peidio â bod mor wyliadwrus, ac yna'n sydyn, dyma glec gwbl annisgwyl. Y tro hwn, fedrwn i ddim chwilio am gryfder yn fy mherthynas gyda Lisa gan mai hi oedd wrth wraidd y broblem. Allwn i ddim fy narbwyllo fy hunan mai rhywbeth dros dro oedd hyn, ac mai'r hyn oedd yn gyfrifol am ei phenderfyniad annisgwyl oedd natur dymhestlog merch yn ei harddegau.

Fy ymateb greddfol i'r sefyllfa oedd bod yn wyliadwrus ac amddiffynnol eto yn fy mherthynas gyda Dave hefyd. Fy rhesymeg ar y pryd oedd fod dau o'r bobl yr oeddwn i'n eu caru fwyaf yn y byd wedi rhoi mwy o loes i mi nag a feddyliwn oedd yn bosibl, ac ro'n i'n benderfynol na châi Dave fod yn drydydd. Erbyn heddiw, rwy'n gwybod i mi orymateb ond yr awydd i'm hamddiffyn fy hun oedd fwya blaenllaw yn fy meddwl ar y pryd. Dyna, mae'n debyg, oedd wrth wraidd fy mhenderfyniad i ddod â'm perthynas gyda Dave i ben, ac o fewn dyddiau, roeddwn i'n paratoi i adael y wlad.

Ro'n i wedi cael gwahoddiad i fynd draw i Ganada i ganu mewn priodas, ac roeddwn yn ei weld yn gyfle gwych i osod pellter rhyngof fi a'm problemau. Wrth adael y maes awyr ac esgyn i'r cymylau, allwn i ddim fod wedi rhag-weld mor allweddol fyddai'r trip hwnnw. Yn gyntaf oll, ac yn annisgwyl i ryw raddau, fe fu'n brofiad gwefreiddiol. Daethai'r gwahoddiad i ganu gan gwpwl o'r enw Charles a Phyllis

Weston. Roedden nhw'n wreiddiol o Gaerdydd ac wedi symud draw i Ganada ers sawl blwyddyn, ond roedden nhw'n awyddus i gael cynrychiolaeth Gymraeg ym mhriodas eu mab David. Trwy John Weston, gŵr yr oeddwn i'n ei adnabod trwy Glwb Gwerin Dave Burns a chefnder i'r priodfab, y daeth y gwahoddiad i Ganada – roedd wedi bwriadu hedfan yno gyda chyfaill iddo ond roedd hwnnw wedi newid ei feddwl funud olaf. Beth bynnag oedd y rheswm am hynny, roeddwn i ar fy ennill o'r herwydd.

Cynhaliwyd y briodas ar y traeth, gyda brecwast i ddilyn yng nghanolfan Ynys Denman. Fe'm cefais fy hun yn perfformio hen ffefrynnau megis 'Ar Lan y Môr' a 'Bells of Rhymney' tra oedd y gwesteion yn gwledda ar gwrw a phitsa! O Ganada, fe es i mlaen i'r Unol Daleithiau am wyliau estynedig. Roeddwn i wedi penderfynu mynd gyda John Weston i chwilio am hipis Califfornia, gan obeithio cwrdd â'm *penpal* i Stephanie yno hefyd. Er i ni gael amser arbennig o dda, sylweddolais 'mod i'n ysu'n barhaus am gael gweld Dave, ac yn dyheu am gael dod 'nôl i Gymru i sortio pethau allan rhyngom.

Pan ddychwelais, es ar fy union i geisio egluro wrtho sut oeddwn i'n teimlo amdano, i ddweud wrtho 'mod i wedi gwneud camgymeriad anferthol, i ofyn iddo am gyfle arall. Allwn i ddim â bod yn siwr sut fyddai e'n ymateb, ond diolch byth, roedd e'n awyddus i ailgydio yn y berthynas hefyd, a'r tro hwn, penderfynodd y ddau ohonom y dylem fyw gyda'n gilydd. Roeddwn wedi osgoi gwneud hynny o'r blaen, yn rhannol am nad oeddwn am golli fy annibyniaeth ond hefyd am nad oeddwn eisiau drysu Lisa gyda phresenoldeb dyn arall yn fy mywyd yn y cyfnod cynnar wedi i Geraint a minnau wahanu.

Erbyn 1987, flwyddyn wedi iddi godi'i phac, roedd Lisa eisiau dod yn ei hôl i fyw gyda ni. Roeddwn i'n falch iawn o'i chael hi'n ôl, ond roedd 'na lawer wedi digwydd yn y flwyddyn y bu hi i ffwrdd. Yn fuan wedi iddi ddod adre, cefais alwad ffôn gan Geraint. 'O'n i jyst yn meddwl y byddwn i'n dy ffonio i ddweud 'mod i'n ailbriodi ...' Rwy'n cofio meddwl fod hynny'n beth neis iddo'i wneud, yn ystyriol. Flwyddyn wedi'r storm wrth i Lisa adael cartref, ro'n i bellach yn teimlo'n gadarn iawn yn fy mherthynas gyda Dave ac roeddwn i'n falch fod Geraint yn cael ail gyfle ar hapusrwydd gyda Nia Caron.

Yng nghanol 1987 daeth newyddion annisgwyl iawn wrth i mi sylweddoli 'mod i'n feichiog. Wedi'r holl flynyddoedd, a minnau cymaint aeddfetach, ro'n i'n edrych ymlaen at gael plentyn Dave ac at brofiad gwahanol iawn o feichiogrwydd y tro hwn, ond roedd gan ffawd gynlluniau eraill ar fy nghyfer.

Wedi tri mis o feichiogrwydd, bu i mi golli'r plentyn hwnnw a rhaid oedd ailasesu'r cynlluniau a'r breuddwydion fu'n ffurfio yn fy meddwl ers canfod 'mod i'n feichiog. Roedd hynny'n ergyd go drom ac yn ergyd a adawodd gryn argraff arna i, er na sylweddolais i hynny'n llawn ar y pryd.

Dros y misoedd nesaf cafwyd dwy briodas – Geraint a Nia gyntaf ym mis Gorffennaf 1987, ac yna Dave a minnau ym mis Tachwedd, ond roedd yna un sioc arall i ddod cyn diwedd y flwyddyn pan gyhoeddodd Lisa ei bod hi'n feichiog. Roedd hi'n 17 oed.

Tra o'n i'n ceisio dod i arfer a'm rôl newydd fel gwraig, yn ogystal â cheisio dygymod â'r syniad o fod yn fam-gu cyn bo hir, roeddwn i'n parhau i weithio, ac fe gefais lawer o gigs yn ystod 1988.

Mae llawer yn credu i mi gymryd seibiant o'r sîn gerddoriaeth ar ddiwedd yr wythdegau, ond nid oes yr un gronyn o wirionedd yn hynny. Os rhywbeth, roeddwn i mor weithgar ag erioed, ac yn parhau i gigio'n dragywydd gyda Hin Deg. Roedd y rhan fwyaf o'r perfformiadau hynny mewn lleoliadau bychain, digon di-nod, ond cawsom ambell ymddangosiad ar y teledu yn ystod diwedd 1988 a dechrau 1989 hefyd, ar gyfresi megis *Codi'r To* a *Gwraidd y Gainc*.

Roedd yr wythdegau hefyd yn gyfnod pan fûm yn gweithio i gwmni o Brighton o'r enw Conference Clearway. Diolch iddyn nhw, cefais gyfle i berfformio ar rai o lwyfannau gorau'r byd, gan gynnwys y Guildhall a'r White Palace yn Llundain, yn ogystal ag ymddangos ochr yn ochr â cherddorion o bob cwr o'r byd. Tra oeddwn i'n mwynhau profiadau newydd ar yr ochr Saesneg, megis y profiadau hynny gyda Conference Clearway, ro'n i'n dal i geisio crafangu fy ffordd yn ôl i'r sîn Gymraeg.

Ro'n i'n dal i berfformio gyda'r Brodyr Gregory ac mae gen i gof o berfformio gyda'r ddeuawd mewn sawl lleoliad. Ambell dro, fe fyddwn i hefyd yn cael cynnig gwaith llwyfan, ac rwy'n cofio'n benodol ymgymryd â sioe lwyfan gyda'r Moving Being Theatre Company, sef eu cynhyrchiad o'r 'Mabinogion' yn Neuadd Dewi Sant, Caerdydd. Roedd y cynhyrchiad hwnnw'n arwyddocaol i mi am mai yn ystod fy nghyfnod gyda'r cwmni y bu i mi sylweddoli 'mod i'n feichiog unwaith eto.

Roedd e'n brofiad digon swreal a dweud y gwir, bod yn feichiog ar yr

115

un pryd â'm merch, er ei bod hi'n tynnu at ddiwedd ei thymor a minnau prin yn dangos. Mae'n rhyfedd sut mae gan hanes dueddiad i'w ail-adrodd ei hun. Fel ei mam o'i blaen, daeth Lisa'n rhiant yn ifanc iawn gan roi genedigaeth i ferch, Heledd Grug, ar ddiwrnod olaf un mis Awst 1988.

Fi oedd y gyntaf i afael yn Heledd, rhywbeth yr wyf yn ymhyfrydu ynddo hyd heddiw. Cefais y fraint o fod gyda Lisa trwy gydol yr enedigaeth tra oedd Chris Davies, ei phartner ar y pryd, y tu fas yn crio! Ifanc ai peidio, bu i Lisa addasu'n rhwydd i'w rôl newydd ac rwyf wedi ymfalchïo ganwaith yn ei llwyddiant fel rhiant. Wnaeth hi 'rioed adael i'w haddysg ddioddef. Roedd hi'n ferch benderfynol iawn, a mynnodd fynd yn ei blaen wedyn i sefyll ei Lefel 'A'.

Wedi gadael yr ysbyty, daeth Lisa a Heledd yn ôl adref i fyw gyda Dave a minnau, ac o dipyn i beth aeth bywyd yn ei ôl i ryw fath o undonedd cyfforddus. Treuliais ran helaeth o'r flwyddyn honno'n ymweld ag ysgolion Gwent gyda Mike Lease yn dysgu caneuon Cymraeg i'r disgyblion, gyda'r nod o'u cael i'w perfformio ar lwyfan Eisteddfod Genedlaethol Casnewydd. Wedi oriau o ymarfer – yn ogystal ag ambell ddiwrnod ble'r o'n i'n teimlo fel tynnu 'ngwallt o 'mhen – roedd y wefr o ymddangos wrth eu hochr ar y llwyfan yn ystod seremoni agoriadol y Brifwyl yn rhywbeth fydd yn aros gyda mi am byth.

Rhodd Mam

Cafodd fy unig fab, Sam, ei eni ar 9 Chwefror 1989. Fel ei chwaer Lisa flynyddoedd yn gynharach, doedd hi ddim yn enedigaeth rwydd o gwbl. Ro'n i'n wael iawn yn y dyddiau wedi'r geni a bu i mi golli cymaint o waed nes peri i'r meddyg fy ngyrru yn ôl i'r ysbyty ar fy union. Cwrs o dabledi haearn a chyfnod o atgyfnerthu oedd ei angen arna i, a chyn bo hir, roeddwn i'n teimlo'n ddigon da i ddychwelyd i weithio eto, ac i fwynhau bod yn fam newydd unwaith yn rhagor. Fe fu'r deuddeng mis dilynol yn rhai pleserus tu hwnt. Roedd Lisa wedi trefnu seibiant o flwyddyn o'i chwrs coleg i fod gyda Heledd, a byddem ein dwy yn treulio dyddiau ar eu hyd yng nghwmni ein gilydd gyda'r ddau fach, naill ai'n mynd i'r parc neu i dai ein gilydd. Byddem hefyd yn gwarchod i'n gilydd gan alluogi'r naill a'r llall ohonom i gael ychydig o seibiant haeddiannol neu wneud mymryn o waith. Roedd bod yn fam i blentyn ifanc unwaith yn rhagor yn brofiad bendigedig – a hefyd yn her ar brydiau – ac roedd y cyfle i rannu'r profiad hwnnw gyda Lisa'n ei wneud e ganwaith gwell.

Buan y daeth yr amser i Lisa fynd yn ei hôl i'r coleg, ac roedd hynny'n dipyn o newid byd. Ro'n i wedi cytuno i warchod Heledd tra oedd Lisa'n dilyn ei chwrs yn y Coleg Cerdd a Drama, ac fe brynais i fygi dwbl a phopeth, ond doeddwn i ddim yn barod am y gwaith caled a olygai dau blentyn ifanc iawn. Roedd Heledd yn flwydd oed a Sam yn chwe mis, ac am gyfnod fe fyddwn i'n treulio'r diwrnod yn eu gwarchod hwy ac yna'n perfformio gyda'r hwyr.

Roedd e'n ormod o faich i un person ddygymod ag ef, ac o fewn y flwyddyn, roedd y straen yn dechrau dangos. Ro'n i wedi datblygu arferion obsesiynol ac afresymol, ac roedd yn rhaid i mi wynebu fod rhywbeth mawr o'i le. Es i weld y meddyg ac fe ddywedodd wrtha i'n blwmp ac yn blaen 'mod i'n dioddef o ryw fath o *breakdown*. O resymegu'r peth, mae'n debyg fod yna elfen o alaru ar ôl colli'r babi yn ymwneud â'm cyflwr ac roeddwn i hefyd yn dioddef o iselder wedi geni Sam. Roedd cyfuno'r pethau hynny gyda'r gwaith caled o ofalu am ddau blentyn bach wedi mynd yn drech na mi. Roeddwn i ymhell o fod yn yr un cyflwr emosiynol ag yr oeddwn i wedi i mi a Geraint wahanu, ond roedd fy nghorff yn methu dygymod â'r dasg o edrych ar ôl dau o blant – a cheisio parhau gyda'm

117

gyrfa a bod yn wraig tŷ hefyd. Mynnodd y meddyg fod angen i mi chwilio am ffyrdd o leihau fy nghyfrifoldebau, a hynny ar frys. Awgrymodd hefyd fy mod i'n dechrau cymryd y cyffur Prozac i ddelio gyda'r iselder, ac er nad oeddwn i'n awyddus o gwbl i wneud hynny, derbyniais efallai y byddai o gymorth. Dim ond un dabled gymerais i, ac rwy'n cofio teimlo mor ofnadw o gysglyd ar ei hôl nes 'mod i'n pryderu a oeddwn i mewn cyflwr digon effro i ofalu am y plant. Penderfynais na fyddwn i'n parhau â'r berthynas gyda'r Prozac ar unrhyw gyfrif, a'r bore canlynol teflais weddill y pecyn i'r bin. Byddai'n rhaid canfod ffordd arall o ddelio gyda'r sefyllfa.

Dim ond un opsiwn synhwyrol arall oedd ar gael i mi. Roedd yn rhaid i mi ofyn i Lisa chwilio am ofal annibynnol i Heledd. Roedd hynny'n benderfyniad anodd iawn i mi. Roeddwn i'n teimlo'n fethiant ac yn ymwybodol iawn 'mod i'n siomi Lisa. Ro'n i wedi addo y byddwn i'n edrych ar ôl Heledd a fynnwn i ddim torri'r addewid hwnnw. Wedi'r cyfan, gallwn yn hawdd gymharu sefyllfa Lisa gyda fy mhrofiad a'm rhwystredigaeth fy hun pan oedd Lisa'n fechan a minnau'n methu dilyn cwrs coleg. Doeddwn i ddim am i Lisa fynd trwy'r un patrwm, ddim o bell ffordd, ond roedd fy iechyd yn dioddef, a phe na bawn i'n iach, fyddwn i ddim mewn sefyllfa i edrych ar ôl Sam chwaith. Gwyddwn yn fy nghalon fod yn rhaid i rywbeth newid.

Dros y misoedd nesaf fe wnes i ganolbwyntio ar fwynhau bod gyda'm mab. Yn hytrach na cheisio bod yn bopeth i bawb ac yn berffaith ym mhob dim, fe dreuliais i amser gwerthfawr gyda Sam, ac yn raddol daeth pethau'n haws. Penderfynais ganolbwyntio ar bethau syml bywyd am gyfnod a'm hunig uchelgais oedd ceisio gwneud rhywbeth adeiladol bob dydd, rhywbeth yr oeddwn i'n ei fwynhau. Byddai Sam a minnau'n mynd am dro i wahanol barciau, yn crwydro Amgueddfa Werin Sain Ffagan, a theithio ar reilffyrdd bychain. Yng nghwmni plentyn bach fe ddysgais wirionedd mawr. Sam ddangosodd i mi mai pethau bach bywyd yw'r pethau mwya pwysig mewn gwirionedd.

Gwawr newydd

Wrth i 1989 droi'n 1990 ro'n i'n teimlo'n well. Tra oedd llawer o'm cyfoedion, merched yn enwedig, yn gwaredu cyrraedd eu deugeiniau ac agosáu at ganol oed, dyma gyfnod hapus iawn i mi. Ar lefel bersonol, ro'n i'n rhan o bartneriaeth a phriodas hapus, roedd gen i ddau o blant bendigedig ac wyres yr oeddwn i'n dwlu arni. Ar lefel broffesiynol wedyn, daeth 1990 â rhyw fath o ddadeni creadigol. Ar ddechrau'r nawdegau bu i mi deithio lan i'r gogledd i recordio albwm newydd, *Petalau yn y Gwynt*, a ryddhawyd ar label Sain. Cafodd yr albwm dderbyniad gwresog, yn enwedig ambell gân megis 'Rwy'n Cofio'r Pryd' – cân a brofodd yn lwyddiant ysgubol. John E R Hardy oedd piau'r alaw a Lis Huws-Jones ysgrifennodd y geiriau – dau yr oeddwn wedi cydweithio â nhw yn ôl ym 1987 gyda chwmni theatr arbrofol Brith Gof. Roedd y gân yn cael ei chwarae'n rheolaidd ar y radio ac roedd hynny yn ei dro'n sicrhau gwaith teledu hefyd. Roedd yn ymateb anhygoel i gantores 42 oed oedd heb ryddhau albwm ers blynyddoedd lawer. Serch hynny, roedd gan y cyfnod ei dreialon hefyd.

Fel unrhyw fam arall sy'n gorfod mynd allan i weithio, roedd hi'n anodd iawn i mi adael Sam yng ngofal rhywun arall, ond o leiaf roedd y modd yr o'n i'n ennill fy mara menyn yn sicrhau rhywfaint o hyblygrwydd i mi – mwy na llawer i fam arall, dybiwn i.

Mae'n hawdd rhesymegu pethau wrth edrych yn ôl. Ro'n i wedi cymryd bod yn feichiog gyda Lisa'n ganiataol, ond ro'n i'n ifanc ac yn gryf bryd hynny. Erbyn i mi fod yn disgwyl Sam roeddwn yn fwy ymwybodol o'r cymhlethdodau posib, ac yn naturiol roedd y profiad o golli plentyn wedi un wythnos ar ddeg y flwyddyn flaenorol yn dal yn fyw iawn yn fy meddwl. Nid fod Sam yn fwy gwerthfawr na Lisa ar unrhyw gyfrif, dim ond 'mod i'n fwy pryderus, yn fwy ymwybodol o'r hyn allai ddigwydd efallai. Parhaodd y pryderon ymhell wedi'r geni, ac o ganlyniad, penderfynais fod yn rhaid i Sam ddod gyda mi i Sain.

Daeth Ruth Lewis, ffrind i mi sy'n ofalwraig plant ac sy'n gantores ei hun, lan i'r gogledd gyda mi i warchod Sam tra o'n i yn y stiwdio, ond er 'mod i'n ymddiried ynddi gant y cant, doedd hynny ddim yn fy arbed rhag poeni amdano. Os rhywbeth, roedd gwybod ei fod e'n eistedd tu fas i'r stiwdio'n ei gwneud hi'n anoddach canolbwyntio. Ro'n i'n ysu am orffen pa bynnag gân yr oeddwn i'n ei recordio a chael gweld ei wyneb eto. Ro'n i hefyd yn dioddef o annwyd trwm a'm trwyn i'n rhedeg a'm clustiau fel petaen nhw'n llawn dŵr, ond bwrw mlaen fu raid. Fel y dywedodd Brian Breeze, y gŵr a sicrhaodd y cytundeb recordio gyda Sain i mi, 'Petaem ni yn America, mi fyddwn i'n gallu dy yrru di – a'r annwyd ofnadwy 'na sydd gen ti – adra ac fe allet ti ddod 'nôl wythnos nesa yn holliach. Ond dydan ni ddim yn 'Merica, rydan ni yng Nghymru a fedrwn ni ddim fforddio gwneud hynny!'

Er gwaethaf pob dim, ro'n i'n hapus iawn gyda'r cynnyrch gorffenedig, ac rwy'n grediniol hyd heddiw fod yr albwm hwnnw gyda'r gorau i mi ei recordio erioed. Roedd sawl un o'r caneuon wedi eu hysgrifennu gan bobl eraill ac, yn rhyfedd, roedd dwy ohonyn nhw wedi eu sgwennu gan ŵr o'r enw Ross Grainger, gŵr sy bellach yn chwarae mewn band gyda fy ngŵr Dave!

Brith Gof a Dalier Sylw

Roedd y cynhyrchiad *Mysgu Cymylau* a wnes i gyda chwmni theatr Dalier Sylw ym 1991 yn gynhyrchiad a'm gwelodd yn perfformio mewn amrywiol dafarnau a chlybiau yng nghymoedd y de. Sioe wedi ei hysgrifennu gan Branwen Cennard oedd hon, yn delio â bywydau menywod yn y cymoedd. Aelod arall o'r cynhyrchiad hwnnw oedd merch o'r enw Bethan Jones, a aeth yn ei blaen i gynhyrchu *Pobol y Cwm*. Yn ogystal â bod yn actores benigamp ac yn bersonoliaeth hyfryd, roedd Bethan hefyd yn meddu ar lais canu cryf, ond cyfarwyddwr oedd hi'r tro hwn, a'r actorion oedd Gillian Elisa, Grug Maria a Carys Llewelyn.

Fy rôl i yn y ddrama oedd eistedd ar y llwyfan yn canu – act clwb nos oeddwn i, a chyn gynted ag y byddai'r actorion yn ymddangos ar y llwyfan ro'n i'n gorfod gostwng fy llais, a chanu'n isel iawn fel eu bod hwythau wedyn yn gallu perfformio'r ddrama o'm cwmpas i. Roedd adegau pan fyddwn i'n cael fy nghyflwyno a'm cynnwys yn y stori, ac roedd gen i ambell linell i'w dweud hefyd. Ro'n i'n falch iawn o gael bod yn rhan o'r cynhyrchiad ac roedd e'n fendigedig cael bod mewn cwmni o ferched. Mae fy ngalwedigaeth i'n aml yn un sy'n llawn dynion, felly roedd y profiad hwn yn chwa o awyr iach.

Roeddwn wedi gweithio gyda Bethan Jones rai blynyddoedd cyn hynny, ym 1987, pan oedden ni'n dwy wedi ymuno gyda chwmni Brith Gof i fod yn rhan o gynhyrchiad unigryw o'r enw *Pandemoniwm*. Sioe am y glowyr oedd hon, ac roeddem yn ei pherfformio am wythnos gron mewn un lleoliad yn unig, sef Capel y Tabernacl, Treforys. Rwy'n cofio'r cyfnod hwnnw o ymarfer fel un hynod o greadigol – a llwyddiant yr wythnos o berfformiadau yn Nhreforys yn goron ar y cyfan.

Mae'n debyg mai Bethan yn fwy na neb arall oedd yn gyfrifol am gael rhan i mi yn fy nghynhyrchiad drama nesaf hefyd, y tro hwn gyda chwmni theatr *Moving Being* gyda'i gŵr, Geoff Moore. Galluogodd y cynhyrchiad i mi gael y fraint o ymddangos ar y llwyfan gyda cherddor enwog o'r cyfnod, sef Robin Williamson, yn ogystal â chydweithio â chast godidog. O edrych yn ôl dros fy ngyrfa, ymddengys 'mod i wedi gwneud cryn dipyn o waith actio, ond nid fel actores yr wyf yn cyfrif fy hun chwaith, dim o bell ffordd. Er 'mod i'n mwynhau'r cyfle i ymddangos ar lwyfan ac ar y sgrin fach fel perfformwraig, ac er bod y gofynion newydd ac amrywiol hynny wedi bod yn sialensau hyfryd, rwy'n gwybod mai wedi dod yn sgil fy nhalent fel cantores y mae'r cyfleoedd hynny.

Aelod newydd i'r grŵp!

Ebrill 3ydd, 1992. Dyddiad cofiadwy arall i mi, er i'r diwrnod ddechrau'n ddigon di-nod fel unrhyw ddiwrnod arall. Doeddwn i ddim wedi bod yn teimlo'n dda ers rhai wythnosau, ac roedd gen i fy amheuon y byddai Dave a minnau'n cael ychwanegiad arall i'r teulu bach o fewn y flwyddyn. Wrth gwrs, roedd rhaid gwneud yn sicr, felly i ffwrdd â mi i'r fferyllfa i brynu prawf beichiogrwydd. Roedd fy amheuon i'n gywir, a'r llinell las yn amlwg iawn yn ffenestr y ffon fechan.

Ro'n i'n tynnu at fy neugain a thair erbyn hynny, ac yn sicr doeddwn i ddim wedi bwriadu beichiogi eto. Ro'n i wedi meddwl mai Sam fyddai fy mhlentyn olaf, ond roedd gan ffawd gynlluniau amgenach ar fy nghyfer yn amlwg!

Wedi cyfarwyddo fy hun â'r newyddion, rhaid oedd hysbysu pawb arall wrth gwrs, tasg nad oeddwn i'n edrych ymlaen ati o fath yn y byd. Dave oedd gyntaf. Roedd e'n bur ofidus ac yn poeni am fy oedran i, am fy iechyd i, am ein sefyllfa ariannol ni, am bopeth bron. Cafodd Mam dipyn o sioc hefyd, ond ymateb Lisa oedd waethaf a mwyaf annisgwyl – roedd hi'n ffieiddio aton ni. Mae'n amlwg nad oes neb dros ddeugain oed i fod i gael rhyw!

O dipyn i beth daeth Dave a minnau i arfer â'r syniad o fagu plentyn arall, ac yn fwy na hynny i edrych ymlaen at y profiad. Doedd dim llawer o amser gen i i feddwl am y peth mewn gwirionedd. Roedd dyletswyddau eraill yn mynnu fy sylw, a doedd dim amdani ond gweithio'n galed a dyfalbarhau – a hynny dan bob math o amgylchiadau, beichiog ai peidio.

Roeddwn i'n dal i berfformio gyda Mike a Jane ar y pryd, yn ogystal â chanu ar fy mhen fy hun; felly, cafodd Hin Deg ychwanegiad annisgwyl i'r band dros y misoedd nesaf! Roedd hwn yn gyfnod prysur iawn i mi'n broffesiynol, a bu i mi weithio'n ddi-baid hyd ddiwrnod y geni. Ychydig iawn o wahoddiadau fyddwn i'n eu gwrthod bryd hynny; doedd e ddim wir yn opsiwn. Tra bod y rheiny sy'n ennill eu bara menyn trwy weithio i eraill yn gallu dibynnu ar gyflog sefydlog, mae'n stori wahanol i'r rhai hynny ohonom sy'n atebol i neb ond ni ein hunain. Os ydyn ni'n sâl ac yn methu gweithio, does dim cyflog yn dod i mewn. Yn yr un modd, os ydyn ni'n feichiog, does dim o'r fath beth â chyfnod mamolaeth i'w gael. Dyna'r gwir plaen. Roeddwn yn perfformio ar lwyfan ddeng niwrnod cyn geni Sam, ac roeddwn bron yn union yr un sefyllfa'r tro hwn. Y broblem fwyaf, tua'r diwedd, oedd llwyddo i gamu'n ddigon agos at y meicroffon oherwydd fy chwydd sylweddol!

Ar ôl perfformio mewn sawl gŵyl yn ystod haf 1992, gan gynnwys yr Eisteddfod a'r Ŵyl Werin, yr achlysur a gynhelid yn Nolgellau cyn i'r Sesiwn Fawr ddod i fodolaeth, roedd hi'n bryd ehangu'n gorwelion a theithio i'r Unol Daleithiau. Ar 31 Awst y flwyddyn honno, wedi ffarwelio gyda Lisa, Heledd a Sam, teithiodd Hin Deg draw i Philadelphia. Y peth gwaethaf am fynd oedd gorfod ffarwelio â Sam. Dyma fyddai'r tro cyntaf i mi ei adael am gyfnod, ond roedd rhaid sychu'r dagrau a cheisio darbwyllo fy hunan y byddwn i'n ôl cyn pen dim.

Philadelphia oedd y gyrchfan gyntaf, a chan nad oedd dim *roadies* gennym, roedd yn rhaid i bawb gario eu stwff eu hunain. Roedd Mike yn cario fy nghês i, chwarae teg iddo, felly ro'n i'n teithio gyda'm gitâr a'm bwmp o'm blaen. O bawb oedd ar fin camu i'r awyren, fi oedd yr un gafodd ei thynnu allan o'r ciw i gael ei harchwilio gan swyddogion y tollau. Rhaid eu bod am wneud yn siwr nad Kalashnikov oedd gen i o dan fy siwmper!

Cefais fy holi'n drwyadl, a'r gwŷr pigog yn eu siwtiau'n mynnu, 'You're not really pregnant, are you?' a minnau'n ateb gan chwerthin, 'Well, of course I am. You can feel the baby kicking if you want!'

'Don't be ridiculous. You're too far advanced to be travelling, the doctors should have stopped you. They *would* have stopped you.'

Ond ro'n i'n gwybod fy mod yn iawn o ran yr amseru. Medi'r 1af oedd hi, a doeddwn i ddim i roi genedigaeth tan Ragfyr 1af, felly roedd gen i bythefnos dda o hedfan yn weddill cyn iddi fod yn feddygol annoeth i wneud hynny. Ceisiais eu darbwyllo fy mod i'n fechan o ran taldra, a bod fy nghroth yn tueddu i dyfu tuag allan yn gynt na merched talach na mi, ond doedd hyd yn oed y ddadl honno ddim yn tycio.

O'r diwedd, daeth merch o rywle oedd yn un o'r penaethiaid a'u ceryddu nhw am drin menyw feichiog yn y fath fodd, a chefais ailymuno gyda gweddill y grŵp. Roedd y profiad wedi fy ysgwyd, a'r peth olaf fynnwn i ei wneud oedd camu ar awyren arall, ond doedd dim cyfle i lyfu clwyfau, roedd yn rhaid cyrraedd Kansas City cyn nos. Bu'n rhaid i mi fynd heibio i ail griw archwilio o fewn ychydig oriau, ond, diolch i'r drefn, chefais i mo'r un driniaeth y tro hwnnw!

Roedd hi'n tynnu am 7.30 o'r gloch arnom yn cyrraedd Kansas City, a minnau wedi cysgu yn ystod y daith i drio lleddfu mymryn ar y *jet lag*. Prin oedd yr olwynion wedi cyffwrdd â'r tarmac cyn i'r ffôn ddechrau canu – Hywel Gwynfryn oedd yno, yn holi a fyddwn i'n fodlon gwneud sgwrs fyw ar y radio. Wel, wrth gwrs, cytunais ar unwaith, ond doedd fawr ddim y gallwn i ei ddweud. Doeddwn i ddim wedi gweld dim modfedd mwy o Kansas na thu mewn yr awyren, felly'r unig beth allwn i ei ddweud oedd sôn am y profiad yn Philadelphia! Rwy'n siwr iddo fod yn gyfweliad diflas iawn, ac rwy'n siwr i Hywel ddifaru cysylltu yn y lle cyntaf!

Drannoeth, bu i ni ganu mewn noson lawen, ymweld â'r farchnad Gymreig a pherfformio yn Patrick's Bar, bar gwesty'r Hyatt ble'r oedden ni'n aros. Roedd Kansas yn brofiad anhygoel: un o'r atgofion cryfaf sydd gen i o'r daith yw perfformio yn un o'r *malls* siopau anferthol hynny sy'n frith yn yr Unol Daleithiau, a chael ymateb cadarnhaol – ond anghrediniol – gan y trigolion lleol. Roedden nhw'n methu credu ein bod ni'n canu yn Gymraeg, ac roedden nhw'n gofyn llu o gwestiynau. 'O ble'r oedden ni'n dod?' 'Oedd hi'n iaith oedd yn cael ei defnyddio bob dydd?' 'Faint o bobl oedd yn ei siarad hi?' ac ati. Ond mae'n rhaid iddyn nhw fwynhau'r hyn a glywson nhw, gan i ni werthu'r holl dapiau yr oeddem wedi eu cludo draw yno. Yn anffodus, fodd bynnag, cyn gynted ag yr oedden ni'n gwneud pres wrth werthu'r albwms, roedd Jane a minnau'n gwario'r elw yn y Crown Mall ar ddillad ac anrhegion!

Ar y nos Sul, aeth si ar led fod Bob Dylan yn perfformio yn y parc gyferbyn â'r gwesty, felly penderfynodd Jane a minnau anelu am y fan honno i weld un o arwyr mwyaf ein cenhedlaeth wrth ei waith. Dim ond un broblem oedd – roedd hi'n gwbl amhosib croesi'r ffordd! Roedd yna o leiaf chwe ffrwd o draffig, a llifeiriant di-baid o geir yn gwibio i bob cyfeiriad ar hyd bob un ohonyn nhw. Doedd dim amdani felly ond cymryd tacsi, a dyna wnaethon ni. Camodd y ddwy ohonom i mewn i un o'r cerbydau melyn a gofyn i'r gyrrwr ein cludo ganllath dros y ffordd! Fel y digwyddodd hi, doedd hynny ddim yn benderfyniad rhy ffôl gan i'r gyrrwr, o weld 'mod i'n feichiog, fynnu ein cludo at y fynedfa i'r prif lwyfan, gan ddadlau wrth bawb a'i holai, 'Look mister, this lady's pregnant, she can't walk through all these people by herself.' Yn gwbl

125

annisgwyl, cawsom seddi yn y rhes flaen mewn cyngerdd Bob Dylan –
a dyna i chi brofiad gwefreiddiol i gantores werin oedd hynny!

Wedi diwrnod llawn arall o berfformio a chanu, bu i ni deithio 'nôl
adref ddydd Mawrth, 8 Medi. Daeth Sam a Dave i'm cyrchu o orsaf
betrol Magwyr ar yr M4, ac er mor anhygoel oedd y profiad o fod yn
Kansas, o berfformio ein hunain ac o weld Bob Dylan yn perfformio,
doedd e'n ddim o'i gymharu â'r wefr o fod adref, o weld y ddau 'ddyn'
yn fy mywyd, ac o weld llygaid Sam yn pefrio wrth iddo ddadlapio ei
bentwr anrhegion.

Yn wir, mae'n debyg i'r daith honno fod yn hynod lwyddiannus. Dros
y blynyddoedd dilynol, daeth sawl cais i ni fynd yn ôl i'r Unol Daleithiau
i wneud teithiau tebyg eto, ond bu'n amhosib cael dyddiad oedd yn
gyfleus i bawb tan 2005.

Tri chynnig i Gymraes!

A minnau'n tynnu at fy nghanol oed, byddai unrhyw un wedi tybio mai'r enedigaeth olaf fyddai'r waethaf a'r galetaf, ond yn eironig ddigon, hon oedd y rhwyddaf o'r tair! Cyrhaeddodd fy ail ferch i'r byd yn gwbl brydlon ar 5 Rhagfyr 1992 – yn amlwg doedd hi ddim yn tynnu ar ôl ei mam, sy'n ddiarhebol hwyr i bobman! Er i mi gael prawf amniosentesis yn ystod y naw mis a'n bod ni eisoes yn gwybod mai merch fyddai hi, roedden ni wedi methu penderfynu ar enw. Ro'n i â'm bryd ar ei galw hi'n Nansi ar ôl Nansi Richards, ond doedd Dave ddim yn rhy hoff o'r enw. Cafwyd trafodaethau hir a sawl dadl cyn cytuno, o'r diwedd, ar yr enw Megan Fflur.

Yn wahanol iawn i'r troeon blaenorol, cefais i a Megan adael yr ysbyty'n ddigon diffwdan, ac roedd hi'n fabi bach dedwydd tu hwnt. Chefais innau 'run o'r problemau y bûm yn dioddef ohonyn nhw wedi geni Sam a Lisa chwaith.

Buan y daethom yn ôl i ryw fath o drefn adre – hynny o drefn sydd i'w gael pan fo babi a phlentyn ifanc yn eich gofal, ac wrth gwrs, mewn dim o dro, roeddwn i'n ysu i gael dychwelyd i weithio eto.

Cafwyd dechrau cynhyrchiol iawn i 1993, gyda Lisa a minnau'n teithio lan i Sain i recordio lleisiau cefndir i Meic Stevens. Roedd Lisa'n 24 oed a minnau'n 44 oed, a dyma'r tro cyntaf i mi recordio gyda'm merch. Roedd e'n brofiad bendigedig. Roedd e hefyd yn brofiad y bydden ni'n dwy yn ei ailadrodd cyn diwedd y flwyddyn, wrth i ni ddarparu lleisiau cefndirol i Meic Stevens yng nghystadleuaeth Cân i Gymru 1993 gyda'r gân 'Yr Eglwys ar y Cei'.

Roedd 1993 hefyd yn gyfle i ailymweld â phrofiad bendigedig yr o'n i wedi bod yn ddigon ffodus i fod yn rhan ohono 'nôl yn y 70au, sef y sioe *Green Desert* gyda'r Hennessys, Ray Smith a Margaret John. Hwnnw oedd y tro cyntaf i mi ddarganfod 'Colli Iaith' gan Harri Webb, ac roedd y gân wedi cael effaith gref arna i. Syniad Eiry Palfrey oedd talu teyrnged i'r cyfansoddwr, roedd hi'n ffrindiau da 'dag e, ac roeddwn i'n ei hystyried yn fraint aruthrol i gael fy ngwahodd i fod yn rhan o hynny eto. Felly, flwyddyn cyn ei farwolaeth ym 1994, bu i'r hen griw recordio'r rhaglen *The Magic Webb*, rhaglen hyfryd o ganeuon a cherddi'r gŵr ei hun, a chefais i'r cyfle i ganu 'Colli Iaith' unwaith eto.

Roedd e hefyd yn brofiad ffantastig i gael gweithio gyda'r Hennessys eto.

Ond er cymaint yr o'n i'n mwynhau perfformio a chanu, ro'n i hefyd yn fam newydd gyda babi a phlentyn ifanc, ac roeddwn yn awyddus i dreulio cymaint o amser ag y gallwn yn eu cwmni. O ganlyniad, cafodd Meg gyflwyniad cynnar iawn i fyd y cyfryngau, ac rwy'n cofio iddi gael ei debut ar y teledu yn ddeufis oed, ar raglen gylchgrawn nosweithiol *Heno* gydag Angharad Mair!

Cefais brofiad unigryw wedyn ym mis Mawrth o'r flwyddyn honno, gan i mi gael cynnig i gymryd rhan yn y gyfres *Criw Byw*. Cynhyrchydd y gyfres ar y pryd oedd gŵr nid anenwog o'r enw Geraint Jarman, ac roedd Lisa hefyd yn gweithio fel ymchwilydd ar y rhaglen. Dyma'r tro cyntaf i ni'n tri gydweithio ar brosiect. Yn wir, dyna'r tro cyntaf ers dros ddeng mlynedd i'r tri ohonom ein canfod ein hunain dan yr un to ar yr un pryd!

Gyda dyfodiad yr haf daeth yr holl wyliau – y Cnapan, y Sesiwn Fawr, yr Eisteddfod – ac fe fûm i'n perfformio ym mhob un ohonyn nhw gyda Hin Deg, ac ar fy mhen fy hun hefyd yn yr Eisteddfod.

Erbyn dechrau 1994 roedd y gwaith yn gyson a gwahoddiadau i berfformio'n cyrraedd o bob cwr o Gymru, felly gallwn o'r diwedd deimlo 'mod i'n agosáu at y man hwnnw a gyrhaeddais ar benllanw fy ngyrfa 'nôl yn y 70au. Atgyfnerthwyd y teimlad hwn gyda chynnig i gael slot unigol *one-off* ar S4C a fyddai'n dod dan y teitl ymbarél *Perfformiad*. Roedd sawl wyneb – a llais – adnabyddus eisoes wedi cael rhaglen, a recordiwyd awr o'm caneuon yn adeilad y Pumphouse ym Mhenarth. Unwaith eto, mawr yw fy niolch i Eiry Palfrey – roedd hi'n gynhyrchydd ar y pryd, a hi gynigiodd fy enw ar gyfer un o'r rhaglenni hyn.

Roeddwn i hefyd yn cymryd rhan mewn ambell sgets deledu, megis honno ble'r o'n i'n gorfod rhedeg i ffwrdd gydag un dyn, oedd yn cael ei chwarae gan Rhodri Williams a aeth yn ei flaen i gyflwyno chwaraeon ar sianel Sky, a gadael un arall ar ôl, rhan oedd yn cael ei chwarae gan Twm Morys.

Wrth gwrs, gallai gwaith fod yn galed ar adegau, ac roedd hi bob amser yn dipyn o sialens jyglo pob dim. Roedd gen i ddau blentyn ifanc iawn: roedd Megan newydd gyrraedd ei dwyflwydd a Sam bron yn chwech oed, a minnau'n cael fy rhwygo rhwng y dyhead i dreulio pob munud yn eu cwmni a'r awydd i ddyfalbarhau gyda'm gyrfa, heb sôn am yr ystyriaeth ymarferol o ennill arian. Ond er y cymhlethdodau, roedd e'n gyfnod gwych ac yn brofiad ffantastig bod yn ôl ynghanol pethau unwaith yn rhagor, yn ôl fel yr oeddwn i, yn Heather Jones y 1970au.

Sialens arall a ddaeth i'm rhan yn ystod y cyfnod hwn oedd derbyn gwahoddiad i adrodd barddoniaeth ar lwyfan. Daeth y cais gan fardd o'r enw Herbert Williams, gŵr oedd rhyw bymtheng neu ugain mlynedd yn hŷn na mi, ac un a oedd yn creu gweithiau bendigedig. Roedd e'n brofiad newydd a chyffrous ac yn gwbl wahanol i'r un dim yr oeddwn i wedi ei wneud o'r blaen. Er ei fod yn ddibynnol ar fynegiant ar lafar, doedd dim cyfeiliant cerddorol. Roedd y gwahoddiad hwn yn arwyddocaol felly, gan ei fod yn dynodi fod pobl yn dechrau f'ystyried fel perfformwraig yn hytrach na chantores yn unig. A dweud y gwir, fe fyddwn i wedi mwynhau gwneud mwy o'r math yma o waith, ond yn y cyfnod hwnnw, roeddwn i'n derbyn cymaint o wahoddiadau i ganu fel nad oedd fy siediwl yn caniatáu i mi fanteisio ar unrhyw gyfleoedd pellach tebyg.

Mae'r hyn maen nhw'n ei ddweud am fysys hefyd yn wir am y byd cerddorol – diffeithwch am flynyddoedd, yna dilyw o gynigion o bob cyfeiriad! Fel gydag unrhyw alwedigaeth, mae tueddiad hefyd i un peth arwain at y llall, fel rhyw gaseg eira. Wedi i mi gymryd rhan yn *Perfformiad* ym mis Mai, gofynnodd cynhyrchydd y gyfres honno, Huw Brian, i mi ganu o Bortmeirion ym mis Mehefin.

Yn anffodus, wrth gau'r drws ar y flwyddyn honno, bu inni hefyd orfod ffarwelio gyda Harri Webb, a fu farw ar 31 Rhagfyr 1994. Dyma ddyn oedd wedi bod yn ddylanwad enfawr ar fy mywyd ac ar fy ngyrfa ers blynyddoedd lawer, fel y bu i sawl un arall hefyd, mi wn.

Hafren

Erbyn 1995 ro'n i wedi dechrau gweithio gyda band newydd o'r enw Hafren. Rhyw fath o estyniad ar aelodaeth Hin Deg oedd Hafren – a'r cyd-aelodau oedd Mike Lease, Jane Ridout, Chris Knowles, Alan Müller a minnau. Ym mis Mawrth cawsom wahoddiad i berfformio ar gyfres teledu newydd.

Eto, roedd e'n gyfnod prysur iawn, yn broffesiynol ac yn bersonol. Roedd Sam newydd ddechrau'r ysgol, felly roedd angen ei gael e'n barod yn gynnar y bore a pharatoi ei becyn bwyd ac ati, a byddai Megan adre gen i trwy'r dydd wrth gwrs. Gan amlaf, medrwn dreulio'r diwrnod gyda Meg a gigio wedyn gyda'r nos, ond roeddwn yn ffodus iawn fod Mam yn parhau'n iach ac yn fodlon helpu fel erioed. Byddai'n gwarchod Meg i mi pan oedd rhywbeth yn galw yn ystod y dydd, ac yn gofalu am Sam wedi iddo ddod adref o'r ysgol tra oeddwn i'n gweithio.

Mam oedd yn gwarchod ar yr 17eg o Fawrth, er mwyn i mi a gweddill Hafren deithio lan i Langollen i ffilmio. Roedd cynhyrchydd ifanc, newydd yn gweithio ar y gyfres, a chanddo syniad o'n ffilmio ni'n perfformio 'Lisa Lân'. Y nod oedd cael gweddill y band yn y cefndir yn darparu'r gerddoriaeth, a minnau ar y platfform trenau'n cerdded trwy'r stêm tra oeddwn yn canu. Ac felly y bu. Roedd y trên i gyrraedd y platform, a chwibanu wrth wneud hynny, a minnau i ymddangos yn raddol trwy'r stêm. Ond am ba bynnag reswm, roedd gofyn i ni ffilmio'r olygfa sawl tro. Ar ôl cerdded trwy'r stêm ddegau o weithiau, cefais fynd am seibiant i'r stafell aros.

Dyna ble'r oeddwn i'n mwynhau pum munud o dawelwch pan sylweddolais 'mod i'n dal i allu clywed chwiban y trên yn fy nghlust chwith. 'O wel,' meddyliais wrthyf fy hunan, 'fe aiff yn ei amser ei hun'. Ond nid felly y bu. Roedd y sŵn yn dal yno erbyn gyda'r nos, ac yn dal yno drannoeth, drennydd a'r diwrnod wedyn. Erbyn hynny, ro'n i braidd yn bryderus, a buan y sylweddolais fod yna sail i'm hofnau. Roeddwn i'n dioddef o *tinnitus* ac efallai mai sŵn y trên hwnnw yn Llangollen oedd gwreiddyn y drwg.

Mae e'n gyflwr sy'n effeithio ar fwy na chlyw rhywun yn unig. Roedd e'n fy ngwneud i'n simsan ar fy nhraed, ac yn gwneud i mi deimlo'n sâl. Fis yn ddiweddarach, ro'n i'n dal i glywed y trên hwnnw'n chwibanu yn fy nghlustiau. Wrth gwrs ro'n i hefyd yn boenus am y dyfodol.

Roedd pob agwedd o'm gyrfa yn dibynnu ar fy nghlyw a'm clust gerddorol, a pherfformiadau byw'n gofyn i mi dreulio oriau yng nghanol sŵn byddarol fyddai'n gallu gwaethygu'r cyflwr ac a fyddai yn ei dro'n golygu dirywiad pellach.

Ar gyngor y meddyg, cefais apwyntiad ysbyty, ond doedd dim y gallen nhw ei wneud i mi. Doedd dim triniaeth, dim gwellhad fel y cyfryw, yr unig beth oedden nhw'n gallu ei argymell oedd teclyn i'w wisgo yn fy nghlust fyddai'n chwarae cerddoriaeth yn dragywydd er mwyn boddi'r sŵn arall. Gwrthod wnes i. Ro'n i'n gweithio ym myd cerddoriaeth, yn cael fy amgylchynu gan gerddoriaeth a sain o bob math bob dydd, a'r peth diwethaf oeddwn i ei angen oedd mwy o gerddoriaeth i darfu ar unrhyw oriau tawelach.

Roedd y diagnosis yn dipyn o 'siglad, mae'n rhaid i mi gyfaddef. Ro'n i'n 45 oed ar y pryd, ac roedd meddwl am orfod byw gyda'r cyflwr hwn weddill fy nyddiau'n fy nychryn i. Rwyf wedi arfer erbyn hyn i ryw raddau, ond hyd yn oed heddiw, mae'n rhaid i mi gael rhyw sŵn cefndirol tragwyddol – boed hynny'n Radio Cymru neu Radio 2 yn y car, neu'r teledu yn y tŷ – er mwyn boddi effaith y *tinnitus*.

Cyflwynwyd agwedd arall i'm gwaith fel perfformwraig yn ystod 1995, a hynny diolch i Bill Hyde. Gŵr oedd yn gweithio i Gyngor Bargoed ar y pryd oedd Bill, a gofynnodd i mi berfformio mewn ambell gartre henoed yn yr ardal. Yr hyn a olygai hynny oedd cyflwyno a pherfformio cyfres o ganeuon am ryw awr yn y prynhawn, a dechreuais ei wneud fel cymwynas i Bill. Buan y sylweddolais ei fod e'n rhywbeth yr oeddwn i'n cael pleser mawr o'i wneud. Roedd yn brosiect cwbl newydd i mi, yn gynulleidfa newydd a chaneuon newydd hefyd – caneuon fyddwn i ddim fel arfer yn breuddwydio eu perfformio. Roeddwn i'n dal yn daer dros gynnwys caneuon Cymraeg, ond buan y deuthum i sylweddoli mai'r unig ganeuon Cymraeg yr oedd y rhelyw ohonyn nhw am eu clywed oedd 'Myfanwy', 'Calon Lân' ac yn fwy annisgwyl hwyrach, 'Dafydd y Garreg Wen'.

Yn wir, roedd 1996 yn flwyddyn lawn profiadau annisgwyl. Dechreuais weithio gyda Stan Stennet unwaith yn rhagor, am y tro cyntaf ers sawl blwyddyn. O ganlyniad i'm gweld yn perfformio ar lwyfan un noson, daeth Stan ata i gan ddweud, 'I really enjoyed your performance tonight, Heather. You've still got it. You still look good on

131

stage even though you're getting on a bit, and that's why I'd like you to be in my pantomime.'

Canmoliaeth ddigon chwithig os bu un erioed! Ym mis Rhagfyr o'r flwyddyn honno dechreuais ymarfer gyda gweddill y cast yn y Municipal, neu'r Muni, ym Mhontypridd. Er i mi wneud pantomeim rai blynyddoedd ynghynt, profodd hwn yn waith tipyn caletach ac yn fwy o sialens i mi'n bersonol gan mai prin iawn oedd y caneuon – rhyw ddwy yn unig oedd gen i a deialog oedd y gweddill. Sa i erioed wedi bod yn fawr o arbenigwraig ar gofio deialog, ond wedi oriau o ddarllen y sgript, ei dysgu a'i hadrodd a'i hailadrodd i mi fy hun a'r drych, bu i'r cynhyrchiad fynd rhaggdo'n ddigon digynnwrf.

Gŵyl y gwisgoedd

Ar ddechrau'r Flwyddyn Newydd gadewais fyd y pantomeim o'm hôl, a chamu i fyd y Baftas. Hwn oedd y tro cyntaf a'r tro olaf i mi berfformio ar lwyfan y Baftas, a hynny ar gais un o'r trefnwyr, Stifyn Parri. Mae'n rhaid i mi gyfaddef nad ydw i'n orgyfforddus yn y math yma o awyrgylch, ond o leiaf roedd e'n esgus i brynu ffrog grand ar gyfer yr achlysur! Roedd e hefyd yn arwydd 'mod i wedi cael fy nerbyn gan y diwydiant ac i ryw raddau yn arwydd o adennill fy safle ym myd y celfyddydau perfformio yng Nghymru.

Roeddwn i hefyd yn mwynhau llwyddiant gyda Hafren yn ystod y cyfnod hwn, ac ym 1996 bu'r grŵp yn perfformio'n gyson ar hyd a lled Cymru, Lloegr a hyd yn oed yr Alban. Un o uchafbwyntiau'r cyfnod oedd cymryd rhan yng Ngŵyl Werin Caer-grawnt, gŵyl adnabyddus sy'n parhau i ddenu artistiaid a chynulleidfaoedd o bob cwr o'r byd hyd heddiw.

Erbyn mis Awst y flwyddyn honno, roeddwn i'n haeddu gwyliau, ac yn digwydd bod, roedd nai i mi yn priodi lan yn Knutsford, ger Manceinion. Roedd fy mrawd Malcolm yn byw mewn tŷ braf ac iddo saith stafell wely yn y cyffiniau ac roedd wedi cynnig i ni aros yn y tŷ'n dilyn y briodas gan ei fod ef a'r teulu'n mynd i ffwrdd am wythnos o wyliau. Doedd dim angen iddo ofyn ddwywaith – i ffwrdd â ni, Dave a minnau a'r plant, ac fe ddaeth Heledd gyda ni hefyd. Fe gawsom saith diwrnod o ddiogi, o fwynhau ac o dreulio amser gyda'n gilydd fel teulu ac roedd yn ddewis delfrydol ar gyfer gwyliau gan fod Megan, oedd bellach yn dair a hanner, wedi dechrau dioddef yn ddrwg o asthma. Roedd hi eisoes wedi gorfod treulio sawl cyfnod yn yr ysbyty'n cael triniaeth. Yn amlwg roeddwn i'n ofidus iawn yn ei chylch, yn enwedig felly gan fy mod wedi bod trwy'r un peth yn ei hoed hi, ac ro'n i'n cadw llygad barcud arni. Roedd gwyliau o'r math hwn yn ddelfrydol gan ei fod yn golygu y gallwn fod yn wyliadwrus ohoni heb amharu ar ei rhyddid na'i mwynhad, ac roeddwn i'n gresynu braidd pan ddaeth y saith diwrnod i ben a'r amser i ni bentyrru'n 'ôl i mewn i'r car a dychwelyd i Gaerdydd.

Wrth gwrs, fel y gŵyr unrhyw riant, wrth gyrraedd adref mae rhywun yn boddi mewn dillad budr a dadbacio ac ati, felly roedd hi'n beth amser cyn i mi fynd ati i wrando ar y negeseuon ar y peiriant ateb. Pan ddaeth y cyfle i wneud hynny, synnais o glywed llais Andrew O'Neill, oedd yn gomisiynydd cerdd gyda S4C ar y pryd. Yn ôl pob tebyg, roedd Andrew ar fin gadael y Sianel, ac yn y cyfnod hwnnw, pan fyddai hynny'n digwydd roedd hi'n arferiad i'r sawl oedd yn gadael gael rhyddid i gomisiynu un gyfres olaf i'w dangos ar y teledu. Roedd e'n cynnig cyfres chwe rhan i mi!

Roeddwn i bellach yn 47 oed, a thros chwarter canrif wedi pasio ers i mi gael fy nghyfres fy hun ar y bocs ddiwethaf, felly byddai'n deg dweud 'mod i wedi gwirioni ar y cynnig! Roedd yn gymaint o hwb i mi ac i'm gyrfa, a doedd dysgu tua 30 o ganeuon mewn cwta chwe wythnos ddim yn ddigon i daflu dŵr oer ar fy nghyffro!

Fe fu'n chwe wythnos prysur iawn. Derbyniais y cynnig ar 10 Awst ac erbyn canol mis Medi roedden ni'n dechrau ffilmio'r gyfres. Yn y cyfamser, nid yn unig yr oedd angen dysgu'r holl ganeuon, ond roedd angen i mi hefyd gael sawl cyfarfod gydag Emyr Afan o gwmni Avanti oedd yn mynd i gynhyrchu'r rhaglen, ac wrth gwrs roedd rhaid sicrhau gwisgoedd addas ar gyfer y gyfres hefyd! Roeddwn i wedi dewis Judith Jones, gwraig Terry Dyddgen-Jones, i fod yn feistres y gwisgoedd ar gyfer y gyfres, ac fe gafodd y ddwy ohonom oriau o bleser yn crwydro'r siopau'n chwilio am ddillad addas. Roedd angen gwisg newydd ar gyfer pob cân bron, felly ro'n i yn fy elfen – yn enwedig gan nad fi oedd yn gorfod talu amdanynt ar ôl eu dewis!

Cefais drip draw i Lundain hefyd, i gael torri fy ngwallt a chael fy ffilmio wrth wneud hynny – ro'n i'n teimlo fel seléb go iawn! Yn dilyn yr apwyntiad yn y siop trin gwallt rwy'n cofio i ambell un o'r criw cynhyrchu, a minnau yn eu plith, fynd draw i'r Groucho Club enwog yn Soho. Cawsom brofi bywyd y brifddinas yng nghwmni enwogion megis y cyflwynydd pengoch, Chris Evans, oedd yn cyflwyno *Big Breakfast* a *TFI Friday* ar y pryd, a'i ffrind Danny Baker, ac eraill.

Yn ogystal â'r wefr o gael fy nghyfres fy hun, roedd e hefyd yn gyfle i gynnig llwyfan i gerddorion talentog eraill, unigolion yr oeddwn i'n eu hedmygu'n fawr. Ymhlith y gwesteion a ymddangosodd ar y rhaglen roedd yr Hennessys, Alan Stivell o Lydaw, Sileas o'r Alban, Davy Spillane, y pibydd enwog o Iwerddon; Mal Pope, Bryn Fôn, Dafydd Dafis ac eraill. Dyma'r tro cyntaf hefyd i Sioned Mair a Lisa ganu lleisiau cefndirol i mi – rhywbeth a ddaeth yn dipyn o arferiad wedi hynny. Roeddwn i hefyd yn cael dewis band i berfformio gyda mi gydol y gyfres, ac ro'n i wrth fy modd pan gytunodd Tich Gwilym i fod yn brif gitarydd.

Gweddill y band oedd Dave, Wally, a Tony Lambert, bachgen oedd wedi bod yn perfformio gyda'r Saw Doctors draw yn Iwerddon. Roedd e'n gerddor talentog tu hwnt – ac yn fachan ffodus iawn hefyd. Ychydig ddiwrnodau wedi iddo symud draw i Iwerddon, ble'r oedd e'n byw mewn carafán fechan, bu iddo gerdded i mewn i siop bapur newydd a phrynu tocyn loteri. Fe enillodd y brif wobr, ond er iddo ddod yn filiwnydd dros nos roedd e'n dal yr un mor angerddol am ei gerddoriaeth, a chytunodd i ymuno â'n criw ni ar y gyfres.

Chlywais i 'rioed neb yn gwarafun iddo ei lwc dda; roedd e'n fachgen mor hael ac rwy'n ei gofio'n mynnu mynd â'r holl griw allan am fwyd un noson a thalu dros bawb.

Erbyn diwedd y flwyddyn 1996, er bod y gyfres wedi ei recordio doedd hi ddim wedi ymddangos ar y teledu eto, ond roeddwn i'n parhau i gael cyfleoedd i ymddangos ar sawl rhaglen deledu arall. Bu'n flwyddyn brysur, ac erbyn dechrau 1997 roedd yr holl waith, yn ogystal ag edrych ar ôl dau blentyn ifanc, yn dechrau cael effaith arna i. Roeddwn i bellach yn 48 oed, ac er cymaint yr o'n i'n mwynhau'r gigio a'r canu a'r perfformio, roedd y prysurdeb yn dechrau gwneud i mi deimlo'n reit benisel, a dweud y gwir. Roeddwn i'n teimlo 'mod i'n colli rheolaeth ar fy mywyd ac ro'n i wedi diflasu ar yr holl ofynion oedd arna i, ond fedrwn i ddim gweld ffordd allan o'r patrwm hwnnw.

Pan gysylltodd Bill Hyde gyda mi ym mis Ionawr, roedd ganddo ateb i hynny i ryw raddau. Roedd Bill wedi dechrau ar swydd newydd fel cydlynydd cerdd mewn ysbytai, a gofynnodd i mi a fyddai gen i ddiddordeb mewn teithio lan i'r gogledd i berfformio mewn ysbytai gwahanol dros gyfres o rai dyddiau. Byddai gofyn i mi ymweld â dau ysbyty'r dydd: Dolgellau a Thywyn un diwrnod; Y Bermo a Phorthmadog y diwrnod canlynol; Blaenau Ffestiniog a'r Bala, ac yna adref. Dim ond dwy noson i ffwrdd o adre oedd e'n ei olygu, ac roedd e'n gynnig oedd wir yn apelio ata i. A bod yn onest, er mor hunanol y mae hynny'n swnio, roeddwn i hefyd yn dyheu am gael bod yn fi fy hun am chydig o ddiwrnodau. Cwpwl o ddiwrnodau o ganolbwyntio ar fod yn Heather y gantores, heb orfod cydbwyso hynny hefo Heather y wraig, Heather y fam a Heather y wraig tŷ. Fu dim rhaid i mi ystyried yn hir cyn rhoi ateb i Bill. Gofynnais i Dave a fyddai'n fodlon edrych ar ôl pethau am sbel, ac yna i ffwrdd â mi.

Chefais i mo'n siomi. Yn wir, buan y sylweddolais 'mod i'n mwynhau'r rhyddid ac yn falch o gael fy nhraed yn rhydd am gwpwl o ddiwrnodau. Wrth gwrs, roeddwn i'n gweld eisiau'r plant ac yn colli eu cwmni, ond roedd rhywbeth yn braf iawn am roi cyfrifoldebau o'r neilltu am ychydig, ac ro'n i wrth fy modd yng ngogledd Cymru: y golygfeydd, y mynyddoedd a thirwedd Dolgellau, Porthmadog ac ati. Roeddwn i wedi bod yn fam ers y saithdegau – am bron i ddeng mlynedd ar hugain, ac roedd hyn fel gwyliau byr oddi wrth y gofalon hynny ac yn chwa o awyr iach.

Canada – gwlad y gymanfa

Ym mis Ebrill 1997 daeth gwahoddiad i mi godi pac unwaith eto – ond roedd angen teithio fymryn yn bellach na gogledd Cymru'r tro hwn! Ottowa yng Nghanada fyddai'r gyrchfan, a hynny er mwyn perfformio mewn cymanfa ganu yno. Cawn aros gyda hen gyfaill i mi, Steve Jones – fe oedd wedi chwarae gitâr gyda'r Meillion 'nôl yn y chwedegau, a'r bwriad oedd i mi deithio allan yno gyda mam Steve, Beti Wyn Jones, oedd a wedi bod yn arweinydd arnaf yn y côr hwnnw flynyddoedd yn ôl.

Er ei bod hi'n ganol Ebrill, roedd hi'n dal yn oer ofnadw yng Nghanada a'r eira'n drwch dan draed. Roedd Steve a'i deulu'n byw yn Oshawa, ble'r oedd e'n gweithio fel radiograffydd. Roedd hi'n daith bedair awr o gartref Steve lan i'r gymanfa ac rwy'n cofio rhyfeddu wrth basio sawl safle ar gyfer Indiaid Cochion ar y ffordd yno. Dyma'r tro cyntaf hefyd i mi weld Rhaeadr Niagara, ac ro'n i wedi cael fy nghyfareddu gan y wlad.

Yn ddigon dealladwy, doedd y teulu gartref ddim yn rhy falch o glywed fy mod am eu gadael unwaith yn rhagor, a hynny i fynd mor bell â Chanada, ond doeddwn i ddim yn teimlo y gallwn i wrthod y cynnig. Nid yn unig 'mod i wedi cael fy newis i gynrychioli fy ngwlad ond roedd e hefyd yn gyfle ffantastig i weld y byd, ac i weld gwlad yr oeddwn i wastad wedi dyheu am gael mynd iddi. Roedd fy mam wedi treulio tair blynedd yng Nghanada yn ystod y rhyfel ac roeddwn i'n awyddus i gael dysgu mwy am y cyfnod hwnnw yn ei bywyd hithau hefyd.

Yr unig siom i mi'n bersonol oedd na fyddai'r amserlen yn caniatáu i mi ymweld â'm hen ffrind ysgol, Babs, oedd yn byw yng Nghanada erbyn hynny, ond cysurwn fy hun gyda'r syniad y cawn ddod yn ôl i'r wlad rywdro cyn hir, yn unswydd i ymweld â hi. Yn anffodus, nid felly y bu ond bu'r siwrne draw yno a'r cyfnod byr a dreuliais yn y wlad ryfeddol hon yng nghwmni Beti Wyn a Steve yn gyfnod gwerthfawr a phleserus.

Rhigol

Erbyn 1998 ro'n i wedi cynyddu'r nifer o deithiau o amgylch ysbytai a chartrefi'r henoed yn sylweddol. Yn wir, o fewn un wythnos ro'n i'n llwyddo i wneud cyfanswm o 14 'gìg', gan ymweld â dau safle bob dydd. Fy mhrif reswm dros dderbyn yr holl waith ychwanegol hwn oedd fy mod yn ei weld e'n gyfle i ddianc bob hyn a hyn o rigol bywyd bob dydd. Roedd yn cynnig cyfle i mi gael seibiant oddi wrth bawb a phopeth a chael amser i mi fy hunan. Wnes i ddim sylweddoli am sbel 'mod i'n dianc o un rhigol er mwyn canfod fy hun mewn un arall. Doedd y gwaith ddim yn teimlo fel rhigol o gwbl – roeddwn i'n ei fwynhau e, ond mae'n debyg 'mod i'n gweithio'n rhy galed.

Unwaith eto, y corff drosglwyddodd y neges i mi fod rhaid arafu. Fe ddioddefais sawl cyfnod o salwch yn ystod y flwyddyn honno. Prin oedd y diwrnodau pan o'n i'n teimlo'n holliach. Gan amlaf, ro'n i'n deffro yn y bore yn teimlo'n boeth, yn wantan, yn benysgafn. Yn wir, ro'n i'n dioddef o ryw anhwylder byth a hefyd, ond y gwaethaf o ddigon oedd y diwrnod y canfyddais i lwmp yn fy mron. Roedd gen i ychydig dros flwyddyn cyn cyrraedd fy hanner cant, felly doeddwn i ddim i fod i fynd am archwiliad tan hynny, ond wedi bod yn gweld y meddyg teulu, cefais fy ngyrru ar f'union i'r ysbyty i gael mamogram.

Fel y gŵyr unrhyw un sydd wedi bod trwy'r profiad hwnnw, mae'r cyfnod rhwng canfod y lwmp a chael clywed canlyniadau'r profion yn un gofidus dros ben. Wnes i ddim dweud gair wrth neb am yr hyn yr oeddwn i'n mynd trwyddo ar y pryd. Dylwn i fod wedi rhannu'r gofid hwnnw efo Dave, efo rhywun, ond, am wn i, fe fyddai cyfaddef wrth rywun a mynegi'r pryder yn ei wneud yn wirionedd. Ro'n i ar bigau am wythnosau. Allwn i ddim meddwl am ddim byd arall er gwaetha fy ymdrechion i gadw'n brysur. Diolch byth, pan ddaeth yr amser i mi ddychwelyd i'r ysbyty fe ges wybod nad oedd yna gancr yn y tyfiant. Roeddwn i'n lwcus. Nid pawb all ddweud hynny.

Roedd yna ambell gìg diddorol yn codi o dro i dro, megis perfformio yn y Cnapan gyda Meic Stevens ac roedd unrhyw gìg gyda Meic yn gofiadwy!

Gorffennaf 10fed 1998 oedd hi, ac roedd rhaid i ni deithio draw i Dyddewi'r noson cyn y gìg er mwyn ymarfer gyda'n gilydd fel band.

Wedi rihyrsal digon hwyliog fe heidiodd pawb ohonom ni draw i'r Farmers am beint neu ddau ac ambell gân. Ro'n i'n aros gydag Izzy, merch Meic oedd yn byw yn y cyffiniau.

Drannoeth, roedd gofyn i ni gyrraedd y Cnapan erbyn un o'r gloch, felly dyma finnau a Lyn, y bachan oedd yn canu'r organ geg, yn teithio i fyny yno yn fy nghar i. Cyrhaeddasom mewn da bryd, ond wrth ddechrau ar y *sound-check* doedd dim sôn am y dyn ei hun. Trodd un o'r lleill ata i a gofyn, 'Isn't Meic with you?'

'No,' meddwn innau. 'I thought he was coming with one of you lot.' Wedi'r cyfan, o dŷ Izzy yr oeddwn i wedi dechrau'r siwrne yno, gan feddwl y byddai un o'r rhai oedd yn aros gyda Meic yn sicrhau lifft iddo lan i'r gìg.

Wedi holi 'nôl ac ymlaen fel hyn am dipyn, dyma sylweddoli fod pob un ohonom wedi gadael Solfa heb Meic, ac roedd seren y sioe fwy na thebyg yn dal i gicio'i sodlau'n disgwyl lifft gan rywun!

Rhyw ddwyawr yn ddiweddarach fe ymddangosodd Meic – roedd e wedi gorfod bodio'i ffordd o Solfa i'r Cnapan a'i gitâr ar ei gefn. Yn ffodus iddo fe, roedd rhywun o Gaerdydd oedd hefyd yn teithio draw i'r Cnapan wedi nabod y gŵr ar ochr y ffordd gyda'r het ddu a'r cês gitâr, ac wedi rhoi pàs iddo. Yn naturiol, doedd Meic ddim yn ei hwyliau gorau wedi hynny, ond fe gafwyd gìg dda er hynny!

Ym mis Medi 1998 fe fues i ar ymweliad â Blackpool yng nghwmni'r Hennessys. Andrew O'Neill oedd wedi trefnu'r trip, a'r nod oedd perfformio yng nghynhadledd flynyddol y Blaid Lafur yno. Cawsom gyfarwyddyd i ganu cân yr un gan fod Tony Blair yn bwriadu dod i gefn y llwyfan i gwrdd â phawb. Ac yn wir i chi, wedi i bawb wneud eu rhan dyma fe'n ymddangos. Fe ysgydwodd fy llaw a dweud, 'You have a lovely voice, Ms Jones.' Wel, ro'n i fel merch ifanc unwaith eto, yn wên i gyd o gofio'i eiriau ac o wybod bod y Prif Weinidog yn meddwl fod gen i lais neis! Doedd dim gwahaniaeth beth oedd rhywun yn ei feddwl ohono fe na'i ddaliadau gwleidyddol, y gwir amdani oedd mai ef oedd y Prif Weinidog wedi'r cyfan ac roedd e'n credu 'mod i'n meddu ar lais neis!

Y flwyddyn honno, hefyd gydag Andrew O'Neill, fe gymerais i ran mewn rhaglen o'r enw *Y Galon Hon* gyda phump o ferched eraill – Caryl Parry Jones, Siân James, Linda Healy, Gwenda Owen a chantores ifanc newydd o'r enw Angharad Brinn. Roedd hwnnw'n brofiad bendigedig ac yn gyfle prin arall i gael cydweithio gyda merched eraill o'r un proffesiwn.

Ar wahân i'r ychydig brofiadau hynny, doedd fawr ddim cyffrous yn digwydd i mi o safbwynt gwaith. Roeddwn yn cael cynnig digon o waith, ond ymweliadau a pherfformiadau mewn ysbytai a chartrefi'r henoed oedd y rhelyw ohonynt. Rwy'n cofio teimlo fel pe bai'r sîn gyfan wedi mynd i fymryn o rigol – a'r don newydd o gerddorion sydd bellach yn flaenllaw ym myd cerddoriaeth Cymru heb gyrraedd eto.

Hin Deg eto

Rhyfedd sut mae pethau'n gweithio trwy'i gilydd heb drio rhywsut. Fel y daeth y cyfnod gyda Hafren i ben, cafwyd galw o'r newydd am Hin Deg, ac ro'n i'n croesawu'r cyfle i weithio gyda Mike Lease a Jane Ridout unwaith eto. Ar drothwy 2000 ro'n i'n cael tipyn o waith gyda Hin Deg unwaith yn rhagor. Fel gydag unrhyw gyfnod mewn bywyd, mae'r profiadau gorau'n aml yn dod law yn llaw â'r rhai gwaethaf, ac roedd hwn yn gyfnod poenus iawn i mi ar lefel bersonol. Fel ei mam o'i blaen, dechreuodd Megan gael pyliau drwg o asthma yn ystod y cyfnod hwn.

Ar 5 Mawrth 1999 cafodd ei tharo'n wael gyda'r nos a'i rhuthro i'r ysbyty mewn ambiwlans, yn methu cael ei hanadl. Roedd hi'n wael iawn, iawn, ac fe'i rhoddwyd ar ddrip cyn gynted ag y cyrhaeddodd yr uned argyfwng. Does dim yn waeth na gorfod gwylio eich plentyn yn dioddef. Rydych chi'n teimlo'n gwbl ddiymadferth am nad oes dim y gallwch ei wneud i leddfu'r dioddefaint hwnnw, er y byddech yn rhoi'r byd am gael tynnu'r boen oddi arnyn nhw.

Mae rhai adegau pan fo pob ymrwymiad arall yn diflannu o'r meddwl. Doedd gwaith ddim yn bwysig, hyd yn oed i rywun fel fi, pan oedd argyfwng yn codi gyda'r plant. Y tro hwnnw, eisteddais wrth ochr gwely Megan yn cadw llygad barcud arni. Chysgais i ddim o gwbl am rai dyddiau, dim ond syllu ar fy merch fach oedd yn gorwedd mor dila a diymadferth yn y gwely. Ambell waith, byddai hi'n canfod digon o egni i ymdrechu i dorri'n rhydd o'r masgiau a'r pibellau yr oedd hi ynghlwm wrthyn nhw, ond roedd eu hangen nhw arni hi, ac fe fyddwn innau yno i'w thawelu a'i darbwyllo i'w gwisgo eto.

Fe fu Megan yn yr ysbyty am saith diwrnod y tro hwnnw ac, yn anffodus, dyna ddechrau patrwm cyfarwydd iawn. Hoffwn i allu dweud fod rhywun yn arfer â'r peth, yn poeni llai wrth gyfarwyddo â threfn y driniaeth, ond dyw hynny ddim yn wir. Er bod rhywun yn ceisio bod yn ymarferol, yn optimistig a pheidio â gwneud ffwdan pan fo Meg yn cael un o'i phyliau, mae'r pryder yno drwy'r amser.

Mae perfformio yn ysgol brofiad wych; does dim gwell ffordd i ehangu eich gorwelion mewn amryw ffyrdd. Mae'n caniatáu i chi deithio'r byd a chwrdd â chymeriadau lu. Ond ni cheir y da heb y drwg wrth gwrs, a'r drwg yn y sefyllfa yw ei fod yn waith sy'n amharu ar gynnal perthynas, ac yn ei gwneud yn anodd cwrdd â chyfrifoldebau bywyd bob dydd.

Dros hanner tymor, roeddwn wedi gweld cyfle prin i gael wythnos o seibiant gyda'r plant. Byddai'n gwneud lles i Megan a byddai'n gyfle da i ni ymlacio gyda'n gilydd yn dilyn ei salwch hi. Aethom i Plymouth i aros gyda chwaer Dave, Fran Castle, ond tra o'n i yno daeth galwad ffôn gan Andrew O'Neill yn gofyn i mi fynd i Lundain drannoeth. Roedd e'n awyddus i mi fynychu clyweliad ar gyfer sioe Wyddelig oedd yn cyfuno cerddoriaeth a dawns. Roedd ganddyn nhw eisoes gantores Wyddelig ond roedden nhw'n meddwl y byddai'n braf ychwanegu gogwydd Geltaidd arall trwy wahodd cantores o Gymru i fod yn rhan o'r un sioe.

Prin y gallwn gredu fy nghlustiau – roedd e'n gyfle anhygoel ac yn brofiad allai arwain at bethau mawr iawn – ond buan y sobrais wrth glywed y byddai disgwyl i mi dreulio chwe mis ar daith gyda'r cynhyrchiad. Er cyn wyched oedd y cyfle, yr unig beth y gallwn feddwl amdano oedd fy merch fach oedd newydd fod yn ymladd am ei bywyd yn yr ysbyty. Fedrwn i mo'i gadael hi. Fedrwn i ddim troi 'nghefn arni i fynd i deithio ar hyd a lled y wlad. Gyda chalon drom, gwrthodais fynychu'r clyweliad. Y cynhyrchiad oedd *River Dance*, creadigaeth enwog Michael Flatley, y gŵr a fu hefyd yn gyfrifol am *Feet of Flames* a *Lord of the Dance*.

Hanner canrif

Roeddwn i'n bur isel am gyfnod ym 1999. Dyw perfformio mewn canolfannau cymunedol fel ysbytai a chartrefi henoed ddim yn waith sy'n talu'n dda, a doedd band Dave ddim yn cael llawer o lwc arni bryd hynny chwaith. Gyda dau 'artist' yn y cartref a dim incwm sefydlog yn dod i mewn i'r tŷ, roedd ein sefyllfa'n dynn iawn ar brydiau. Roedd 1999 yn un o'r adegau hynny, ac rwy'n cofio poeni'n ofnadwy am y biliau a gyrhaeddai drwy'r drws – roedden nhw'n cyrraedd yn llawer amlach na siec gyflog neu dâl am waith yr oeddem wedi ei wneud, neu o leiaf felly'r oedd hi'n ymddangos.

Yn ystod y gwanwyn, roedd Clwb Gwerin Dave Burns yn tynnu at ei derfyn, ac fe gaeodd ei ddrysau am y tro olaf ar 26 Mai 1999. Roedd yr adeilad yn eiddo i Gatholigion Rhufeinig, ac roedd yr aelodau wedi penderfynu yr hoffen nhw ddefnyddio'r safle i ddiben amgenach. Roeddwn i wedi bod yn perfformio yno'n rheolaidd ers dros saith mlynedd ac er nad oedd y penderfyniad i ddod â'r traddodiad i ben yn ddim i'w wneud â mi'n uniongyrchol, roedd e'n dal yn dipyn o 'sgytwad.

Yn fuan wedyn, ym mis Mehefin, roeddwn i'n dathlu fy mhenblwydd yn hanner cant: diwrnod y galla i ddweud â chryn sicrwydd nad oeddwn i'n edrych ymlaen ato – y diwrnod y byddwn yn ganol oed. Ond os oeddwn i'n fwy na bodlon claddu 'mhen dan y gobennydd a threulio'r dydd yn ceisio 'ngorau glas i anwybyddu'r ffaith honno, doedd gan fy ffrindiau na'm teulu ddim bwriad o adael iddo fynd heibio'n dawel.

Cefais fy neffro'r bore hwnnw gan sŵn digon od a ddôi o'r ardd, ac wedi mynd i archwilio yr hyn a welwn oedd fod fy ffrind Hilary, ffrind ysgol o ddyddiau ysgol Cathays, wedi bod wrthi'n ddyfal yn chwythu balŵns ac yn addurno blaen y tŷ o'r top i'r gwaelod. Prin fod bricsen wedi dianc rhag ei chrafangau creadigol!

Roedd parti'n cael ei gynnal yn ddiweddarach y diwrnod hwnnw. Roeddwn wedi cytuno i hynny ar yr amod y câi fod yn barti ar y cyd gyda Hilary, oedd yn dathlu ei phen-blwydd hithau'r diwrnod canlynol. Yn anffodus, allai Dave ddim bod yn bresennol gan fod gan ei fand e gìg ar yr un noson. Wrth gwrs, fel drymar mae gan Dave ddyletswydd i'r band, ac mae'r aelodau eraill yn dibynnu arno fel y mae yntau'n dibynnu arnynt hwythau, ac er bod fy synnwyr cyffredin yn deall pam y bu iddo dderbyn y jobyn, roedd fy nghalon i'n methu deall pam yr oedd yn rhaid iddo weithio ar y noson benodol honno. Roedd fy malchder hefyd wedi'i gleisio, ac roedd hi'n anos cadw wyneb pan holai pobl am Dave fel yr âi'r noson yn ei blaen.

O fewn y mis, fodd bynnag, byddai llawer mwy na'm balchder wedi'i gleisio. Roedd e'n ddiwrnod digon di-nod, a minnau wedi mynd i Riwbeina gyda'r plant yn y car. Mynd i siopa bwyd oeddwn i, ac ro'n i wrthi'n rhoi'r bagiau yn y bŵt pan ddisgynnais i ac anafu 'nhroed. Byddai'r plant yn dweud wedyn iddyn nhw glywed sgrech a'r funud nesaf ro'n i wedi diflannu o'r ffenestr ôl – mae'n debyg am fy mod i wedi syrthio i'r llawr! F'ymateb greddfol oedd ceisio codi ar fy nhraed cyn gynted ag y medrwn i, a dweud wrth y rhai a gerddai heibio fy mod yn 'iawn, dim ond wedi cael codwm bychan'. Fe gymerodd gryn benderfyniad i eistedd yn ôl yn y car a cheisio gyrru am adref a buan y sylweddolais i fod rhywbeth yn bod. Roedd y boen yn arteithiol, a rhaid oedd cydnabod i mi fy hun 'mod i wedi cael anaf go ddifrifol. Felly dyma droi trwyn y car 180° a'm danfon fy hun i'r ysbyty, lle cefais wybod 'mod i wedi torri fy nhroed.

Unwaith eto, roedd fy sefyllfa yn nwylo ffawd a, diolch i hynny a'm blerwch innau, fedrwn i wneud dim oll am bum wythnos. Pum wythnos o fethu gweithio, a dim math o dâl salwch yn fy nghyrraedd gan fy mod yn gweithio ar fy liwt fy hun. Pum wythnos o gicio'n sodlau – neu un sawdl, beth bynnag, gan fod y llall mewn plaster! Rwy'n casáu bod yn segur, yn enwedig pan fydd y segurdod hwnnw wedi ei orfodi arna i, ac felly treuliais y cyfnod gan fwyaf yn pwdu ac yn mwydo o flaen y teledu. Yr unig beth a dorrai ar ddiflastod y diwrnodau oedd ymwelwyr, ac fe fues i'n ffodus iawn i'm ffrindiau alw draw yn aml a chodi f'ysbryd ar sawl achlysur.

Rhai o ymwelwyr y cyfnod hwnnw oedd cyfnitherod Geraint, Teleri a Nia, a'u mam, Eldra Jarman. Roedd yn fendigedig eu gweld nhw, ac fe fu Eldra'n hynod o garedig tuag ata i. Mae'n debyg ei bod wedi sylweddoli y byddai pethau fymryn yn dynn arnom ni fel teulu a minnau'n methu gweithio. Rwy'n cofio iddi ddod ata i cyn gadael a gwasgu carden fechan i gledr fy llaw. Wrth agor y garden dyma ganfod siec am £100 ynghyd â'r geiriau, 'Diolch i ti Heather am "Colli Iaith".' Roedd hi'n gwybod 'mod i wedi gorfod canslo gìgs am na allwn i yrru i unman, a dyma'i ffordd hi o gydnabod hynny. Roedd ei charedigrwydd yn rhywbeth wna i byth ei anghofio ac rwy'n falch o ddweud fy mod wedi cadw cysylltiad gyda Nia a Teleri. Roedd eu hymweliad yn drobwynt i mi. Nid yn unig yr hyn a wnaeth Eldra, ond hefyd caredigrwydd y merched Nia a Teleri, a fynnodd fynd â mi allan am ginio a rhoi diwrnod hyfryd, bythgofiadwy i mi. Wedi'r diwrnod hwnnw, bron yn ddiarwybod i mi fy hun, dechreuodd f'ysbryd godi a deuthum yn llawer iawn mwy positif.

Yn rhyfedd ddigon, yn fuan wedi i mi fod yn ôl ar fy nhraed ac wrth fy ngwaith, bu i'r positifrwydd hwnnw gael ei adlewyrchu yn y math o waith y cawn ei gynnig. Penderfynais leihau y nifer perfformiadau yr o'n i'n eu gwneud mewn ysbytai a chanolfannau eraill, yn bennaf am fod y ffaith 'mod i'n treulio'r set gyfan ar fy nhraed gyda'r gitâr wedi achosi cryn boen cefn i mi. Ond, cyn i mi allu mwynhau'r amser rhydd ychwanegol fyddai hynny'n ei olygu, dechreuodd cynigion gwaith arall lifo i mewn.

Un o'r agweddau gorau am gwtogi'r ymddangosiadau cymunedol oedd iddo fy ngalluogi i weithio lawer iawn mwy gyda Meic Stevens unwaith eto, yn ogystal â pherfformio gyda Hin Deg hefyd.

Yn ystod ail hanner 1999, bu i mi hefyd deithio draw i Iwerddon. Roedd Gwenda Owen wedi methu mynd, felly dyma ofyn a fyddwn i'n gallu mynd yn ei lle. Wel, wrth gwrs, doeddwn i ddim am wrthod y fath gyfle ac felly i ffwrdd â mi i gigio draw i'r Ynys Werdd yng nghwmni Siân Phillips a'i gitarydd John Rodge, a arferai chwarae gyda Siwsann George ond a oedd bellach yn byw yn Aberdaugleddau.

Cawsom amser bendigedig yn perfformio mewn gwahanol fannau, o Kilkenny i Clonmel, ond y peth gorau o ddigon a ddaeth o'r daith honno oedd i mi gael diwedd ar fy nhrafferthion cefn! Wrth deithio o amgylch yr ynys, digwyddodd John ofyn i mi a oeddwn i'n cael unrhyw broblemau gyda 'nghefn.

'Wel, rhyfedd i ti sôn,' atebais innau. 'Ond bob tro dwi'n gwneud cyfnod o deithio o amgylch cartrefi'r henoed, rwy'n diodde poen cefn cyson.'

Wna i byth anghofio'r ateb a gefais.

'Dwi'm yn synnu. Mae dy gitâr di'n llawer iawn rhy fawr i ti, dyna'r rheswm am y poen cefn.'

Fedrwn i ddim credu'r peth. Gitâr Martin oedd gen i, yr un gitâr oedd wedi bod gen i ers 1980, gitâr yr o'n wedi bod yn ei chwarae am y rhan helaethaf o'r ugain mlynedd diwethaf. Cynyddodd f'amheuaeth pan gyflwynodd John ei hun hefyd fel asiant cwmni gitârs Taylor, oedd wedi eu lleoli yng Nghymru. Ond pan aeth yn ei flaen i ddweud y byddai'n gyrru am ddau gitâr i mi wedi iddo ddychwelyd yn ôl adref ac y cawn innau ddod draw i Aberdaugleddau i'w trio nhw mas, penderfynais nad oedd gen i ddim i'w golli! Taylor oedd gwneuthuriad ei gitâr ef, wrth reswm, ac roedd o'n chwip o offerynnwr, felly os oedd e'n ddigon da iddo fe ...

Buan yr anghofiais i bopeth am y sgwrs, mae'n rhaid cyfaddef, ond wir i chi erbyn y gaeaf hwnnw ro'n i wedi derbyn gwahoddiad i fynd draw i'r gorllewin gan fod y gitârs wedi cyrraedd ac yntau'n awyddus i gael f'ymateb.

Felly ym mis Rhagfyr y flwyddyn honno, gafaelais mewn gitâr Taylor am y tro cyntaf erioed – a bu i mi syrthio dros fy mhen a'm clustiau mewn cariad yn y fan a'r lle. Roedd fy ngherdyn credyd yn fy mhwrs ar y pryd, ac erbyn i mi ffarwelio â John yn hwyrach ymlaen y diwrnod hwnnw roeddwn gryn dipyn yn dlotach, ond yn berchennog balch iawn ar un o gitarau gorau Cymru – gitarau gorau'r byd, hyd yn oed!

Rwy'n gwybod 'mod i'n sgut am siopa ac am wario arian, ond dyma un o'r buddsoddiadau gorau i mi ei wneud erioed. Drannoeth, wedi cyrraedd adref es ati i chwarae fy gitâr newydd, ac yn wir i chi roedd gwell sŵn arni'n syth. Fe newidiodd yr offeryn fy mywyd a dechreuais gredu ynof fy hun fel gitarydd. Hwyrach fy mod wastad wedi bod yn gitarydd go dda, dim ond fod f'offeryn yn anghywir i mi. Bellach, ro'n i wedi canfod fy nghymar perffaith, roedden ni'n ffitio, ac rydyn ni'n dal yn ffitio hyd heddiw.

Yn rhyfedd ddigon, fe deithiais drosodd i Iwerddon ddwywaith o fewn ychydig wythnosau yn ystod y cyfnod hwnnw. O fewn y mis i ddychwelyd adref o'r daith gyntaf honno gyda Siân a John, ro'n i 'nôl ar y llong yn hwylio drosodd i Rosslare gyda Mike a Jane. Unwaith eto, llwyddodd yr Ynys Werdd i'm swyno – yn fwyfwy felly os rhywbeth nag ar y daith gyntaf am fod Mike a Jane yn gwmni mor fendigedig a minnau'n teimlo mor gartrefol yn eu mysg. Cawsom ystod anhygoel o brofiadau, o ymweld ag ysgol Wyddelig i ganu mewn tafarndai. Doeddwn i 'rioed wedi perfformio mewn tafarn fel y cyfryw cyn hynny, ac o'r herwydd roeddwn i fymryn yn betrus pa fath o ymateb a gawn. Fyddai'r gynulleidfa'n rhy feddw a swnllyd i roi gwrandawiad teg i ni?

Doedd gen i ddim achos i boeni; roedd y gynulleidfa'n anhygoel. Roedd y parch a ddangoswyd i ni'r noson honno gystal bob tamaid â'r gwrandawiad y byddai rhywun yn ei gael mewn cyngerdd. Rwyf wedi canu mewn ambell dafarn yn Iwerddon ers hynny, a'r un yw'r ymateb bob tro. Mae hi'n bleser cael perfformio draw yno, mae hi'n genedl sydd wir yn caru cerddoriaeth ac yn un sy'n cefnogi cerddorion.

Yr unig agwedd oedd ddim wrth ein boddau oedd yr oerfel! Dyw Iwerddon gefn gaeaf ddim yn lle i fagu gwaed, ac mae gen i sawl llun o Jane a minnau'n bwyta brecwast gyda gorchudd tebot am ein pennau am ein bod ni mor eithriadol o rynllyd!

Y mileniwm

Oystyried y rhan mae canu a cherddoriaeth wedi eu chwarae yn fy mywyd, mae'n addas iawn i mi groesawu'r mileniwm yn perfformio.

Dydw i ddim wedi cael llawer o gìgs ar Nos Galan, yn bennaf am nad yw pobl eisiau gwrando ar gerddoriaeth werin ar achlysur o'r fath. Maen nhw eisiau rhywbeth efo "chydig bach mwy o fynd iddo fo, mae'n debyg, mwy o sŵn. Felly, ar wahân i'r adegau hynny pan oeddwn i'n perfformio fel rhan o grŵp, prin iawn yw'r blynyddoedd i mi fod ar y llwyfan ar 31 Rhagfyr. Roedd yr achlysur yma yn un arbennig iawn felly, a'r hyn oedd yn ei wneud yn fwy arbennig fyth oedd ein bod ar drothwy 2000. Fedrwn i ddim meddwl am ffordd well o ddechrau blwyddyn, degawd na mileniwm newydd.

Lleoliad y gìg oedd tafarn yng Nghas-gwent, tafarn oedd yn eiddo i gwpwl sydd wedi rhoi llawer o waith i mi dros y blynyddoedd, sef Ralph Thomas a'i wraig Dori. Roeddwn wedi dysgu yn ystod fy mherthynas gyda'r ddau yma fod Ralph wrth ei fodd gyda Harri Webb a'i ganeuon, a byddai bob amser yn gofyn i mi ganu 'Colli Iaith', a doedd y noson honno ddim gwahanol. Roedd hi'n gynulleidfa ddigon anodd; doedd ganddyn nhw fawr o ddiddordeb mewn clywed caneuon Cymraeg ac felly, fel sawl tro arall, bu'n rhaid i mi ddibynnu ar rai o'r hen ffefrynnau, 'Amazing Grace', 'Annie's Song' ac ati. Serch hynny, cafwyd noson hwyliog tros ben, a chwarae teg i Ralph, daeth ata i am 10.30 o'r gloch a dweud wrtha i na fedrai fy nghadw oddi wrth fy nheulu wrth i'r cloc daro hanner nos, ac y cawn i gwpla'n fuan a mynd adref atyn nhw.

Doedd dim rhaid dweud wrtha i ddwywaith. Fe neidiais i'r car ar fy union a'i throi hi 'nôl am Gaerdydd. Ro'n i'n gwybod fod Dave wedi bwriadu mynd â'r plant i lawr i'r dre i ddathlu gyda phawb arall, felly gallwn i yrru'n syth i'r fan honno a'u cyfarfod hwy yno. Roedd awr o siwrne o'm blaen ond ro'n i'n edrych ymlaen yn barod i gael dathlu gyda'm teulu, fy mhlant a'm gŵr. Tros yr hanner awr nesaf bues yn ceisio cael gafael ar Dave ar ei ffôn symudol, ond heb fawr o lwc. Doedd y teclyn ddim yn canu hyd yn oed, dim ond rhoi gwybod yn syth, 'This person's phone is switched off. Please try again later ...'

Erbyn cyrraedd Caerdydd roedd yr amser yn prysur brinhau, gyda hanner awr yn unig cyn diwedd 1999 a dechrau 2000. Doeddwn i ddim yn awyddus i fynd i'r dre heb wneud trefniadau gyda Dave 'mlaen llaw gan y gwyddwn y byddai'r dasg o ddod o hyd iddyn nhw ymysg y torfeydd niferus o bobl bron yn amhosib. Dydw i ddim chwaith yn un sy'n hoff o fod mewn torf, felly roedd y syniad o grwydro'n ddigyfeiriad yn un brawychus.

Ar ôl methu cael ateb am y canfed tro, dyma benderfynu troi am adref – rhag ofn eu bod eisoes wedi gadael y dre. Doedd Megan ond yn 7 oed ar y pryd a Sam yn fawr hŷn ac ro'n i'n gobeithio hwyrach y gallai'r cyffro fod yn ormod iddynt, ac y byddai Dave wedi dod â nhw adref yn hytrach na'u cadw ar eu traed mor hwyr.

Wrth i mi barcio'r car yn y dreif roedd yn amlwg nad dyma oedd yr achos. Roedd y tŷ'n dywyll a dim golwg o neb yn unman. Ychydig iawn o bobl oeddwn i wedi eu pasio ar y ffordd o'r dre, a dweud y gwir – mae'n debyg fod pawb arall yng nghanol cwmni'n paratoi i groesawu troad y ganrif.

Doedd dim amdani ond wynebu'r ffaith mai dechrau unig iawn fyddai i fy Mlwyddyn Newydd. Wrth i'r cloc ddynodi dechrau mileniwm newydd, ro'n i yn y bath yn llawn hunandosturi! Nid y dechrau delfrydol i fileniwm newydd, mae'n rhaid cyfaddef!

Tra oeddwn yn y bath, fodd bynnag, dechreuais ystyried sut allwn i wneud rhywbeth adeiladol i ddynodi'r flwyddyn newydd. Roeddwn at fy nghlustiau mewn bybls sebon tra oedd pawb arall yn dathlu gyda bybls siampên, ond roedd fy meddwl i'n glir o leiaf. Dyna'r fan a'r lle y penderfynais ddechrau fy nghlwb gwerin fy hun. Ro'n i wedi gweld colli clwb Dave Burns, a doedd dim golwg ei fod e am ailgydio ynddi, felly penderfynais fynd amdani fy hun.

Roedd yr wythnosau nesaf yn rhai cyffrous wrth i mi roi paratoadau ar droed. Llwyddais i sicrhau gwasanaeth pum cerddor arall – doedden nhw ddim yn broffesiynol, ond yn amaturiaid penigamp. Cafwyd cyfarfod brys yng nghlwb chwaraeon y Macintosh, Plasnewydd, y Rhath, a phenderfynwyd y byddem yn adennill costau trwy godi tâl mynediad o £1 a thrwy werthu raffl ar y noson.

Ar y nos Fercher gyntaf honno ym mis Ionawr cafwyd cynulleidfa o 42 i'r lansiad, ac roedd e'n wefreiddiol teimlo 'mod i wedi dechrau rhywbeth, 'mod i wedi gwireddu rhywbeth, 'mod i wedi gallu troi syniad

149

yn realiti. Y bwriad oedd y byddai'r chwech ohonom ni'n cymryd ein tro i drefnu noson, ac y byddem yn cynnal cyngerdd mawr yn achlysurol er mwyn ariannu'r fenter ymhellach.

Chwerwder Chwefror

Ac eithrio un achlysur arbennig iawn, sef geni Sam, mae Chwefror wastad wedi bod yn fis creulon yn fy mhrofiad i. Collais fy nhad ym mis Chwefror, ac yn y flwyddyn 2000 bu i mi golli un o'n ffrindiau pennaf yn ystod y mis hwnnw hefyd. Roedd Babs wedi bod yn byw yng Nghanada ers sawl blwyddyn cyn iddi farw, ac roedd hi'n ergyd drom i mi sylweddoli 'mod i wedi colli fy nghyfle i fynd draw yno i'w gweld hi am y tro olaf. Roeddwn i wedi bod yn addo mynd draw yno ati hi ers misoedd lawer, ond dyw hi ddim yn hawdd iawn codi pac a theithio hanner ffordd o amgylch y byd pan ydych chi'n fam i ddau o blant ifanc. Doedd hi ddim chwaith yn deg iawn disgwyl i Dave ymdopi ar ei ben ei hun am gyfnod hir, roedd yntau mewn band a hefyd yn gweithio'n llawn amser.

Wedi brwydro'n galed yn erbyn cancr unwaith, doedd Barbara ddim yn ddigon cryf i'w wrthsefyll eilwaith, a bu farw o gancr yr ofari. Roedd yn golled enbyd i'w theulu a'i ffrindiau. Roedd Babs yn un o'r unigolion hynod hynny sy'n aros yn y cof, a gallaf ddweud yn gwbl ddiffuant i mi chwerthin mwy yn ei chwmni hi nag a wnes i yng nghwmni'r un enaid byw arall.

Cynhaliwyd yr angladd yng Nghanada ac er nad oedd yn bosib i mi fod yn bresennol, ro'n i'n benderfynol o ddathlu ei bywyd ac o gofio fy ffrind mewn rhyw fodd. Felly dyma gasglu ynghyd griw o ffrindiau Barbara o'r ysgol, a threulio'r diwrnod yn cyfnewid straeon ac yn hel atgofion amdani. Bu i bob un ohonom ni hefyd sgwennu neges bersonol am Barbara ar falŵn a'i gollwng i'r awyr, ac rwy'n gobeithio rywsut i hynny fod yn ffarwél addas i fenyw anhygoel.

Roedd Chwefror 2000 yn gyfnod o bryder pellach hefyd gan fod Lisa hithau'n bur wael. Roedd hi'n dioddef o glotiau ac yn colli lot o waed ar y pryd, ac yn dilyn profion dirifedi canfyddodd y meddygon fod ganddi *fibroid* yn ei hofari oedd wedi tyfu'n faint oren, a bu'n rhaid cael ei wared. Mae rhai pobl yn dioddef o *fibroids* lawer iawn mwy ac yn gallu byw gyda nhw yn weddol ddidrafferth, ond gan fod Lisa'n colli cymaint o waed fu hynny 'rioed yn opsiwn, a dweud y gwir.

Ar y naill law roedden ni i gyd yn falch bod meddygon wedi llwyddo i gyrraedd at wraidd y drwg, ond eto'n bryderus am y driniaeth fyddai hynny'n ei olygu. Er bod Lisa erbyn hynny'n ddeg ar hugain ac yn fam

151

ei hun, hi oedd 'fy merch fach i', a waeth beth yw oedran y plant, dyw rhywun byth yn peidio â bod yn fam, byth yn peidio â phoeni amdanyn nhw.

Wrth i'r gwanwyn nesáu, fe wellodd pethau. Roedd Lisa'n dechrau cryfhau wedi ei llawdriniaeth, a minnau'n brysur yn danfon y plant eraill i bartïon di-ddiwedd a *sleepovers,* fel y byddai Meg yn eu galw nhw. Fel y gŵyr unrhyw riant, mae bywydau cymdeithasol eich plant yn aml iawn yn llawer prysurach ac yn llawer mwy cyffrous nag eich un chi, ac yn rhywbeth sy'n mynnu llawer iawn o'ch amser a'ch egni. Rywsut, yng nghanol y miri hwn, llwyddais i recordio CD arall.

Recordiwyd *Hwyrnos* ar label Sain, ond cefais wneud y gwaith recordio i lawr yn stiwdios Albany yn y Tyllgoed yng Nghaerdydd, gyda gŵr o'r enw Lawson Dando. Cytunodd Billy Thompson, Geraint Cynan, Stephen Rees, Dave Burns a Danny Kilbride i fod yn rhan o'r prosiect, ac roedd Lisa wedi gwella'n ddigonol i ganu cefndir i mi gyda Sioned Mair. Roedd e'n drefniant delfrydol o'm rhan i; gallwn fod yn y stiwdio am ychydig oriau yn ystod y dydd, cyn brysio adref i dderbyn Meg a Sam o'r ysgol a danfon y naill a'r llall ohonyn nhw i'r fan hyn a'r fan draw.

Wrth i'r flwyddyn fynd rhagddi byddwn yn treulio sawl noson yn gigio, naill ai gyda'r Hennessys neu gyda Hafren. Roedd troad y ganrif hefyd yn gyfnod cyffrous iawn i fod yn un o drigolion Caerdydd, gan mai dyma ddechrau datblygiad yr hyn sydd bellach yn cael ei adnabod fel Bae Caerdydd, a doedd dim yn well gennym ni bryd hynny na phentyrru i'r car a gyrru lawr i'r Bae fel teulu. Wedi parcio ger yr eglwys Norwyaidd, byddai'r pedwar ohonom ni'n mynd am dro hyd y Bae gan ryfeddu at y gwaith adeiladu a'r newidiadau oedd i'w gweld o un wythnos i'r llall. Byddai'r tro yn dod i ben yn ddi-ffael gyda chlamp o hufen iâ o Cadwaladers.

Y flwyddyn 2000 oedd y tro cyntaf hefyd i Sam a Meg hedfan mewn awyren. Roedd Dave wedi ennill *air miles* am brynu car, felly penderfynom fanteisio ar hynny a chael gwyliau teulu dramor. Roedd Sam eisoes wedi dangos diddordeb yn yr Iseldiroedd, ac wedi rhoi cynnig ar ddysgu ambell i air o'r iaith ar y we, felly dyma benderfynu mynd i Amsterdam. Roedd digon i'w wneud ac i'w weld yno a doedd hi ddim yn daith rhy bell i'r plant chwaith – er na ddylwn i fod wedi pryderu o gwbl; roedd Meg a Sam wrth eu boddau ar yr awyren, a Meg yn gwingo gyda chyffro!

Meic a minnau

Fel sydd wedi cael ei grybwyll eisoes yn y llyfr hwn, mae'r berthynas rhwng Meic Stevens a minnau wedi bod yn un ddigon cythryblus, a dweud y lleiaf, ac yn un sy wedi pendilio o uchelfannau cyfeillgarwch i'r pegwn arall yn llwyr. Wrth edrych 'nôl ar fy nyddiadur ar gyfer y flwyddyn honno, mae'n amlwg fod pethau ar i lawr yn ystod Medi 2000, gan 'mod i wedi nodi 'mod i'n grac 'da Meic Stevens! Rwy wedi cadw dyddiadur bob blwyddyn o'm bywyd yn ddi-ffael, o'r funud y gallwn gydio mewn papur a phensel, ac mae sawl dyddiadur yn cynnwys sylwadau o'r fath am amrywiol bobl. Felly, mae fymryn yn rhyfedd hwyrach 'mod i'n cofio'n union beth oedd asgwrn y gynnen rhwng Meic a mi y flwyddyn honno.

Nid am y tro cyntaf, roedd Meic wedi gofyn i mi gymryd rhan mewn gìg lan yn Aberdaron ar 3 Medi, ac ro'n innau wedi cytuno'n llawen. Ro'n i wrth fy modd yn cael teithio lan i Ben Llŷn ac yn bachu ar unrhyw gyfle i wneud hynny. Wedi i mi wrthod cynigion eraill ar gyfer y diwrnod hwnnw, a neilltuo amser o bobtu iddo i deithio i'r gogledd ac ati, fe newidiodd Meic ei feddwl a phenderfynu nad oedd am i mi gymryd rhan wedi'r cwbl. I fod yn deg ag e, un o'r rhesymau dros newid ei feddwl fel hyn fyddai'r arian. Os nad oedd y tâl yn ddigon da, fyddai e ddim yn fodlon gofyn i mi ei wneud, ond ar y pryd ro'n i'n gandryll 'dag e oherwydd i ni gwtogi'r gwyliau teuluol yn yr Iseldiroedd er mwyn fy ngalluogi i ddod yn ôl mewn pryd ar gyfer y gìg hwnnw.

Beth bynnag oedd cymhellion Meic, chafodd y newyddion fawr o groeso, ac ro'n i wedi digio'n deg ag e. Sa i'n ymateb yn dda iawn i gael fy siomi. Mae hynny bob amser wedi bod yn rhan o'm natur, er fy mod yn sylwi wrth fynd yn hŷn 'mod i'n ymdopi, yn maddau ac yn dod dros siomedigaethau'n llawer iawn cynt nag yr o'n i flynyddoedd yn ôl.

Dridiau'n ddiweddarach, fodd bynnag, roedd yn ddiwrnod cyffrous iawn yn ein tŷ ni gan fod un o'r cywion yn lledu ei adenydd. Ar 6 Medi 2000 dechreuodd Sam yn yr ysgol uwchradd, a dwi'n cofio dotio at ei weld e mor drwsiadus yn ei wisg ysgol newydd sbon. Yn anffodus i Sam druan, buan y surodd y cyffro hwnnw, a chyn diwedd ei flwyddyn gyntaf yn ei ysgol newydd roedd y profiad wedi troi'n hunllef iddo.

Y Bae, y Baltimore a'r band

Wrth i ni baratoi i ffarwelio gyda'r flwyddyn 2000, dechreuais gyfeillgarwch newydd gyda gŵr o'r enw Steve Williams. Yn fab i chwaraewr rygbi rhyngwladol, roedd Steve wedi canfod ei arbenigedd mewn cerddoriaeth yn hytrach nag ar y cae chwarae, ac roedd yn awyddus iawn i gydweithio ar brosiect oedd ganddo ar y gweill. Er ei fod yn Gymro glân gloyw ac yn gyn-aelod o fand U-Thant, doedd ganddo ddim caneuon o'i eiddo ei hun yn y Gymraeg, ac roedd e'n awyddus i mi ganu fy hen ganeuon, 'Cwm Hiraeth' a 'Mynd yn ôl i'r Dre' ac ati, ac iddynt hwythau ddarparu'r band, a hynny ar gyfer gìg elusennol fyddai'n cael ei gynnal mewn tafarn o'r enw'r Baltimore i lawr yn y Bae.

Roedd e'n gynnig cyffrous, a doedd dim dwywaith y byddwn yn cytuno, ac o fewn dim o dro roedden ni wedi dechrau ymarfer gyda'n gilydd. Ro'n i wrth fy modd, roedd hi'n amser maith ers i mi ganu gyda grŵp roc ifanc ac ro'n i uwchben fy nigon. Er na chawsom ni dâl am y gìg hwnnw, roedd e'n un o'r perfformiadau i mi ei fwynhau fwyaf y flwyddyn honno. Roedd y lle'n orlawn, a'r rhan fwyaf o'r gynulleidfa'n wynebau cyfarwydd, ac roedd hi'n wefr cael canu'r geiriau i hen ffefrynnau unwaith yn rhagor. Ro'n i wir yn f'elfen, ac wrth i mi adael y llwyfan daeth merch bryd golau ata i, gwthio cerdyn i'm llaw, a dweud, 'Roedd hynna'n ffantastig. Roedd hi mor wych dy weld ti'n canu roc eto. Unrhyw bryd ti'n chwilio am rywun i ganu llais cefndir, dyma fy rhif.'

Ro'n i dros fy hanner cant ar y pryd, a'r ferch benfelen yn ei deugeiniau cynnar. Pwy oedd hi? Siân Jones, y ferch yr oeddwn i'n ei hadnabod ers dyddiau HTV fel Siân Clements, ac ychydig a wyddwn i ar y noson honno y byddwn yn cysylltu â hi yn ystod y ddwy flynedd nesaf, a hynny i fod yn rhan o grŵp newydd o'r enw Magi yr o'n i'n ei ffurfio gyda Lisa a Sioned Mair. Ond mwy am hynny yn nes ymlaen ...

Rhoddodd y profiad yma awch o'r newydd i mi i ailgydio mewn cerddoriaeth roc, ac er mai *one-off* oedd Steve wedi ei fwriadu, buan y dechreuais ei boenydio i barhau gyda'r bartneriaeth ac i ganfod rhagor o gìgs i ni! Yn anffodus, roedd ganddo ef ei fand ei hun ac roedd e'n methu ymrwymo i greu grŵp arall. Serch hynny, bu iddo fy helpu ar sawl achlysur fel gitarydd, ac roedd e hefyd yn gychwyn ar gyfeillgarwch rhyngom sy'n dal yn gryf heddiw.

154

Gigio a gwin coch

Mae Rhagfyr wastad yn fis prysur i mi, ond roedd yr wythnosau cyn 'Dolig 2000 yn brysurach na'r arfer hyd yn oed. Yn ystod y cyfnod hwnnw, ro'n i'n perfformio o leiaf un gìg y dydd, ac yn amlach na pheidio'n canu yn y prynhawn mewn ysbyty neu gartre'r henoed, yn cael tamaid cyflym i'w fwyta ac yna'n teithio draw i dafarn neu glwb i ganu wedyn gyda'r hwyr.

Doedd dim golwg y byddai'r prysurdeb yn lleihau wrth i'r 'Dolig ddod yn nes chwaith, a minnau'n poeni sut y gallwn ffitio prynu anrhegion – heb sôn am eu dosbarthu nhw – i mewn ar ben bob dim arall. Yn wir, aeth pethau'n wirion o brysur yn y diwrnodau hynny'n union cyn yr ŵyl. Teithiais lan i Lanberis ar fore'r 23ain i wneud gìg prynhawn, cyn galw wedyn yng Nghaernarfon i ganu eto cyn amser te. Yna, draw i Nefyn i wneud gìg arall cyn gyrru ar f'union yr holl ffordd gartre i Gaerdydd.

Wrth gwrs, drannoeth ro'n i wedi llwyr ymlâdd ond doedd dim gobaith aros yn fy ngwely'n hwyr; roedd gormod i'w wneud cyn i Siôn Corn gyrraedd. Roedd yn rhaid i mi lanhau'r tŷ o'r top i'r gwaelod rhag ofn i bobl alw draw gydag anrhegion, yn ogystal â dosbarthu anrhegion eraill i wahanol gartrefi. Tra o'n i'n gwneud hynny yn y prynhawn cofiais fy mod wedi addo i Steve y byddwn yn perfformio gydag e'r noson honno yn ei dafarn leol. Felly, rhaid oedd rhuthro adref, neidio i'r gawod, newid yn sydyn a mynd allan eto. Ta waeth, erbyn cyrraedd y dafarn ro'n i wedi blino'n ofnadw ond, fel sy'n digwydd bob tro, bu i'r adrenalin weithio'i hud a dechreuais innau fwynhau fy hun wrth ganu. Roedd Steve yn teimlo'n eitha annifyr nad oedd e'n gallu fy nhalu am y gìg, felly fe fynnodd brynu glasiad ar ôl glasiad o win coch i mi. Cyn i mi droi rownd ro'n i wedi yfed chwech neu fwy o lasieidiau – sy'n llawer iawn gormod i mi, a dweud y gwir. Wrth gwrs, doedd cyfuno gwin a'r blinder ddim yn syniad da ac mae'n gywilydd gen i ddweud i mi gyrraedd adref wedi meddwi braidd. Wedi ymbalfalu am f'allwedd am sbel, penderfynais gymryd cyntun lle'r o'n i, ac yn fan'no y canfyddodd Dave fi am dri o'r gloch y bore – yn cysgu ar stepen y drws ffrynt!

Felly, wedi'r holl ruthro o gwmpas fel peth gwirion, bu i mi dreulio bore 'Dolig yn bod yn sâl. Roedd yn rhaid i Dave ymdopi gyda'r cinio ar ei ben ei hun tra o'n i ar wastad fy nghefn ar y soffa – a fan'no fues i am weddill y diwrnod. Ro'n i fod i fynd i barti Andrew O'Neill gyda'r nos ond fedrwn i ddim symud blewyn. Ac yno ar y soffa ar ddiwrnod 'Dolig yr wynebais i wirionedd creulon pethau. Doeddwn i ddim yn 21 oed mwyach, ro'n i'n 51 ac roedd yn bryd i mi sylweddoli hynny. Fedrwn i ddim gweithio bob awr o'r dydd yn ogystal â gwneud 'Dolig a'i drimins, a sa i wedi gwthio'n hun i'r fath raddau byth wedyn.

Uchafbwyntiau ac iselfannau

Mae Megan wedi dioddef yn enbyd oherwydd ei asthma, ac ym mis Mawrth 2001 dioddefodd ei phwl gwaethaf eto a chael ei rhuthro i'r uned ddibyniaeth uchel. Roedd hi'n ddifrifol wael am bum diwrnod, a bu'n gyfnod anodd tu hwnt. Dim ond pedwar gwely oedd yn yr uned a Meg oedd y plentyn hynaf yno. Babanod ifanc oedd y gweddill, ac roedd e wir yn ddirdynnol gweld plant mor fach yn dioddef yn y fath fodd. Rhoddwyd Meg ar gyffur cryf o'r enw Aminophylline – cyffur a fyddai, fel y canfyddais yn ddiweddarach, yn achub ei bywyd.

Ymhen yr wythnos roedd yr asthma dan reolaeth weddol a chawsom ganiatâd i fynd â Meg adref. Ond er bod ei hanadlu'n haws, fedrai hi ddim dychwelyd yn ôl i'r ysgol at ei ffrindiau am sbel wedyn gan iddi ddatblygu rash blin hyd ei hwyneb. Fel cymaint o bobl eraill erbyn heddiw, roedd Meg wedi dal haint tra oedd hi yn yr ysbyty. Impetigo oedd y diagnosis – rhywbeth sy'n dueddol o gael ei ledaenu os nad yw'r safonau glendid yr hyn ddylen nhw fod. Rwy'n dal i fethu deall sut y bu iddi ddal hwn a hithau yn yr uned ddibyniaeth uchel lle dylai'r safonau glendid fod ar eu gorau.

Yn fuan wedi i Meg ddod adre o'r ysbyty, canfyddais fod un o'm ffrindiau gorau, Jane Ridout – oedd wedi rhoi cymaint o atgofion melys i mi yn ystod fy nghyfnod gyda Hin Deg – yn wael iawn. Rwy'n tybio mai'r rheswm dros salwch Jane oedd iddi hi, fel llawer o ferched eraill, weithio'i hun yn rhy galed. Roedd hi'n gwneud dwy swydd – yn gweithio mewn ysgol yn ystod y dydd ac yna'n dysgu gyda'r nos – ac yng nghanol ei bwrlwm fe'i trawyd hi oddi ar ei hechel gan farwolaeth ei thad. Yn ogystal â cheisio ymdopi â'i phrofedigaeth ei hun roedd hi hefyd yn gorfod meddwl am ei mam a bod yn gefn iddi hithau, ac rwy'n credu i'r cyfan fod yn ormod o faich iddi. Plymiodd i ddyfnderoedd iselder a bu'n rhaid iddi dderbyn triniaeth ar gyfer hynny.

Roedd e'n ddychryn i mi ei gweld hi, fel ag yr oedd i bob un o'i ffrindiau, rwy'n tybio. Doedd dim golwg o'r hen Jane, y Jane honno yr oeddwn i wedi chwerthin cymaint yn ei chwmni, y Jane oedd wedi rhannu cymaint o'm cyfrinachau, a'm teimladau a'm dyheuon. Dim ond cysgod ohoni oedd yno, y gragen honno a grëir gan iselder. Rwy'n falch iawn o ddweud iddi ddod drwyddi, er mawr ryddhad i ni i gyd, ac rwy'n gwybod fod cymorth a chefnogaeth Mike Lease wedi bod yn allweddol iddi yn hynny. Mae hi bellach yn llawer iawn gwell ac yn debycach i'r Jane y mae pawb yn ei nabod a'i charu, ond roedd yna wersi i ni i gyd yn yr hyn a ddigwyddodd i Jane.

Erbyn y Pasg roedd pethau ar i fyny, gyda gwanwyn newydd i hen gyfeillgarwch wrth i mi gael gwahoddiad i recordio cryno-ddisg gyda Meic Stevens, ac ro'n i wrth fy modd yn derbyn y cynnig hwnnw. Byddai'n gyfle i ni weithio gyda'n gilydd eto, dim ond Meic a minnau y tro hwn, a Billy Thompson ar y ffidil, ac fe gafon ni lot o sbort ein tri, yn canu a chyfansoddi yn nhŷ Billy.

Roedd y clwb gwerin yr oeddwn i wedi ei sefydlu dros flwyddyn ynghynt yn dal i fynd o nerth i nerth, ac ar ddiwedd Ebrill fe gwrddais i â cherddor newydd a'm syfrdanodd gyda'i ddawn. Roedden ni wrthi'n trefnu digwyddiadau'r noson fel arfer – Neil Lewis oedd wrth y llyw'r noson honno, gŵr oedd yn arfer perfformio gyda Max Boyce – pan ddaeth bachgen ifanc lan ata i a gofyn a gâi e chwarae set. Cytunais wrth gwrs, gan mai natur anffurfiol felly oedd yn perthyn i'r clwb, ac yna camodd y bachgen hwn i'r llwyfan. Paul Zervas oedd ei enw, ac fe'm trawyd yn fud. Roedd e'n canu'r holl ganeuon yr o'n i mor hoff ohonyn nhw – Neil Young, Joni Mitchell – yn ogystal â'i stwff ei hunan, ac am y tro cyntaf bu i mi deimlo yr hoffwn helpu hwn i ddod yn enwog ac i gael y sylw'r oedd e'n ei haeddu. A'r funud honno, wrth wylio'r bachgen ugain oed hwn ar y llwyfan o'm blaen, dechreuais sylweddoli mai dyna a deimlodd llawer iawn o bobl amdana i dros ddeng mlynedd ar hugain ynghynt, pobl fel Ray Smith, Merêd a Harri Webb: yr ysfa yma i helpu rhywun ifanc, talentog i ddatblygu'n broffesiynol.

Dim ond dwywaith y mentrais i lawr y llwybr o geisio hyrwyddo pobl eraill ac yn anffodus bu i'r ddau dro ddod â phrofiadau chwerw i'm rhan, ac felly wnes i ddim mentro ymhellach. Yn achos Paul, mynnai rhai gamddehongli fy niddordeb ynddo. Ymhlith pethau eraill, cefais fy nghyhuddo o ffafriaeth gan rai, ac fe greodd hynny rwyg o fewn y clwb gwerin ar y pryd. Roedd y mwyafrif, gan gynnwys Paul ei hun, yn fy adnabod yn ddigon da i wybod 'mod i'n gwbl ddidwyll yn fy mwriadau, ond profodd chwerwder pobl eraill yn anodd i mi ddelio ag e, ac yn y diwedd tynnodd y chwerwder hwnnw bob mwynhad allan o geisio hyrwyddo Paul. Gwn fod Paul yn dal i ganu. Rwy'n dal o'r farn fod ganddo dalent aruthrol ac fe hoffwn i pe bai e'n cael cydnabyddiaeth briodol o hynny ryw ddiwrnod. Ni fu'r gwrthdaro yn rhengoedd y rheolwyr yn ddiwedd ar y clwb gwerin bryd hynny chwaith; parhaodd y clwb am bedair blynedd arall ac er na lwyddais i gynnal y peth ymhellach na hynny rwy'n dal yn falch iawn o'r hyn a gyflawnwyd yn y cyfnod hwnnw yn y Macintosh.

Roedd Lisa'n gweithio gyda chwmni teledu Al Fresco y flwyddyn honno, ac ym mis Mai cefais wahoddiad i ymuno â phanel o feirniaid ar raglen yr oedden nhw'n ei ffilmio o'r enw 'Ar y Bocs'. Fe wnes i wir fwynhau'r profiad, yn enwedig gan mai dyna'r tro cyntaf i mi gwrdd ag Aled Jones! Sa i'n berson sy'n canfod ei hun yn *star-struck* yn aml iawn, ond pan ddaeth y dyn yma ata i a dweud, 'Hello, I'm Aled', yr unig ateb allen i ei roi iddo oedd, 'I know who you are!' a dechrau giglo fel ryw ferch ifanc! Mae e'n fachgen annwyl a diymhongar, yn union fel y mae e'n ymddangos ar y sgrin.

Yn fuan wedi hynny, cefais fy ail swydd deledu yn y flwyddyn honno, y tro hwn gan y BBC, oedd yn awyddus i mi ganu detholiad o ganeuon Joan Baez mewn cyngerdd fyddai'n ddathliad i Bob Dylan, cyngerdd a fyddai'n cael ei gynnal yn y Gyfnewidfa Lo i lawr ym Mae Caerdydd.

Wedi cyfnod prysur o weithio a pherfformio, aeth Dave a'r plant a minnau ar wyliau teuluol draw i Florida ym mis Mehefin. Roedd yn hyfryd cael seibiant prin o'r gwaith, a chael dathlu fy mhen-blwydd draw yno gyda'r teulu.

Y flwyddyn honno hefyd, bu i Sioned Mair sicrhau gìg i Magi a oedd gryn dipyn o bellter i ffwrdd – yn ddaearyddol ac yn ddiwylliannol – yn Amman, Jordan. Roedd Dave yn meddwl ein bod ni'n wirion yn derbyn y cynnig, yn enwedig yn dilyn 9/11 ac ati, a'r pryder a'r ofn oedd o gwmpas am ragor o weithgaredd terfysgol. Roedden ni, fodd bynnag, yn argyhoeddedig y bydden ni'n iawn ac y byddai'n gyfle gwych ac yn agoriad llygad – ac wrth gwrs yr oedd e. Yn wir, yn gwbl groes i ddisgwyliadau Dave, cawsom groeso twymgalon iawn, yn ogystal â moethusrwydd nad oedd rhywun yn ei fwynhau'n aml iawn wrth gigio yng Nghymru!

Roedd Lisa'n methu dod ar y trip hwnnw, felly dyma fachu ar gynnig Siân Jones a gofyn iddi hi gwblhau'r triawd am y tro. Ein pwynt cyswllt draw yno oedd merch arall o'r enw Siân, oedd yn wreiddiol o'r Bala ond a oedd wedi priodi ac ymgartrefu yn Amman. Daeth ei gŵr Fuad i gwrdd â ni yn y maes awyr a'n hebrwng i westy'r InterContinental lle bydden ni'n aros.

Wel, dyna i chi westy moethus! Byddai'r tair ohonom wedi gallu rhannu'r un ystafell yn rhwydd. Roedd fy llofft i'n anferth – a dweud y gwir, gallwn fod wedi ffitio trigolion ynys Môn gyfan i fewn i'r ystafell yn ogystal â'r ddwy arall! – gyda dau wely dwbl braf ynddi. Fe wnaeth y tair ohonom fwynhau trwmgwsg hyfryd y noson honno!

Fore drannoeth, fodd bynnag, doedd dim angen cloc larwm gan i ni gael ein dihuno mewn modd digon dychrynllyd – bom yn ffrwydro! Ond tra oedden ni'n dechrau poeni fod ofnau Dave yn cael eu gwireddu, chynhyrfodd y trigolion lleol ddim mymryn.

'Peidiwch â phoeni dim,' meddai un wrthym. 'Dydi e'n ddim byd mawr, dim ond bom preifat yw e!'

Roedd y modd y rhannwyd yr wybodaeth hon gyda ni'n awgrymu y dylen ni fod yn gwybod y gwahaniaeth rhwng bom preifat ac unrhyw fath arall o fom! Wedi holi ymhellach, cawsom wybod mai ffrwgwd personol oedd wrth wraidd y weithred. Roedd gŵr lleol wedi cael y sac o'i swydd fel *chauffeur*, a chymaint oedd ei gynddaredd fel y bu iddo osod bom dan y car yr oedd wedi bod yn ei yrru yn rhinwedd ei swydd. Fel y dywedais, roedd e'n agoriad llygad!

Ta waeth, doedd neb wedi cael ei anafu, doedd dim perygl o derfysgaeth, felly parhaodd pawb i fynd o gwmpas eu gwaith fel pe na bai dim allan o'r cyffredin wedi digwydd. Y noson honno bu i ni berfformio o flaen casgliad o Brydeinwyr alltud, yn Gymry, Saeson, Albanwyr a Gwyddelod, a chawsom hwyl fawr yn eu mysg cyn mwynhau pryd godidog mewn bwyty Libanaidd cyfagos.

Bu i'r lletygarwch bendigedig barhau gydol ein hymweliad, gyda'n gwestai'n trefnu tripiau i ni weld y Môr Marw, sydd yn rhannu'r wlad ag Israel, yn ogystal â man o'r enw Petra, sy'n Ganolfan Dreftadaeth Unesco ac yn nodedig am fod yn fan ysbrydol iawn. Saif Petra (sy'n golygu 'craig' yn yr iaith Roegaidd) nid nepell o Wadi Rum, a ddaeth yn adnabyddus i lawer yn y gorllewin yn sgil ymdrechion T. E. Lawrence yn y Rhyfel Byd Cyntaf, ac yn ddiweddarach ar y sgrin fawr yn yr epig hwnnw *Lawrence of Arabia*.

Mae'r ddinas hynafol, a adeiladwyd gan y Nabateaid nomadaidd, wedi ei naddu o'r graig sy'n ei hamgylchynu ac yn llawn atyniadau godidog, gan gynnwys y mynachdy (al-Deir), palas merch Pharo a'r trysorlys a'i graig binc.

Gydol ein hymweliad â'r lle fe'n dilynwyd gan sipsiwn Bedoin ifanc oedd yn llawn chwilfrydedd ynglŷn â'r iaith ddieithr yr oedden ni'n ei siarad. Ninnau wedyn yn sôn am yr iaith Gymraeg ac am Gymru wrthynt, ac yn dysgu ambell air iddynt. Ond er yr holl brofiadau anhygoel mae'n debyg mai'r ffaith a gyfareddodd fy mhlant fwyaf wedi i mi ddychwelyd adref, oedd mai yn Petra y lleolwyd y rhan fwyaf o un o ffilmiau Indiana Jones, y ffilmiau hynny gyda Harrison Ford yn y brif ran a ddaeth yn gymaint o ffenomen ddiwedd yr wythdegau!

Yn Petra hefyd y bu i mi ganfod fy hun ar gefn ceffyl am y tro cyntaf yn fy mywyd ond, diolch i'r nefoedd, roedd hwnnw'n un araf iawn – er ddim mor araf â cheffyl Siân oedd yn gwrthod symud, bron!

Yn rhy fuan o'r hanner daeth yn bryd i ni ddychwelyd i Gymru – ond nid cyn i ni gael un enghraifft olaf o garedigrwydd ein gwestai. Mewn cyd-ddigwyddiad llwyr, Fuad – oedd yn beilot – fyddai'n llywio'r awyren oedd yn ein cyrchu ni 'nôl i Heathrow, a chyn gynted ag y bu i ni gamu ar yr awyren fe'n sgubwyd i adran Dosbarth Cynta'r awyren lle y treuliom y daith yn sipian siampên yn rhad ac am ddim, ac yn edmygu'r anrhegion bychain y bu i ni hefyd eu derbyn. Mae fy anrheg i – coaster traddodiadol – yn dal ar y bwrdd bach ger fy ngwely.

Fe gawson ni hefyd ein hebrwng fesul un i gaban y peilot, a Fuad yn nodi gwahanol fannau ymhell oddi tanom: 'Dyna Jerwsalem … Dyna Fynydd yr Olewydd …' Roedd pob man yn edrych mor fendigedig o hardd ac roedd hi'n wefr i mi gael gweld yr holl lefydd yr o'n i wedi darllen a dysgu amdanyn nhw yn y Beibl yn ystod fy amser yn yr ysgol Sul a'r eglwys.

Fel rwyf eisoes wedi dweud, rwy'n un sydd wrth fy modd yn teithio p'run bynnag, a'r tro hwn doeddwn i wir ddim am i'r profiad ddod i ben. Ond, wrth gwrs, cyrraedd adref oedd raid, a hynny i faes awyr glawog, tywyll Heathrow ar Fawrth y 3ydd – sôn am newid byd! Er gwaetha'r tywydd, y blinder a'r diflastod, ro'n i'n edrych ymlaen at gyrraedd adref a gweld y plant unwaith eto. Er nad oedd wythnos lawn wedi mynd heibio ers i mi eu gweld nhw ddiwethaf, ro'n i wedi gweld eu colli, ond gynted ag y gwelais Sam gwyddwn fod rhywbeth o'i le, er ei fod e'n mynnu fod popeth yn iawn.

Wedi holi eto a chael yr un ateb, bu'n rhaid i mi dderbyn nad oedd e'n awyddus i rannu ei broblemau â mi am y tro, ond doeddwn i ddim yn hapus ynghylch hynny. Gwyddwn fod rhywbeth o'i le ac roeddwn i'n gobeithio y byddai'n gallu agor lan i mi dros y dyddiau nesaf. Aeth wythnos heibio a llithrais innau 'nôl i rigol gyfforddus bywyd teuluol, siopa, paratoi bwyd ac ati. Fel sy'n digwydd i fechgyn tair ar ddeg, roedd Sam wedi tyfu mas o'i hen wisg ysgol, felly aeth y ddau ohonom i'r dref ar y dydd Sadwrn i brynu gwisg newydd – gydag ychydig lathenni'n ychwaneg o ddefnydd na'r wisg ysgol flaenorol!

Ni pharodd y wisg honno'n hir. Y bore Llun canlynol, prin fod y cloc wedi taro 10.30 o'r gloch, a minnau'n darllen y post oedd newydd gyrraedd trwy'r drws pan gerddodd Sam i mewn i'r gegin, yn fwd o'i gorun i'w sawdl.

Gosodais Sam i eistedd wrth y ford a gofyn iddo beth oedd wedi digwydd. Yn raddol cefais y manylion ganddo. Roedd e wedi cael ei wthio i bwll dŵr gan griw o fechgyn, ac wedi ei ypsetio gan y digwyddiad. Bu'n rhaid i mi olchi pob dilledyn oedd ganddo amdano. Yn anffodus, nid eithriad fu'r digwyddiad ond dechrau ar gyfnod cythryblus ac anodd iawn i Sam.

Dros y misoedd nesaf, fe gollodd Sam lawer iawn o ysgol. Yn ddiarwybod i mi, byddai'n mitshio ar sawl achlysur, yn gadael y tŷ yn ei wisg ysgol yn y bore, a ninnau dan yr argraff ei fod e'n mynd i'r ysgol fel pawb arall, ond mynd i grwydro fyddai, a hynny ar ei ben ei hun. Dechreuais dalu mwy o sylw i'r adegau y byddai'n cyrraedd adref, a gwneud ymdrech i geisio bod yn gefn iddo yn ystod ei gyfnodau isel. Un diwrnod, pan oedd pethau ar eu gwaethaf, fe es i gwrdd ag e wrth giatiau'r ysgol ond doedd dim golwg ohono'n unman. Llifodd plant pawb arall allan trwy ddrysau'r adeilad, rhai'n mynd tuag at y bysys cyfagos, eraill i geir ac eraill yn cerdded adref mewn criwiau bychain, ond doedd dim golwg o Sam.

Gyrrais draw i dŷ un o'i ffrindiau i weld a fyddai e'n gallu taflu goleuni ar ble'n union oedd Sam. Wedi holi a stilio, cefais wybod mai'r lleoliad mwyaf tebygol oedd i lawr ar lan yr afon, gan mai i'r fan honno y byddai'n mynd yn aml pan fyddai'n mitshio. Bryd hynny dechreuais boeni o ddifri a rhuthrodd pob math o bosibiliadau trwy fy meddwl – pob un ohonyn nhw'n erchyll. Oedd e'n teimlo mor isel, tybed, nes ei fod yn ystyried rhoi diwedd arno'i hun?

Erbyn cyrraedd glan yr afon ar bwys yr ysgol, roedd y dagrau'n powlio i lawr fy ngruddiau. Dyn a ŵyr beth oeddwn i'n disgwyl ei weld yno ond yr hyn a welwn o 'mlaen i oedd Sam, yn sefyll ar ynys fechan ar ganol yr afon. Dechreuais grynu drwydda' i a gweiddi arno i ddod ata i. Trodd Sam i gyfeiriad fy llais a chwifio'i law arna i, cyn ymlwybro'n ddiog trwy'r dŵr i'm cyfarfod. 'Be sy'n bod, Mam?' gofynnodd wrth weld y dagrau, ac wedi i mi egluro fy ofnau wrtho, dechreuodd chwerthin. 'Paid â bod mor ddwl, Mam, fyddwn i ddim yn gwneud y fath beth, siwr. Rwy jyst yn hoffi symudiad y dŵr ac adlewyrchiad y golau ar yr wyneb. Rwy'n hoffi taflu cerrig a'u gweld yn cael eu cario gan y cerrynt.'

Serch hynny, roedd yn amlwg nad oedd e'n hapus ei fyd yn yr ysgol. Rwy'n meddwl ei fod e – fel sawl plentyn arall efallai – wedi ei chael hi'n anodd iawn i wneud y cam hwnnw rhwng ysgol gynradd ac ysgol uwchradd. Ar ben hynny, roedd wedi cael diagnosis o OCD – *obsessive compulsive disorder.*

Roeddwn i'n ei chael hi'n anodd dygymod gyda'i gyflwr. Gallwn dderbyn a deall salwch corfforol fel asthma, fel yr oedd Meg yn dioddef ohono, ond gan fod pob cyflwr OCD yn deillio o bethau gwahanol, fedrwn i ddim cyrraedd at wraidd salwch Sam. Penderfynais fod yn rhaid canfod unrhyw gymorth posib i Sam, ac o ganlyniad dechreuodd dderbyn yr hyn a elwir yn cognitive behavioural therapy, ac rwy'n falch o ddweud i hynny fod yn help mawr iddo.

Fel rhiant, ro'n i'n teimlo'n gwbl ddiymadferth. Roeddwn innau wedi dioddef o amrywiol obsesiynau yn ystod fy mywyd fy hunan, ond eto, yn wahanol i Sam, gallwn gydnabod y rheini a'u rhesymegu. Er cymaint fy awydd i edrych ar ei ôl, i'w helpu i wella, doedd dim y gallwn ei gynnig i Sam, dim oll y gallwn ei wneud, dim ond bod yno'n gefn iddo.

Efrog Newydd

Mae Efrog Newydd yn ddinas sydd wedi hudo llawer iawn o bobl, ac rwyf i wedi bod yn ffodus iawn i gael mynd yno ddwywaith yn sgil fy ngherddoriaeth.

Yr tro cyntaf i mi ymweld â'r 'Afal Mawr', ys gwedon nhw, oedd ar ddiwedd mis Tachwedd 2002 gydag Eiry Palfrey a Robin Huw Bowen, sydd yn nodedig am ei ddawn gyda'r delyn deires. Buom yno am gyfnod o 17 diwrnod, a'r rheini'n ddyddiau llawn profiadau chwerw-felys. Dechreuodd yr antur am chwech o'r gloch y bore ar 30 Tachwedd pan ddaeth gŵr Eiry, Morris Hunter, draw i'r tŷ i'm cyrchu i fynd i faes awyr Heathrow. Roedd gen i deimladau cymysg iawn y bore hwnnw. Er fy mod yn edrych ymlaen at y daith, ro'n i hefyd yn llawn euogrwydd gan y byddwn yn colli pen-blwydd Meg yn 10 oed. Rwy'n gwybod iddi hithau deimlo i'r byw na fedrwn i fod yno i rannu yn y dathliadau, ond ar y pryd ro'n i dan yr argraff y byddai'n drip proffidiol iawn yn ariannol – er nad dyna'r gwir fel y digwyddodd pethau.

Roedden ni'n dechrau'r daith trwy hedfan draw i Boston. Menyw hyfryd o'r enw Billi oedd yno i gwrdd â ni wedi i ni lanio, menyw fywiog a phrysur oedd ymhell dros ei hwyth deg. Hi oedd hyrwyddwr yr achlysur fyddai'n digwydd y diwrnod canlynol, a byddem yn treulio'r noson gyntaf yn Boston yn nhŷ'r wraig anhygoel hon, cyn perfformio yn y First Parish Church. Aeth popeth rhagddo'n dda gyda'r perfformiad, ac wedi noson (fer) arall o gwsg yn nhŷ Billi, bu'n rhaid codi am bedwar o'r gloch y bore (y tro cyntaf a'r tro olaf i mi wneud y fath beth!), ffarwelio gyda'n lletywraig hynaws a pharatoi i hedfan draw i Efrog Newydd.

Wedi glanio yn y maes awyr, doedd dim cyfle i ymdroi gan ein bod wedi addo perfformio gìg ar gornel Broadway am hanner dydd. Felly bu'n rhaid rhuthro fel corwynt drwy'r lle – a Robin yn llusgo'i delyn ar ei ôl! Mae'r atgofion hynny'n dal i ddod â gwên i'r wyneb, Robin yn llusgo'r offeryn wrth ei sodlau, a'r holl Americanwyr yn holi'n fusneslyd, 'Oh my god! What the hell you got there?!'

Wrth gwrs, wedi ugain mlynedd o deithio'r byd gyda'i delyn roedd Robin wedi hen arfer â'r fath holi, a chanddo bob amser ateb parod. Yr un a ddefnyddiai amlaf oedd, 'Oh, only my mother-in-law!'

Doedden ni ddim yn gwybod beth oedd o'n blaenau, ond wrth i ni agosáu at y capel ble'r oedden ni i berfformio gyntaf, sylweddolodd Robin i ble'r oedden ni'n mynd. 'O'r nefoedd,' meddai, 'dyma'r lle y daethon nhw â'r cyrff.' Roedd y capel union gyferbyn â'r man lle'r arferai'r Twin Towers sefyll.

Rownd yr adeilad gallwn weld sawl *tout* yn llwythog â chapiau a baneri gyda 'Ground Zero' arnyn nhw, ac yna tu mewn i'r capel, ym mhob cornel roedd fideo o'r hyn a ddigwyddodd pan ddymchwelodd y Twin Towers, a hwnnw'n cael ei chwarae drosodd a throsodd. Er 'mod i wedi gweld y cyfan ar y teledu, roedd bod yn y fan honno yn ddychryn i mi, yn ysgytwol mewn gwirionedd. Doeddwn i ddim wedi cael cyfle i baratoi ar gyfer y fath olygfa – roedd olion o'r dinistr a'r drasiedi o'n cwmpas ym mhob man a'r awyrgylch yn llethol.

Roedd baneri wedi eu gosod o amgylch y capel, a gallwn weld fod yno gynrychiolaeth o bedwar ban byd. Rwy'n cofio sylwi ar sawl draig goch yn eu mysg, ambell un wedi ei llofnodi ac yn cario amrywiol negeseuon o gydymdeimlad gan ymwelwyr o Gymru.

Roedd y cyngerdd i ddechrau am un o'r gloch ac roeddwn wedi cael cais i ganu 'Silent Night' yn araf iawn. Wrth ddechrau canu, gallwn weld fod sawl aelod o'r gynulleidfa'n llefain, ac o fewn dim roedd yr wylo'n uwch na'r canu, a thristwch pobl yn boddi'r gerddoriaeth. Doedd dim modd osgoi'r galar aruthrol oddi mewn i'r capel, ac roeddwn innau hefyd yn agos iawn at ddagrau. I'r *touts* yr oedd y diolch i mi lwyddo i gadw rheolaeth o dan y fath amgylchiadau. Roedd y ffaith eu bod nhw yno, yn union y tu allan i'r capel, yn gwneud elw o'r digwyddiad ac yn manteisio ar brofedigaeth pobl yn ddigon i galedu'r galon dros dro.

O Efrog Newydd aethom draw i Omaha yn Nebraska – i le o'r enw Beatrice ble'r o'n i'n cynnal gweithdai cerddoriaeth mewn ysgolion. Ond cyn hir roedd yn rhaid codi pac unwaith yn rhagor, am Chicago y tro hwn, lle roeddem yn perfformio mewn capel arall, ar Lake Street.

Yn anffodus, doedd Chicago ddim yn un o uchafbwyntiau'r daith i mi, yn bennaf oherwydd fy llety yno. Ers pan oeddwn i'n ferch fach, rwy wedi dioddef o alergedd i gŵn a chathod, alergedd sy'n gallu achosi pyliau drwg o asthma. O ganlyniad, ychydig iawn o brofiad o anifeiliaid anwes sydd gen i, ac o'r herwydd mae cŵn a chathod yn hala cryn dipyn o ofn arna i. Ro'n i wedi egluro hyn i'r trefnwyr ymlaen llaw, a hwythau wedi fy sicrhau na chawn fy rhoi i aros yn unman lle'r oedd anifeiliaid anwes. Felly, dychmygwch fy syndod wrth gyrraedd fy llety yn Chicago a chael fy nghroesawu gan fy lletywraig a'i phum cath a'i dau gi!

Fel pe na bai hynny'n ddigon drwg, y soffa yn yr ystafell fyw fyddai fy ngwely am y noson honno, yr un soffa â'r man lle byddai hi a'i hanifeiliaid anwes yn ymlacio ynddo yn ystod y dydd. Ychydig iawn o gwsg a gefais yn Chicago!

Ymlaen â ni i Minneapolis, y lleoliad nesaf, a diolch byth roedden ni'n aros yng ngwesty'r Holiday Inn yn fan'no, oedd yn fendigedig wedi profiadau di-gwsg y noson cynt! Ar yr ail noson yn yr ardal honno, cefais gyfle i fynd i aros gyda fy ffrind Stephanie yn St Paul, Minnesota. Dyma'r ferch y bûm yn ysgrifennu ati hi ers dyddiau plentyndod ac roedd yn hyfryd cael gweld ble'r oedd hi'n byw a chwrdd â'i theulu a'i ffrindiau. Byddai'n hawdd ei dychmygu yn ei chartref ac yng nghanol ei bywyd bob dydd o hyn ymlaen.

Ar ddydd Llun, 9 Rhagfyr, bu i ni hedfan draw i Phoenix, Arizona – ac i dywydd braf! Roedd y tymheredd tua 65 °C, oedd yn aeaf iddyn nhw ond a oedd yn teimlo'n hyfryd o gynnes i ni'r Cymry! Wedi dadbacio yn y gwesty, aeth Eiry a minnau i eistedd ar lan y pwll nofio – er mawr syndod i'r trigolion lleol, a oedd yn mynnu ein holi, 'Hey, guys, what the heck you doing sunbathing in the middle of winter?!' Ninnau wedyn yn ceisio'u hargyhoeddi fod eu gaeaf nhw'n gynhesach na'n hafau ni!

Capeli oedd lleoliadau'r rhan helaethaf o'r cyngherddau ar hyd y daith, ond yn dilyn ein hymweliad â Phoenix, roeddem i hedfan draw i San Francisco i berfformio mewn clwb gwerin yn Berkeley, Califfornia. Gredwch chi fyth, ond pwy welson ni gefn llwyfan yn y clwb ond Phil Maynard, a oedd yn arfer chwarae gyda Tich Gwilym, ac a gyfrannodd i'm cryno-ddisg, *Jiawl*. Ydy, mae'r byd yn fach. Wedi iddo briodi Jan, roedd Phil wedi mudo i Califfornia yn ystod yr wythdegau, ac wedi sefydlu busnes iddo'i hun fel adeiladwr – er ei fod e'n parhau i chwarae mewn grŵp o'r enw Soul Doctors. Roedd hi mor hyfryd ei weld e unwaith yn rhagor, a hel atgofion am yr hen ddyddiau.

Drannoeth, roeddem wedi derbyn gwahoddiad i wneud cyfweliad radio yn Santa Cruz, cyn mynd i lawr i'r traeth am y prynhawn – yng nghanol mis Rhagfyr! Ond byrhoedlog oedd y gwres hyfryd, gan fod disgwyl i ni deithio draw i oerfel ac eira Port Townsend, Seattle, y diwrnod canlynol.

Roeddem yn tynnu at derfyn ein taith, a'r daith tuag adref yn nesáu –

ond nid cyn i ni deithio lan i'r gogledd i Edmonton yng Nghanada. Yn Edmonton cefais gyfle i gwrdd â'm cyfnither Judith, gan iddi hi a'i meibion fynychu'r gìg yno. Doeddwn i ddim wedi ei gweld hi ers y saithdegau, pan fudodd hi draw i Ganada. Mae Judith yn gyfnither llawn i mi, yn ferch i Yncl Joe, brawd fy nhad. David yw ei enw e go iawn, ond fod pawb yn ei alw fe'n Joe am ryw reswm, ac mae'n dal i fyw yng Nghaerdydd. Er na chefais i a theulu Judith lawer o oriau yng nghwmni ein gilydd draw yn Edmonton, roedd yn hyfryd cael adnewyddu'r cysylltiad wedi'r holl flynyddoedd.

O Edmonton hedfanodd y tri ohonom yn ôl i Chicago ac o'r fan honno roeddem yn cychwyn am adref. Roedd Eiry'n mynd ar ei hunion o Chicago i Hawaii i dreulio'r 'Dolig yno, ac felly ro'n i wedi penderfynu o'r dechrau y byddwn i'n hedfan yn ôl i Fanceinion gyda Robin. Wedi digwyddiadau 9/11 ro'n i'n ddigon pryderus ynghylch hedfan, ac yn sicr do'n i ddim eisie hedfan 'nôl i Heathrow ar fy mhen fy hun. Roedd hyn hefyd yn cynnig cyfle i mi dreulio noson yn nhŷ fy mrawd yn Knutsford, cyn dal y trên 'nôl i lawr i Gaerdydd y bore canlynol.

O wybod y byddai'r tywydd yn eithriadol o oer mewn rhai rhannau o'r Unol Daleithiau, ro'n i wedi tretio'n hun i gôt ffwr wen at fy nhraed cyn gadael Cymru. Roedd gen i feddwl y byd o'r gôt honno – fel y dylai fod, a hithau wedi costio ffortiwn i mi – ac fe ddaeth yn ddefnyddiol iawn ar sawl achlysur yn ystod y daith. Defnyddiol ai peidio, allwn i ddim cyfaddef y gost wrth Dave, ac felly wrth gyrraedd y platfform yng Nghaerdydd, ble'r oedd Dave a'r plant yn disgwyl amdana i, dywedais mai côt Eiry oedd gen i amdanaf, a chan nad oedd hi am ei chludo'r holl ffordd i Hawaii fy mod i wedi cytuno i ddod â hi gartref gyda mi! Wn i ddim a gredodd neb y stori honno gan fod y gôt yn dal gen i ...

Dim ond wedi i mi gyrraedd adre'n ddiogel y dechreuodd y *jetlag*, ac fe'm trawyd oddi ar fy echel am sawl diwrnod – cymaint felly fel y bu'n rhaid i mi ganslo'r holl gìgs oedd gen i ar y gweill cyn y 'Dolig. Ar ben hynny, ro'n i'n llawn annwyd ac yn poeni am ein sefyllfa ariannol. Ro'n i wedi gwario arian mawr draw yn America, ac ni fyddai fy ffi am y daith yn cyrraedd tan ddechrau Ionawr. Fel y digwyddodd pethau, wnaeth yr un o'r tri ohonom yr un geiniog goch mas o'r trip hwnnw er iddo fod yn brofiad gwerthfawr am sawl rheswm. Allwn i ddim peidio â theimlo'n euog; doedd dim arian yn dod i mewn a'r dyledion yn tyfu'n ddyddiol, a hynny ar un o amseroedd prysuraf a druta'r flwyddyn.

O fewn mis i gyrraedd adref, cafodd Eiry, Robin a minnau wahoddiad i ddychwelyd i Efrog Newydd, y tro hwn i wneud cyfres o *showcases*. Syniad y *showcases* hyn yw fod rhywun yn cael ei roi mewn stafell i berfformio am hanner awr, tra bod asiantau'n dod i mewn i wrando arnoch chi. Os ydyn nhw'n hoffi'r hyn maen nhw'n ei glywed, mae rhywun yn cael gwaith, os 'dyn nhw ddim, wel mae gan rywun lawer o amser ar ei ddwylo!

Felly, ar 11 Ionawr 2003, fe groesodd y tri ohonom Fôr yr Iwerydd unwaith yn rhagor, y tro hwn i Efrog Newydd yn unig am bedwar diwrnod o berfformio. Roedden ni'n aros mewn gwesty gyferbyn â'r Hilton, ac yn y fan honno hefyd y byddai'r *showcases* yn cael eu cynnal.

Yn fuan ar ôl cyrraedd, bu i ni ganfod fod grŵp arall o Gymru yno hefyd, grŵp o'r enw Ffynnon, ac roedd y gŵr oedd yn chwarae bas iddyn nhw'n wyneb cyfarwydd iawn, sef Dave Reid a arferai chwarae bas i Meic Stevens. Cyn hir yr oedd y ddau ohonom wedi dod o hyd i'r bar a dyna lle buom yn sgwrsio'n hir ac yn braf gyda'n gilydd, yn dal i fyny a hel atgofion am yr hen ddyddiau.

Y diwrnod canlynol, doedd Dave ddim yn teimlo'n rhy dda. Yn ddigon naturiol, roedd pawb (gan gynnwys Dave ei hun) o'r farn mai *jetlag* a blinder oedd wrth wraidd ei anhwylder. Y prynhawn hwnnw roedd e'n eistedd ar ei wely'n chwarae'r gitâr fas, ond yn sydyn cododd ar ei draed a datgan, 'Oh, I don't feel at all well' a chwympo i'r llawr.

Doeddwn i ddim yno ar y pryd a chefais i mo'r hanes gan neb cyn i mi fynd draw i'r maes awyr a chychwyn am adre. Roeddwn wedi digwydd gweld ei asiant y diwrnod y gadewais i Efrog Newydd, ac er ei bod hi'n gwybod beth oedd wedi digwydd, ddywedodd hi ddim byd wrtha i. Mae'n debyg ei bod yn credu mai dyna fyddai orau, rhag effeithio ar unrhyw berfformiad, ond rwy'n cofio teimlo ei bod hi'n oeraidd y diwrnod hwnnw, heb ddeall pam wrth gwrs.

Bron cyn gynted ag y bu i mi lanio dyma ganfod fod Meic Stevens wedi gadael neges ar fy ffôn i.

'Hey Jones, you've been out there. Is it true that Dave Reid is dead, is it true? It can't be true! You've just been with him over in New York haven't you?'

Dyma ffonio Meic yn ôl a dweud, 'Paid â bod mor ddwl, wrth gwrs nad yw e'n wir. Ro'n i'n sgwrsio 'da fe trwy'r nos Sadwrn …' ond yna dyma ddechrau meddwl a sylweddoli nad oeddwn i wedi ei weld e'r diwrnod ar ôl hynny o gwbl … Roedd e'n wir. Trawiad ar y galon gafodd Dave Reid druan. Roedd e'n ddyn hyfryd, yn dal yn weddol ifanc – dim ond yn ei bumdegau – a chanddo gymaint ar ôl i'w gyflawni.

Diolch i'r cyfryngau a hanesion rhai o sêr enwocaf y byd cerddorol, mae pobl yn tybio bod cerddorion a phobl y sîn roc yn byw yn fras ac yn wyllt. Wn i ddim am realiti hynny i'r rhan fwyaf ohonom, ond gallaf yn sicr dystio 'mod i wedi colli llawer o'm cyfoedion heb i hynny fod yn agos at y gwir.

Hwiangerdd

Daeth 2004 i ben gyda'r golygfeydd dychrynllyd hynny yn Sri Lanka, a'r gair hwnnw 'tsunami' na wyddwn ei ystyr nes i'r don enfawr a dinistriol honno larpio cartrefi, bywoliaeth a bywydau miloedd o drigolion lleol a thwristiaid.

Sa i'n credu i neb – yn enwedig wedi gormodiaeth y Nadolig – edrych ar y golygfeydd erchyll hynny heb deimlo ar dân eisiau helpu. Yn sicr, ro'n i'n argyhoeddedig 'mod i am wneud rhywbeth i godi arian, a'r ffordd orau i mi wneud hynny oedd defnyddio fy nhalent gerddorol a dwyn pwysau ar gerddorion amlwg eraill i wneud hynny gyda mi.

Fy mwriad cychwynnol oedd trefnu digwyddiad ar gyfer yr haf ar y cyd â'm ffrind Gwenno Dafydd. Rhyw fath ar *buskathon* oedd y syniad, rhywbeth fyddai'n cael ei gynnal yng Nghaernarfon, Caerdydd ac Aberystwyth ar yr un diwrnod, digwyddiad fyddai'n gweld cyfres o gantorion yn cymryd eu tro i ddiddanu pobl ar y stryd. Trafodais y syniad gyda Gareth Strangemore, ffrind i Gwenno oedd yn gweithio i gangen Tsunami Cymru ar y pryd, ac fe bwysleisiodd yntau bwysigrwydd trefnu rhywbeth cyn gynted â phosib yn hytrach na disgwyl tan yr haf, felly dyna a fu. Bu'n rhaid addasu ychydig ar y syniad. Yn anfoddog, penderfynais anghofio am gael tri lleoliad a chanolbwyntio'n hytrach ar Gaerdydd, a chael ymrwymiad cymaint o gantorion â phosib i'r fan honno.

Wrth gwrs, a hithau'n gefn gaeaf, fedrwn i ddim gofyn i gantorion berfformio yn yr awyr agored, felly dyma drefnu cael safle yng nghanolfan siopa Dewi Sant – rhywle lle byddai pobl yn gallu naill ai alw i mewn yno am bum munud neu aros am y diwrnod cyfan. Byddai'r holl gerddoriaeth hefyd yn cael ei chwarae ar uchelseinydd fyddai i'w glywed ar hyd yr Ais. Roedd yn brofiad ysbrydol iawn. Roedd e hefyd yn gadarnhad 'mod i yn fy elfen yn trefnu digwyddiadau, ac mae'n rhywbeth yr hoffwn wneud rhagor ohono yn y dyfodol – pwy â ŵyr, hwyrach mai dyna fydd fy nghwys newydd i wrth i'r llais ddechrau gwanhau.

Yn ystod y flwyddyn hon y dechreuais ddod yn gyfeillgar gyda'r don newydd o dalent gerddorol Gymreig hefyd – pobl fel Alun Tan Lan, Gwilym Morus, Gwyneth Glyn, Gai Toms, Dan Amor, Fflur Dafydd ac ati – ac roedd hynny'n hwb mawr i hyder rhywun, fod pobl ifanc ar ddechrau eu gyrfaoedd yn awyddus i gydweithio â rhywun oedd yn tynnu at fachlud ei gyrfa! Mae llawer o'r cysylltiadau hynny wedi cryfhau yn ystod y ddwy flynedd diwethaf, gyda Gwyneth, Alun a Gwilym yn cyfrannu i'm cryno-ddisg diwethaf mewn rhyw ffurf neu'i gilydd. Rydw innau wedi derbyn gwahoddiadau i gyfrannu i'w halbyms hwythau hefyd, ac rwy'n gobeithio y daw sawl cyfle i gydweithio eto yn y dyfodol.

Cerddor ifanc arall y mae gen i feddwl mawr ohono yw Ynyr, sef un o'r ddau frawd a adwaenir fel Brigyn. Nid yn unig yr wyf yn edmygu ei dalent a'i greadigrwydd fel cerddor a chyfansoddwr, ond mae gen i feddwl mawr ohono fel person hefyd. Mae'n fachgen hyfryd iawn – ac yn f'atgoffa i rywfaint o fy hun pan oeddwn i'r un oed ag e. Mae 'na ryw anwyldeb yn perthyn iddo. Ar ôl cwrdd ag e am y tro cyntaf mewn gìg i Blaid Cymru, rwy wedi bod yn ddigon ffodus i gael cydweithio ag Ynyr ar sawl achlysur.

Dechreuodd y cydweithio – fel ar gymaint o adegau eraill – dros beint wedi'r gìg hwnnw, pan ddywedodd Ynyr eu bod nhw'n hoff o gydweithio ag artistiaid eraill. O ganlyniad, iddo ef mae'r diolch am eiriau Cymraeg 'Enaid', cân deitl fy nghryno-ddisg diweddaraf, a sgrifennwyd yn Saesneg i mi gan Rory Furlong. Ynyr hefyd sydd wedi darparu'r geiriau ar gyfer cân o'r enw 'Dieithryn', yn ogystal ag ymgymryd â'r dasg anodd o sgrifennu geiriau 'Cân i Tich'. Roedd hi'n hynod o bwysig fod y gân honno'n gwneud cyfiawnder â chymeriad Tich, ac wnaeth Ynyr mo'n siomi.

Rhyfedd fel y digwydd pethau, gan i un o brofiadau gorau a gwaethaf 2005 ddod yn sgil y gair 'Hwiangerdd'. Ym mis Mawrth y flwyddyn honno, cytunais i gymryd rhan yng nghystadleuaeth Cân i Gymru am y pumed tro yn fy ngyrfa. Roedd Alun 'Sbardun' Huws wedi cysylltu â mi i ddweud y byddai wrth ei fodd petawn yn cytuno i berfformio'i gân ef yn y gystadleuaeth, ac wedi darllen y geiriau fedrwn i ddim meddwl am wrthod. Cân am ddigwyddiadau 9/11 oedd 'Hwiangerdd', ac roedd hi wedi ei hysgrifennu'n deimladwy iawn, gan un o'n cyfansoddwyr gorau ni yn fy marn i. Mae gan Sbardun ddawn ysgrifennu anhygoel, ac roedd hi'n fraint gen i gael cyfleu'r ddawn honno mewn cân ar lwyfan cenedlaethol cystadleuaeth Cân i Gymru.

Yn anffodus, doedd y cyhoedd ddim o'r un farn. Er i ni gyrraedd y rhestr fer a pherfformio ar y noson, fe ddaeth ein cynnig ni'n wythfed allan o wyth. Wrth gwrs, mae colli bob amser yn galed, ac mae colli mor gyhoeddus â hynny'n glec i hyder ac i falchder rhywun. Mae canu'n gyhoeddus yn weithred mor bersonol, ac mewn cystadlaethau mae'r cerddor yn ei osod ei hunan ar drugaredd y gwrandawyr. Y tro hwnnw, teimlwn i mi gael fy rhwygo'n ddarnau. Yn sicr, fe blymiodd f'ysbryd wrth glywed y canlyniadau'n cael eu darllen yn fyw i'r genedl, a sa i 'rioed wedi teimlo'r fath siom. Roedd fy nghalon i'n gwaedu tros Sbardun hefyd; roedd 'Hwiangerdd' yn gân mor fendigedig ac yn haeddu llawer iawn mwy na dod yn olaf yn y gystadleuaeth honno, yn fy marn i.

O edrych ar bethau'n wrthrychol, mae'n debyg i ni golli'r gystadleuaeth honno cyn dechrau hyd yn oed. Fel actio a pherfformio yn gyffredinol, proffesiwn yr ifanc yw'r sîn gerddoriaeth yng Nghymru. Ar wahân i ambell i eithriad fel Meic Stevens a Dafydd Iwan, mae'r holl berfformwyr yn ifanc ac yn apelio at gynulleidfa ifanc. Y flwyddyn 2005 hefyd oedd y flwyddyn gyntaf y gallai'r gwylwyr bleidleisio trwy ddanfon tecst, ac wrth gwrs mae llawer o'm cefnogwyr naturiol i – fel minnau – yn anghyfarwydd â'r dylanwadau technolegol newydd.

Er i rywun allu rhesymegu hynny, doedd y grasfa'n ddim haws i'w derbyn. O fod wedi cyrraedd y brig gyda Chân i Gymru yn y gorffennol, roedd hi'n anodd iawn dygymod â'r ffaith i mi ddod yn olaf y tro hwn, a chymerodd sawl wythnos i mi ddod atof fy hun wedi'r gystadleuaeth honno. Roedd yna adegau tywyll iawn (a melodramatig falle!) pan gredwn fod fy ngyrfa drosodd ac na fyddwn i byth yn canu'n gyhoeddus nac yn rhyddhau albwm eto. O dipyn i beth, daeth haul ar fryn, ond gallaf ddweud â'm llaw ar fy nghalon na fyddaf yn cystadlu yng nghystadleuaeth Cân i Gymru fel unawdydd fyth eto.

Ond os mai 'Hwiangerdd' a'm plymiodd i iselder ar ddydd Gŵyl Dewi, 'Hwiangerdd' hefyd oedd yn rhannol gyfrifol am fy llusgo i o'r iselder hwnnw rai misoedd yn ddiweddarach, wrth i gân o'm heiddo gael ei chynnwys ar gryno-ddisg o'r un enw a ryddhawyd yn nes at ddiwedd y flwyddyn.

Rhywun arall y mae fy niolch yn fawr iddo am godi fy nghalon yn ystod y cyfnod hwnnw hefyd yw Dewi Pws. Fe gysylltodd â mi yn ystod mis Mawrth i ofyn i mi fod yn rhan o'i sioe ei hun yn yr Eisteddfod – prosiect a brofodd yn falm bendigedig ar fy nghlwyfau! Roedd hi'n wych cael gweithio efo'r hen griw eto – efo pobl fel Dewi, Sbardun, Ems a Stan (y Tebot Piws) Clive Harpwood, Bryn Fôn, Linda Griffiths, Charlie, John a Hefin o Edward H gynt, a Sioned wrth gwrs.

Yn rhyfedd ddigon, erbyn y flwyddyn ganlynol roeddwn i wedi derbyn gwahoddiad i fod yn feirniad ar gystadleuaeth 'Cân i Gymru 2006'! Roedd e'n brofiad gwefreiddiol, er gwaetha'r cyfrifoldeb o orfod gwrando ar 94 o ganeuon cyn dewis llond dwrn o rai i'w cynnwys ar y rhestr fer.

Yn wir, er gwaetha siom y flwyddyn flaenorol, byddai Cân i Gymru'n chwarae rhan flaenllaw yn fy mywyd yn 2006, gan i mi hefyd gytuno i ganu 'Pan Ddaw'r Dydd' – y gân a ysgrifennwyd ar fy nghyfer gan Geraint, ac a sicrhaodd fy muddugoliaeth gyntaf yn y gystadleuaeth 'nôl yn y saithdegau – ar gyfer cryno-ddisg newydd o oreuon Cân i Gymru. Er cymaint yr oeddwn i'n dwlu ar y gân, doedd e ddim yn benderfyniad hawdd i'w chanu unwaith eto. Mae geiriau'r gân honno'n gymaint o ran o Geraint a minnau a'n hanes gyda'n gilydd, ac roedd dychwelyd ati'n golygu dychwelyd hefyd at hen atgofion a hiraethu am yr hen ddyddiau – yn broffesiynol ac yn bersonol. Roedd yr emosiynau'n amrwd iawn ar brydiau, a minnau'n gorfod wynebu eto y tristwch a'r boen yr oedd Geraint a minnau wedi eu rhoi i'n gilydd yn ystod ein priodas.

Mae profiad wedi gwneud y geiriau'n rhai llawer mwy ystyrlon, a minnau'n llawer mwy aeddfed i feddwl am eu hystyr a'u goblygiadau erbyn hyn. A dweud y gwir, os oes unrhyw beth rwy'n ei ddifaru, yna peri cymaint o loes i Geraint yw hynny, ac rwy'n gobeithio ei fod yntau'n teimlo'r un modd.

Tich Gwilym

Un o drasiedïau mwyaf fy mywyd i – a'r byd cerddoriaeth yn gyffredinol hefyd – oedd colli Tich Gwilym.

Yn y Royal Oak y gwelais i Tich yn chwarae am y tro cyntaf, er iddo'n ddiweddarach berfformio gyda'm gŵr, Dave. Dwi'n cofio mynd yno i wrando arnyn nhw, ond roedd Tich yn chwarae mor uchel nes oedd yn rhaid i mi fynd i sefyll tu allan er mwyn gallu gwrando!

Wedi'r tân, ffoniodd Mam i ddweud, 'Maen nhw'n dweud ei fod yn cysgu pan fu farw. Roedd y mwg wedi ei yrru i drwmgwsg.' Ceisio cynnig cysur oedd hi, ac roedd e'n gysur meddwl na fu i Tich ddioddef yn y diwedd. Ond, dros y misoedd a ddilynodd, ymddangosodd sawl erthygl yn y papurau yn dweud ei fod e'n effro pan ddigwyddodd y peth, a'i fod e'n ceisio dianc am ei fywyd. Yn llythrennol. Mae rhai wedi dweud iddynt ei glywed yn sgrechian, ac i mi mae hynny'n llawer gwaeth, yn llawer mwy poenus.

Mewn tŷ teras, gyda llofftydd ar y llawr cyntaf ac un stafell yn y to, yr oedd e. Tŷ ei gariad ydoedd, a phan ddigwyddodd y drasiedi roedd hi'n trio helpu Tich i roi'r gorau i'r cyffuriau a'r 'smygu.

Roedd Tich wedi bod mewn cyflwr gwael ers i'w fab farw. Daniel oedd ei enw, ac roedd pawb yn hoffi Dan. Rwy'n cofio un tro, pan oedd e'n fach, mynd draw i'r tŷ lle'r roedd Tich yn byw gyda Heather a'i feibion. Trodd Dan ata i a gofyn, 'Can I go for a ride in your car?' Roedd e wastad yn moyn mynd i rywle arall, allan o'r tŷ. Rwy'n cofio mynd ag e i'r parc gyda Lisa pan oedd hi'n bump neu chwech, ac yntau tua thair oed, a phawb yn dwlu arno. Roedd e'n fachgen siriol a chwilfrydig ac yn swyno pawb. Pan oedd e tuag ugain oed fe ddechreuodd ganlyn y ferch hon a chyn hir yr oedd hi'n feichiog. Fe gafodd hi fabi, yna un arall yn fuan wedyn ac erbyn hynny roedd Dan yn cymryd cyffuriau. Un diwrnod, fe aeth i mewn i'r fflat yma ar City Road a chymryd gormod, ac fe fu farw. Roedd e'n 24 oed.

Erbyn hynny roedd Heather ei fam a Tich wedi gwahanu, ac roedd ei fam yn enwedig mewn stad ofnadwy, fel y gall rhywun ddychmygu. Rwy'n cofio mynd draw yno i'w gweld efo Geraint a Lisa ar ôl yr angladd. Cynhaliwyd y *wake* yn y Royal Oak, ac roedd ei feibion eraill James a Hank – ar ôl Hank Marvin – yno hefyd. Bron ar yr un noson ag y bu Dan farw roedd cariad Tich, Diane, ar fin rhoi genedigaeth. A dweud y gwir, roedd Tich ar y ward famolaeth gyda Diane pan gyrhaeddodd yr heddlu a dweud: 'We'd like you to come down to the mortuary to identify your son.' Mae bywyd yn gallu bod mor uffernol o greulon weithiau. O fewn dwy flynedd, roedd Diane a Tich wedi gwahanu ac fe adawodd e'r cartref teuluol a symud i le ar ei ben ei hun. Dyna sut y cyfarfyddodd â'i gariad nesaf, Sheelagh.

Wnaeth e ddim symud i mewn at Sheelagh, ond fe fyddai'n aros draw yn ei thŷ hi'n eitha' aml. Rwy'n cofio'r diwrnod ddigwyddodd y tân. Roedd yn ddiwrnod hyfryd, roedd y tywydd mor braf a minnau'n methu credu y gallwn i fod yn derbyn newyddion mor ddu ar ddiwrnod felly. Pan gwrddes i â Sheelagh wythnosau ar ôl iddo fe ddigwydd, fe ddisgrifiodd hi'r diwrnod wrtha i.

Roedd hi wedi cynnau cannwyll, dyna i gyd. Gweithred mor syml â honno, ond cyn pen dim roedd y tŷ yn wenfflam. Llwyddodd Sheelagh a'i merch a chariad ei merch i ddianc, ond, yn anffodus, allai Tich ddim gwneud hynny. Mae'n debyg mai un o'r pethau olaf glywodd hi'r diwrnod hwnnw oedd Tich yn gweiddi am gymorth.

Mae hynny'n torri 'nghalon i. Rhyw bedwar diwrnod wedi iddo ddigwydd, fe es i draw i osod blodau tu allan i'r tŷ er cof am Tich. Roedd 'na res o flodau yno'n barod, tusw ar ôl tusw, ac wrth i mi osod fy un i i lawr, dyma lais bach tu ôl i mi'n dweud, 'Oh, thank you very much.' A dyna ble'r oedd Sheelagh druan, yn eistedd ar y pafin tu ôl i mi yn syllu ar ei chartre. Roedd y tŷ'n hollol ddu. Rwy'n gallu gwynto'r mwg o hyd.

Dyma hi'n dweud, 'Oh, this lady over the road has been kind enough to put me up.' Es i mewn i'r tŷ a chael paned gyda hi. Roedd Sheelagh mewn stad ofnadwy, yn siarad lol, yn yfed te, yn smocio, yn methu dygymod â'r sioc. Mae'n debyg nad oedd e'n llesol ei bod hi yno mor agos at y tŷ. Fedrai hi ddim dianc rhag yr arogl mwg, yr olwg druenus ar ei chartref a'r darluniau erchyll oedd yn ei meddwl. Trwy'r dagrau, rwy'n ei chofio'n byseddu ei breichled. Roedd Tich wedi prynu hon iddi hi sbel yn ôl, ac roedd y freichled yma'n cael ei chadw mewn bocs yn yr ystafell lle dechreuodd y tân. Doedd hi ddim mymryn gwaeth. Roedd hi wedi bod trwy'r holl fflamau, a doedd dim yn bod arni hi. Roedd hi'n berffaith.

Dianc

Mae gen i ambell ddihangfa oddi wrth y byd a'i bethau: y car a gyrru ar hyd a lled y wlad yw un ohonyn nhw, cael cau fy hun oddi wrth bobl eraill a'r ffôn a mwynhau golygfeydd godidog Cymru. Cael bod yn neb ond fi fy hun. Dyna'n sicr ddiléit nad oes mo'i debyg. Mae bod yng nghwmni ffrindiau da, gan amlaf rhai sy'n ddim byd i'w wneud â'r sîn gerddoriaeth, yn ddihangfa arall yr wy'n ymhyfrydu ynddi. Mae gen i ffrindiau hen a newydd sy'n llawn direidi iach pan fo popeth yn iawn, ond sydd hefyd yn dda am ddarparu ysgwydd gadarn a chlust sensitif pan fo rhywun eisiau rhannu gofidiau. Rwy'n ffodus iawn ohonyn nhw.

Siopa yw'r ddihangfa arall. Neu o leiaf, dyna'r oeddwn i'n arfer ei gredu. Rwy'n gallu gweld nawr na fu hynny'n ddihangfa ddoeth iawn. Rwy'n mwynhau crwydro siopau, edrych ar y ffasiynau a phrynu, ond mae'r wefr rwy'n ei gael o wario weithiau'n bwysicach na'r hyn rwy'n ei brynu. Mae'n gwneud i mi deimlo'n well, ond dim ond am ddau funud. Wedi i'r wefr gychwynnol honno ddiflannu rwy'n dechrau sylweddoli faint yr ydw i wedi ei wario ac mae hynny'n fy nychryn i.

Dyw e ddim yn naturiol, rwy'n gwybod. Mae gen i lawer o stwff yn fy nghartref sy'n dal yn y bag y prynes i nhw, gyda'r labeli a'r prisiau'n dal arnyn nhw. Wn i ddim pam 'mod i'n teimlo'r rheidrwydd i brynu. Rwy'n meddwl fod rhywfaint ohono'n ryddhad. Am yr ychydig funudau hynny lle rwy'n gallu camu i mewn i siop, chwilio'n drwyadl a dewis, rwy'n teimlo'n dda, yn gyffrous, ac fel pe bai gen i reolaeth ar fy mywyd.

Rwy'n cofio 'nôl yn 1975, fe es i gydag Iestyn Garlick i nôl ambell beth ar gyfer sioe roedd e'n gyfrifol amdani, dim byd mawr, dim ond manion, props ac ati ar gyfer pantomeim. Fe ddywedais wrtho na fedrwn i wneud ei swydd e, na fedrwn i ddelio â'r cyfrifoldeb o ddewis y pethau cywir i bobl eraill. Fe edrychodd e arna i, ysgwyd ei ben a dweud, 'Argol, does 'na neb 'rioed wedi dy drystio di hefo dim byd, nagoes? Neb erioed wedi disgwyl i chdi wneud y penderfyniadau cywir o gwbl.' Efallai mai yn y fan honno y mae gwraidd y broblem. Rwy'n credu mai siopa yw fy ffordd i o brofi 'mod i'n gallu gwneud dewisiadau drosof fi fy hun.

Sa i'n credu i mi sylweddoli cymaint o ddillad oedd gen i nes i gwmni teledu Fflic ofyn am gael dod i fy ffilmio ar gyfer pennod gyntaf un y gyfres deledu boblogaidd *Cwpwrdd Dillad*. Wrth gwrs, mae sawl blwyddyn wedi pasio ers hynny, a minnau wedi gwario a phrynu llawer mwy yn y cyfamser – ac rwy'n dal i guddio bagiau o ddillad ac esgidiau a phethau tebyg rhag fy ngŵr!

Er 'mod i'n sylweddoli fod gen i dueddiad i or-siopa, mae 'na ambell i beth rwy'n ei brynu sy'n rhoi pleser mawr i mi ei wisgo, pethau fel fy nghôt wen hir. Mae'r eitemau hynny yn ymgorffori pob un rheswm dros fwynhau siopa, a fynnwn i ddim fod hebddyn nhw am y byd.

Yn ddiweddar, rwy wedi dechrau cael yr hyn ma' pobl yn eu galw'n *panic attacks* eto. Rwy'n dweud 'eto' am i mi eu cael nhw o'r blaen. Blinder sydd wrth wraidd y broblem, rwy'n meddwl. Fues i'n dioddef ohonyn nhw gyntaf 'nôl yn y saithdegau, ac rwy'n gwybod eu bod nhw'n fy nharo i pan fydda i wedi ymlâdd, yn gorfforol ac yn feddyliol. I'r rhai nad ydynt erioed wedi dioddef o'r math yma o beth, mae'n anodd iawn ei ddychmygu, ac mae'n ymddangos fel panicio'n afresymol heb achos. Er hynny, fel y gŵyr y rhai sy wedi dioddef, neu sy'n dal i ddioddef o *panic attacks*, dyw e ddim yn brofiad braf pan fydd y rhain yn taro rhywun. Ydy, mae'n afresymol, ond mae'n ddychrynllyd iawn pan fo'n digwydd. Mae'n dechre fel rhyw gnoad yn y stumog, rhyw anesmwythder anesboniadwy. Ar brydie, rydych chi'n gallu siarad eich hun mas ohono fe, ond ar adegau eraill ma fe'n cydio ynddoch chi ac yn cynyddu, ac rydych chi'n dechre panico. Yn fy achos i, mae'r ofn yn gwasgu ar yr ysgyfaint nes ei bod hi'n anodd anadlu.

Mae'n broblem, ond rwy'n ceisio edrych arni mewn ffordd gadarnhaol. Neges i mi gan y corff yw'r digwyddiadau hyn, rhywbeth i adael i mi wybod nad yw popeth fel y dylai fod. Digwyddodd y profiad diwethaf wedi cyfnod prysur ofnadwy lle'r o'n i'n teithio milltiroedd ar filltiroedd ac yn gwneud gìg bron iawn bob dydd drwy'r haf, weithiau dau mewn diwrnod, a dyna oedd yr arwydd fod angen seibiant, fy mod i'n gofyn gormod gennyf fi fy hun.

Y dyfodol

Does gen i ddim cynlluniau ar gyfer y dyfodol, a dweud y gwir. Rwy'n un am aros a gweld beth ddaw. Am wn i, pe cyrhaeddai'r dydd pan fyddai'r ffôn yn peidio â chanu, mae'n debyg y byddwn i'n gwneud yr ymdrech i fynd allan i chwilio am waith. Yn sicr, sa i'n credu y gwna i fyth roi'r gorau i weithio, dim tra pery'r llais.

Rwy'n mwynhau gweithio gyda phobl eraill ac rwy'n meddwl yr hoffwn i wneud rhagor o sioeau theatr a phethau tebyg, ond rwy'n anobeithiol am roi fy enw ymlaen ar gyfer dim byd ac am hyrwyddo fy hun. Rwy hefyd wedi mwynhau cael bod yn rhan o brosiect ysgolion, ac fe hoffwn i wneud mwy o hynny. Mae fy mhrofiad diweddar o gynlluniau tebyg wedi'm galluogi i deithio ysgolion yn dysgu caneuon Cymreig traddodiadol. Roedd hynny'n bleser aruthrol – roedd yn fy atgoffa o'r cyfnod byr hwnnw yn ysgol gynradd yr Eglwys yng Nghymru ym Malpas yn ystod fy ymarfer dysgu. Wrth gwrs, mae hefyd yn fraint ceisio trosglwyddo peth o'r traddodiad cerddorol cyfoethog sy gennym ni'r Cymry i'r genhedlaeth nesaf.

Mae'r prosiect hwnnw wedi sbarduno pethau diddorol eraill hefyd. Un o'r rhain yw cydweithio ag elusen MIND, ac mae hynny wedi rhoi blas da i mi o gynorthwyo'r gymuned. Rwy'n meddwl fod hynny'n cynnig cyfeiriad arall i'm gyrfa yr hoffwn ei archwilio ymhellach. Mae'n braf teimlo fod gen i ddyheadau proffesiynol o hyd, 'mod i'n dal i chwilio am gyfleoedd ymestynnol a phrofiadau newydd.

Rwy'n dal i wneud y gìgs, cofiwch – naill ai ar fy mhen fy hun neu gyda Frank Hennessy nawr ac yn y man. Gyda Frank, byddaf yn ymddangos fel gwestai yn ei sioeau ac rwy wrth fy modd yn cael gwneud hynny.

Rwy wedi perfformio yng Ngŵyl y Faenol sawl tro yn ddiweddar hefyd, fel artist unigol ac fel rhan o grwpiau mwy. Y llynedd, cefais wahoddiad i gyfrannu i drac sain y ffilm *Llythyrau Ellis Williams,* un arall o brosiectau Alun Sbardun. Roeddwn i hefyd yn un o'r 'Joneses' a ymddangosodd ar lwyfan Canolfan y Mileniwm i dorri record byd gyda chyngerdd 'Jones, Jones, Jones' S4C. Ar ben y cyfan, rwy'n dal yn ddigon ffodus i gael rhyddhau albwm nawr ac yn y man.

Hoffwn fod wedi cael y cyfle i weithio gyda rhai o'r enwau mawr fu'n arwyr i mi, pobl fel Joan Baez, Neil Young a'r rheiny i gyd. Ond does gen i ddim lle i gwyno. Mae 2007 wedi fy ngweld yn perfformio yn Eisteddfod Llangollen eto – ac er na wnes i ganu gyda Joan Baez, o leiaf gallaf ddweud i mi gymryd rhan yno yn yr un flwyddyn â hi! Rwyf hefyd wedi perfformio ddwywaith yn y Sesiwn Fawr eleni, unwaith gyda set unigol a'r eilwaith yn canu cefndir i'r Genod Droog. Does 'na ddim llawer o ferched 58 oed all ddweud hynny.

Wedi hanner canrif o ganu, rwy'n dal i gael profiadau newydd yn fynych ac mae hynny'n braf. Mae'n sbardun i barhau i weithio. Mae 'na fwy o waith i'w wneud, rwy'n gwybod hynny, a thra pery'r mwynhad a'r sialensau newydd, rwy'n hapus. Rwy'n fy ystyried fy hun yn freintiedig iawn yn hynny o beth.

Rwyf wedi ymweld â thri *clairvoyant* yn ystod y blynyddoedd diwethaf ac maen nhw i gyd wedi dweud pethau tebyg wrtha i. Yn eu tyb hwy, mae gen i newid byd o'm blaen – gyda chyfleoedd personol a phroffesiynol newydd a diddorol yn codi, medden nhw. Mae gen i ddewisiadau pwysig i'w gwneud, rhai fydd yn fy arwain ar hyd llwybrau digon heriol ac anodd yn ôl pob tebyg, ond nad oes angen i mi boeni chwaith. Fe fydd y rhyddid gen i i wneud dewisiadau, i ddethol pa lwybrau yr hoffwn eu troedio. Ymddengys ei bod hi'n bryd i mi gamu at yr awenau a phenderfynu sut rwy am lywio cwrs gweddill fy oes – a boed eu geiriau'n wir neu'n ddim ond gwirion, maen nhw'n sicr wedi rhoi rhywbeth i mi gnoi cil arno.

Dyw e ddim yn hawdd cyfaddef eich bod yn mynd yn hŷn wrth neb, ond weithiau mae'n ganwaith anoddach cyfaddef hynny i chi'ch hun. A hyd yn oed ar ôl cyfaddef mae angen mynd trwy broses o gydnabod a dygymod.

Dros y blynyddoedd diwethaf dwi wedi dechrau cael problemau gyda'm coesau. 'Chydig fisoedd yn ôl, roedd y boen yn aruthrol, felly dyma ildio yn y diwedd a mynd at y meddyg.

'Sa i'n credu fod gennych chi broblem fawr, Mrs Coates,' meddai'r meddyg, cyn mynd yn ei blaen i roi ei barn am yr hyn oedd yn bod. 'Rwy'n meddwl fod gennych chi wendid yn eich ffêr, ac rwy'n amau falle fod hynny'n deillio o wisgo'r esgidiau anghywir, yn enwedig i rywun o'ch oedran chi ...' A dyma gofio i mi gario system PA mewn sodlau uchel yn ystod gìg yn ddiweddar. Dim ond un ffordd oedd o gael gwared ar y boen, ac roedd y dyfarniad yn ergyd i fenyw fel fi. 'Reit,

179

Mrs Coates, os ydych chi eisiau i'ch coesau wella mae'n rhaid i chi brynu pâr o sgidiau cyfforddus, fflat, a bydd yn rhaid i chi eu gwisgo nhw am fisoedd i roi cyfle i'ch fferau chi gryfhau – a da chi, rhowch gorau i wisgo *stiletto heels* …'

Dyna fy rhoi fi yn fy lle. Menyw esgidiau canol oed fydda i o hyn allan falle, ond rwy'n gwybod na alla i gytuno i wrando ar y meddyg *bob* amser. Wedi'r cyfan, mae'r *stilettos* yn bwysig i mi. Yn fy marn i, mae'r sodlau'n arwyddocaol – maen nhw'n cyfateb i'r direidi yn y llygaid, i'r ysgafnder yn y galon, ac i'r awydd yna sydd ynof i barhau i wneud rhywbeth o werth …

O dro i dro, rwy'n canfod fy hun yn sefyll yn y coridor rhyfedd hwnnw a ddangosodd Lyn i mi dro yn ôl. Rwy'n syllu ar y drysau, yn ceisio meddwl pa un i'w agor nesaf. Dyna yw bywyd am wn i. Mae yna ddewisiadau i'w gwneud o hyd, ystafelloedd eto i'w canfod a'u harchwilio, ond fynnwn i ddim newid yr ystafelloedd hynny ble bûm i'n crwydro cyn hyn. Yn un peth, oherwydd fod y bobl y deuthum ar eu traws yn yr ystafelloedd hynny'n rhy werthfawr i mi. Rhai oedd yn ymwneud â gwaith wrth gwrs, ond hefyd ffrindiau da a rhai sy wedi bod yn gymorth i mi ar hyd fy oes. Rwy'n gwybod 'mod i eisiau treulio mwy o amser yng nghwmni'r bobl hynny sy'n gwneud i mi wenu.

Mae cael bod yn rhiant yn fraint. Bu'n waith anodd ar brydiau, fel ag y mae i bawb am wn i, ond fynnwn i ddim newid hynny am bris y byd. Mae Sam wedi dod dros ei broblemau dyddiau ysgol ac yn ŵr ifanc hyfryd. Mae e wrthi'n astudio yng ngholeg Glan Hafren erbyn hyn ac yn gitarydd arbennig o dda. Mae Meg yn ferch dlws a hyderus ac fe wn y gall hi ymdopi â beth bynnag y bydd bywyd yn ei daflu ati hi. Mae Lisa hithau bellach wedi dyweddïo â Padrig Jones, perchennog bwyty hyfryd 'Le Gallois' yn Mhontcanna, ac rwy'n edrych ymlaen at eu priodas cyn bo hir. Rwy hefyd wedi bod yn ddigon ffodus i gael mwynhau cwmni fy wyres, Heledd. Rwy'n falch iawn ohoni – mae hi'n gwmni da ac yn ffrind i mi yn ogystal â bod yn aelod o'r teulu. Mae hi'n mynd mas 'da Scott, mab Jonathan Davies, a newydd ddechrau cwrs Celf yng ngholeg Bryste. Bydd gen i'n sicr hiraeth amdani ond gwn y gwnaiff hi gyflawni llawer.

Fedr rhywun ddim troi'r cloc yn ôl a fyddwn i ddim yn dymuno hynny. Mae pob un profiad bywyd, yn felys ac yn chwerw, wedi cyfrannu at y person yr ydw i heddiw. Os caf i barhau i ganu am rai blynyddoedd i ddod, fe fydda i'n ddigon hapus.

Yn ddiweddar, cefais wefr aruthrol o wylio Mam, sydd ymhell dros ei phedwar ugain, yn camu i'r llwyfan i ganu unawd Gymraeg o flaen cynulleidfa reit helaeth. Fe fu hi'n angor i mi. Allwn i ddim fod wedi cyflawni yr hyn wyf wedi ei gyflawni heb ei chefnogaeth hi. Allai hi ddim cynnig gwell ysbrydoliaeth nac anogaeth i mi ddal ati na chaniatáu i mi fod yn dyst i'r hyn a wnaeth hi ar y llwyfan y diwrnod hwnnw. Os caf innau fod felly mewn chwarter canrif, fe fodlona i ar hynny.